d'aujourd'hui

étranger

collection dirigée par
Jane Sctrick

CAPITAINE DE PAVILLON

ALEXANDER KENT

CAPITAINE DE PAVILLON

roman

Traduit de l'anglais par
LUC DE RANCOURT

PHÉBUS

OUVRAGE PUBLIÉ SUR LES CONSEILS DE
MICHEL LE BRIS

Illustration de couverture :
John Chancellor
The Final Bid
Collection privée

Titre original de l'ouvrage en anglais :
The Flag Captain
Première publication : Hutchinson & Co., Londres, 1971

Pour l'épouse du commandant,
amoureusement.

Les esprits de vos ancêtres
De chaque vague jailliront ;
Car le pont, tel est leur champ d'honneur,
Et l'océan – voilà leur sépulture.

CAMPBELL

I

ATTERRISSAGE

Les six coups du matin venaient de tinter au fronteau de gaillard. Le capitaine de vaisseau Bolitho, émergeant à l'arrière, s'arrêta un instant près du compas. Le quartier-maître qui armait la grande roue double annonça :

– En route au nord-ouest, monsieur.

Mais il baissa vivement les yeux sous le regard que lui jeta Bolitho.

« Et voilà, se dit-il, ils ont tous compris que j'étais soucieux. » Ils ne pouvaient certes en deviner la cause, mais ils faisaient l'impossible pour l'aider.

Il traversa la large dunette pour gagner le bord au vent. Il n'eut même pas besoin de regarder pour savoir que ses officiers étaient là et essayaient de jauger son humeur. Une nouvelle journée commençait.

Son bâtiment n'avait pas cessé de naviguer depuis dix-huit mois et la plus grosse partie de l'équipage, exception faite des tués au combat et de ceux qui étaient morts de leurs blessures, se trouvait à bord depuis qu'il avait appareillé de Plymouth, par un beau matin d'octobre 1795. Il était bien temps qu'ils comprennent : il avait besoin d'être seul pendant ce précieux instant, à l'aube de chaque nouveau jour.

La brume de mer humide qui les avait collés toute la nuit tandis qu'ils remontaient lentement la Manche était toujours là, plus épaisse que jamais. Ses fumerolles s'enroulaient autour des haubans et du gréement, les gouttes dégoulinaient sur la coque comme de la rosée. Au-delà des filets, garnis de hamacs soigneusement rangés, la mer ondulait sous la longue houle du large, à peine ridée par la faible brise. L'eau était d'un gris triste, couleur de plomb.

Bolitho frissonna légèrement et croisa les mains dans le dos sous ses basques. Il leva les yeux et contempla, au-delà des grandes vergues, la marque de contre-amiral qui flottait mollement en tête d'artimon. On avait du mal à croire que, quelque part là-haut, le ciel était bleu et qu'un chaud soleil de mai émergeait des côtes dont ils approchaient. Les côtes de Cornouailles, son pays.

Il se retourna et aperçut son second, Keverne, qui l'observait en attendant le moment propice.

Bolitho se força à sourire :

– Bonjour, monsieur Keverne. L'accueil n'est pas chaleureux, ce me semble.

Keverne se détendit un peu.

– Bonjour, monsieur. Le vent est toujours de suroît, mais il n'y en a guère. Et, ajouta-t-il en jouant avec les boutons de son manteau, notre pilote pense que nous devrions mouiller quelque temps. La brume pourrait bien se lever sous peu.

Bolitho se tourna vers le pilote, un petit homme tout rond. Il portait son vieux manteau élimé boutonné jusqu'à son triple menton, ce qui lui donnait l'air d'un ballon bleu dans cette étrange lumière. Ses cheveux étaient devenus prématurément gris, pour ne pas dire blancs, et il portait une queue de cheval à l'ancienne mode qui donnait à sa coiffure l'allure d'une perruque poudrée de gentilhomme campagnard.

– Eh bien, monsieur Partridge – Bolitho essayait de mettre un peu de chaleur dans le ton de sa voix. Cela ne vous ressemble guère de vous méfier ainsi à l'approche d'une côte ?

Partridge se raidit :

– J' n'ai jamais navigué du côté de Falmouth, monsieur. En tout cas, jamais à bord d'un trois-ponts.

Bolitho se tourna vers son quartier-maître.

– Allez à l'avant et veillez à ce que l'on mette deux hommes de sonde dans les bossoirs, et des bons. Assurez-vous aussi que les plombs sont convenablement suiffés. Et je veux des comptes rendus précis.

L'homme courut à l'avant sans rien répondre. Bolitho savait bien que, comme tous les autres, il n'avait pas besoin qu'on lui dise ce qu'il avait à faire, mais cela lui donnait un répit pour rassembler ses pensées et réfléchir à ce qu'il allait devoir faire.

Pourquoi ne pas se ranger à l'avis du pilote et décider de mouiller ? Était-ce la témérité ou l'aveuglement qui le faisait poursuivre ainsi sa route et se rapprocher de plus en plus près de la côte toujours invisible ?

Une triste mélopée lui parvint de l'avant, le chant du sondeur :

– Et sept brasses !

Au-dessus du pont, les voiles claquaient sans relâche, luisantes comme soie huilée. Comme tout les apparaux, elles étaient détrempées par l'humidité et à peine gonflées par la faible brise travers bâbord.

Falmouth. L'endroit qui apporterait peut-être une réponse à ses incertitudes et à ses craintes. Depuis dix-huit mois, ils avaient consacré toute leur activité au blocus et aux patrouilles devant les approches méridionales de l'Irlande. Toutes les semaines, ils s'attendaient à une tentative de débarquement des Français, désireux d'allumer la révolte. Le jour venu, cinq mois plus tôt, le blocus britannique n'était pas totalement prêt. Et, si l'invasion avait échoué, c'était plutôt la faute du mauvais temps qui avait dispersé la flotte française que de l'action de patrouilles débordées.

Un bruit de pas bien reconnaissable sur le passavant : le maître d'hôtel de l'amiral allait prendre les ordres de son maître dans la grand-chambre.

Les choses s'étaient passées de manière bien étrange avant leur arrivée en ces lieux, à Falmouth, sa patrie. On aurait dit que le sort avait accumulé sur leurs têtes tout ce qui pouvait leur arriver, tout ce que l'Amirauté était capable d'imaginer.

– … et six brasses trois quarts !

Les annonces de l'homme de sonde résonnaient comme une chanson.

Bolitho reprit ses allers et retours du bord au vent, le menton rentré dans le col de son manteau.

Le contre-amiral Sir Charles Thelwall, dont la marque flottait mollement à la tête du grand mât, était à bord depuis un an. Et il était déjà malade à ce moment-là. Déjà vieux pour un officier de son grade, accablé par la responsabilité d'une escadre mise à toutes les sauces, il avait vu son état se détériorer rapidement avec l'humidité et le froid qu'ils avaient subis pendant l'hiver. Capitaine de pavillon, Bolitho avait fait de son mieux pour soulager de la plupart de ses tâches son petit amiral fatigué, ratatiné, mais c'était un vrai crève-cœur d'observer les progrès et les ravages journaliers de la maladie.

Enfin, le bâtiment rentrait en Angleterre pour refaire les pleins et remplacer tout ce qui lui manquait. Sir Charles Thelwall avait déjà envoyé un sloop porteur de ses rapports et des états de besoins. Il en avait profité pour rendre compte de sa santé.

– Et six brasses !

Ainsi, dès qu'ils auraient jeté l'ancre, l'amiral allait quitter son bord pour la dernière fois. Et il était assez peu probable qu'il vécût assez pour en profiter.

Mais le sort n'en avait pas fini avec eux. Deux jours plus tôt, alors qu'ils tiraient des bords pénibles pour parer Wolf Rock avant d'embouquer la Manche, ils avaient été rejoints par un brick porteur de nouveaux ordres pour l'amiral.

Il était alors allongé dans sa couchette, démoli par cette toux sèche et épuisante qui le laissait le mouchoir taché de sang après chaque quinte. Il avait demandé à Bolitho de lui lire la dépêche que le canot du brick venait de porter à bord.

Les ordres disaient de la manière la plus brève possible que le bâtiment de Sa Majesté britannique l'*Euryale* devait faire voile aussi vite que possible vers la baie de Falmouth et non vers Plymouth comme il avait d'abord été convenu. Une fois arrivé là-bas, il prendrait la marque de Sir Lucius Broughton, chevalier du Bain, vice-amiral de la Blanche, puis attendrait de nouvelles instructions.

Dès qu'on lui avait donné l'aperçu, le brick s'était éloigné avec une hâte assez surprenante. Voilà qui était étrange : lorsque deux bâtiments se rencontrent pour la première fois, avec un pays affrontant une guerre qui gagne en intensité et en fureur, la moindre nouvelle fraîche est précieuse à ceux qui restent en mer quel que soit le temps, dans toutes les conditions possibles.

Le brick avait même fait preuve d'une prudence extrême pendant l'approche, mais Bolitho s'était habitué à ce comportement. L'*Euryale* avait en effet été pris aux Français et avait toutes les apparences d'un bâtiment français vieux de quatre ans au mieux.

L'un dans l'autre, tout cela ajoutait encore à l'incertitude dans laquelle il vivait.

– Six brasses !

Il se tourna pour ordonner brièvement :

– Faites-moi porter ce plomb, monsieur Keverne, et faites mettre l'autre à poste.

Un matelot arriva sur la dunette, nu-pieds, salua du doigt et lui tendit le gros plomb encore tout dégoulinant. Il regarda Bolitho passer ses doigts au cul de la sonde où le suif sombre avait emprisonné quelque chose qui ressemblait à du corail rose.

Bolitho tritura les petits fragments dans sa main avant de déclarer, l'air absent :

– Les Six-Pourceaux.

Il entendit derrière lui Partridge qui murmurait, plein d'admiration :

– Ça alors, j' l'aurais jamais cru si j' l'avais pas vu !

– Abattez d'un rhumb, je vous prie, ordonna Bolitho, et mettez du monde aux bras.

Keverne toussota avant de lui demander tranquillement :

– Et c'est quoi, monsieur, les Six-Pourceaux ?

– Des bancs de sable, monsieur Keverne. Nous sommes environ deux milles dans le sud de la pointe Saint-Antoine.

Il se mit à sourire, content à l'avance de laisser le miracle apparent se poursuivre un peu.

– C'est le nom qu'on leur donne, allez savoir pourquoi. Mais ils sont couverts de petits cailloux comme ceux-ci, et je les ai toujours connus ainsi.

Il se tourna pour observer un pâle rayon de soleil qui perçait la brume en donnant à la dunette une teinte dorée. Partridge et les autres auraient été moins admiratifs de ses talents de navigateur s'il s'était trompé dans ses calculs. Ou peut-être cela tenait-il plus de l'instinct que des calculs. Avant même d'avoir pris la mer comme aspirant à douze ans, tout empoté qu'il était, il connaissait par cœur la moindre crique, le plus petit îlot dans un rayon de plusieurs milles autour de Falmouth.

Même ainsi, la mémoire pouvait encore vous jouer des tours. Ils auraient eu l'air malins, l'amiral et lui, si le matin avait trouvé l'*Euryale* planté sur le fond et démâté en vue de chez lui.

Les grands huniers se mirent à claquer et le pont s'inclina sous une risée. Comme une armée de fantômes en déroute, la brume se déchirait le long des haubans et finit par les abandonner complètement.

Bolitho arrêta ses allées et venues pour observer soigneusement le panorama. La côte couverte de verdure courait d'un bord à l'autre et s'animait soudain aux rayons du soleil.

Il reconnut bientôt, presque droit devant, la tourelle Saint-Antoine, le premier amer que l'on reconnaissait en rentrant de mer. Un peu à bâbord, perchée sur la pointe, une grosse masse grise défiait le soleil et son ardeur : le château de Pendennis qui gardait l'entrée du port et la route de Carrick, comme il le faisait depuis des siècles.

Bolitho s'humecta les lèvres. Il avait la bouche sèche, et ce n'était pas dû seulement au sel.

– Faites route vers le mouillage, monsieur Partridge. Je descends présenter mes respects à l'amiral.

Partridge le regarda et porta la main à sa coiffure toute cabossée.

– Bien, monsieur.

En bas, il faisait froid et sombre en comparaison de la dunette. En se dirigeant vers l'échelle qui conduisait à la chambre de jour de l'amiral, Bolitho se demandait toujours ce qui les attendait à présent, lui et son bâtiment.

Il descendit en courant l'échelle qui rejoignait le deuxième pont, croisa deux mousses occupés à faire les plaques de cuivre des portes et se souvint soudain avec beaucoup de précision des sentiments mitigés qu'il avait éprouvés en prenant le commandement de l'*Euryale*. Il était assez habituel de retourner une prise contre ses anciens maîtres et on lui gardait le plus souvent son ancien nom. Les marins ont coutume de dire qu'il ne faut pas rebaptiser un bâtiment, que cela porte malheur, mais ils disent tant de choses par habitude…

Il s'était appelé la *Tornade* du temps qu'il était le vaisseau amiral de Lequiller. Cet amiral français avait réussi à franchir le blocus britannique et à traverser l'Atlantique jusqu'aux Antilles, où il avait fait des ravages. Une escadre anglaise inférieure en nombre l'avait fait redescendre sur terre dans le golfe de Gascogne et il s'était rendu au bâtiment de Bolitho, le vieil *Hypérion*, non sans avoir cependant réduit le deux-ponts à l'état d'épave flottante.

Les lords de l'Amirauté avaient décidé de rebaptiser la grosse prise, sans doute en bonne partie parce que Lequiller leur avait plus souvent qu'à son tour donné du fil à retordre. La chose était assez étrange, songeait Bolitho. Ces messieurs qui commandaient la marine de Sa Majesté semblaient connaître suffisamment peu de chose aux navires et aux hommes pour imaginer que pareille modification fût en rien utile.

L'*Euryale* n'avait d'anglais que sa nouvelle figure de proue. Elle avait été sculptée avec un soin minutieux par Jethro Miller, de Saint-Austell, en Cornouailles, et offerte par la population de Falmouth à l'un de ses fils les plus prestigieux. Miller avait été charpentier de l'*Hypérion* et avait perdu une jambe au cours de ce terrible et dernier combat. Mais cela ne lui avait rien ôté de son talent, et la figure de proue qui veillait de ses yeux bleu acier entre les bossoirs, armée d'un bouclier et d'une épée brandie, avait en quelque sorte légèrement modifié la personnalité de l'*Euryale*. Elle n'avait peut-être guère de ressemblance avec le héros du siège de Troie, mais c'était assez pour inspirer la peur chez tous ceux qui l'apercevaient et savaient ce qui allait suivre.

En effet, ce gros trois-ponts était une puissance avec laquelle il fallait compter. Construit à Brest dans l'un des meilleurs arsenaux français, il avait été dessiné avec les derniers raffinements de l'art naval. Les courbes de sa coque et la coupe de sa voilure étaient ce qu'un capitaine pouvait espérer de mieux.

Il mesurait deux cent trente-cinq pieds du tableau à la figure de proue, et ses deux mille tonnes emportaient non seulement cent pièces dont une grosse batterie basse de trente-deux livres, mais également un équipage de huit cents officiers, marins et fusiliers.

Convenablement mené, il pouvait hausser le ton et se manifester avec des effets dévastateurs.

Lors de l'armement, Bolitho avait dû récupérer tous les hommes que ce bâtiment exigeait pour satisfaire ses besoins sans cesse renouvelés : condamnés pour dettes de petite volée, minables voleurs tirés de leurs geôles, à côté de quelques marins expérimentés venus de bâtiments immobilisés pour réparations, sans compter bien sûr le ramassis habituel récupéré par les détachements de presse. Les temps étaient durs, et la flotte, chaque jour plus exigeante, avait déjà fouillé et ratissé le moindre port, le moindre village. Exposé à cette menace permanente d'une invasion française, aucun capitaine ne pouvait se permettre le luxe de faire la fine bouche lorsqu'il s'agissait de trouver des hommes pour combattre.

Il avait embarqué des volontaires, c'est vrai, surtout des Cornouaillais qui connaissaient Bolitho de nom et de réputation, même s'ils ne l'avaient jamais vu pour la plupart d'entre eux.

Ce commandement avait représenté pour lui un considérable pas en avant, et il se le répétait souvent. L'*Euryale* était un bien beau bâtiment, il était tout neuf. Il constituait certes un témoignage de reconnaissance pour ses états de service, mais aussi l'espoir d'une promotion ultérieure. Tout officier tant soit peu ambitieux rêvait de ce genre de commandement et, au sein d'une marine où la promotion dépendait le plus souvent de la mort d'un supérieur, les moins fortunés regardaient l'*Euryale* avec un mélange d'admiration et d'envie.

Bolitho, cependant, y voyait autre chose de très intime. Tandis qu'il écumait les Antilles avant la poursuite finale dans le golfe de Gascogne, il était torturé par la mort de Cheney, son épouse, décédée chez eux, en Cornouailles, pendant son absence, alors qu'elle aurait tant eu besoin de lui. Au fond de lui-même, il savait bien qu'il n'y pouvait rien. La voiture s'était retournée et elle avait été tuée avec l'enfant qu'elle attendait. Sa présence n'y aurait rien changé, et pourtant cette pensée le hantait continuellement. Cela l'avait éloigné de ses officiers et de ses hommes à un point tel qu'il était rongé par la solitude et un affreux sentiment de manque.

Et voilà, il était de retour en Angleterre, à Falmouth. La bâtisse de pierre grise l'attendait, comme d'habitude, comme elle l'avait toujours fait pour ceux qui l'avaient précédé. Pourtant, elle allait lui paraître encore plus déserte que jamais.

Le fusilier en faction devant la porte se mit au garde-à-vous, les yeux fixés sur un point imaginaire situé derrière Bolitho. Avec ses regards vides, sa tunique rouge, il ressemblait à un soldat de plomb.

Le soleil brillait à travers les grandes fenêtres de poupe et créait des éclats de lumière indéfiniment répétés sur le plancher et les meubles sombres. Le secrétaire de l'amiral, un homme grisonnant, était occupé à classer des documents qu'il rangeait dans un long étui de métal. Il se levait déjà, mais Bolitho lui fit signe de ne pas se déranger et se dirigea lentement vers l'autre bord de la chambre. Il entendait l'amiral qui remuait dans sa chambre, il l'imaginait songeant aux dernières heures qu'il avait à passer à bord de son vaisseau amiral.

Un miroir était accroché à la cloison; Bolitho s'arrêta pour se regarder dans la glace et remit son manteau en place comme s'il était sur le point de se soumettre à l'examen critique d'un supérieur.

Il n'arrivait pas à s'habituer à leurs nouveaux uniformes, à ces imposantes épaulettes dorées qui indiquaient l'ancienneté de son grade de capitaine de vaisseau. Il y avait quelque chose d'incongru là-dedans : le pays était en guerre, mais des gens trouvaient encore le temps d'inventer de nouveaux insignes, alors que leurs capacités auraient été mieux employées à imaginer comment se battre et gagner.

Il tâta de la main la mèche rebelle qui lui couvrait l'œil droit. Par-dessous, jusqu'à la raie des cheveux, il sentit la cicatrice horrible mais familière qui lui rappelait sans cesse ce jour où il avait vu la mort de près. Ses cheveux étaient encore noirs, pas un seul poil gris n'indiquait qu'il avait atteint la quarantaine et passé vingt-huit ans à la mer. Il esquissa un sourire; ses lèvres relevées donnaient à son visage tanné un air soudain de jeunesse et d'insouciance. Il se détourna, essayant d'oublier ce visage de subordonné parfait.

La porte de la chambre à coucher s'ouvrit et le petit amiral apparut d'un pas hésitant à la lumière.

– Nous allons mouiller d'ici à une heure, sir Charles, lui

annonça Bolitho. J'ai fait prendre des dispositions pour que vous puissiez descendre à terre dès que vous le désirerez.

Il songea soudain à tous ces milles de routes défoncées, à ce qu'il risquait d'endurer avant d'atteindre sa maison de Norfolk.

– Naturellement, ma demeure est à votre disposition aussi longtemps que vous le souhaiterez.

– Merci.

L'amiral se contorsionnait pour caler ses épaules dans le lourd manteau.

– Mourir au combat contre les ennemis de son pays est une chose…

Mais il soupira sans terminer sa phrase.

Bolitho l'observait, l'air grave. Il s'était pris d'estime pour cet homme et avait fini par admirer l'attention qu'il savait montrer aux autres, l'humanité qu'il manifestait envers les hommes de sa petite escadre.

– Vous allez nous manquer, amiral.

Il était sincère et malgré tout conscient de l'inadéquation des mots.

– Je vous dois beaucoup, moi en particulier, et vous le savez.

L'amiral se leva et fit le tour de son bureau. A côté de la longue silhouette maigre de Bolitho, il faisait soudain plus vieux et comme sans défense devant ce qui l'attendait. Il mit un moment avant de répondre :

– Vous ne me devez rien. Sans votre intelligence et votre intégrité, j'aurais dû renoncer quelques semaines après avoir hissé ma marque – il leva la main. Non, non, écoutez ce que j'ai à vous dire. Nombreux sont les capitaines de pavillon qui auraient profité de ma faiblesse pour montrer au commandant en chef à quel point ils étaient indispensables. Si vous aviez consacré moins de temps à combattre les ennemis de votre patrie et à vous occuper de vos subordonnés, vous auriez certainement obtenu la promotion que vous méritez tant. Il n'y a pas de honte à ne pas vous être soucié de votre avancement personnel, mais c'est certainement une perte pour l'Angleterre. Peut-être votre nouvel amiral appréciera-t-il comme moi l'homme que vous êtes et sera-t-il plus capable que moi de faire en sorte que…

Il s'interrompit, secoué par une quinte de toux, le mouchoir plaqué sur la bouche jusqu'à ce que la crise fût passée.

– Veillez, reprit-il d'une voix plus grave, à ce que mon maître d'hôtel et mon secrétaire puissent descendre à terre dès que possible. Je monterai sur le pont dans quelques instants – il avait les yeux perdus dans le vague. Mais pour le moment, je désire rester seul.

Bolitho remonta sur la dunette, plongé dans ses réflexions. Au-dessus d'eux le ciel s'était éclairci et était d'un bleu vif, la mer près de la pointe miroitait au soleil. Voilà qui allait rendre le débarquement de l'amiral encore plus lourd à porter.

Il laissa ses yeux errer sur toute la longueur du pont principal. Les hommes étaient rassemblés aux bras, les gabiers alignés sur les vergues se détachaient à contre-jour comme des ombres chinoises. Toutes voiles ferlées sauf huniers et focs, l'*Euryale* avançait à peine, sa grosse coque tapait doucement comme pour tâter la hauteur de l'eau sous sa quille. Tous ceux qui n'avaient rien de particulier à faire regardaient le rivage, les petites maisons pimpantes, les collines verdoyantes tachetées de vaches miniatures. Quelques brebis erraient sans but sous les murailles du château.

Sur le bâtiment une chape de silence semblait être tombée, que brisait seul le clapotis de l'eau du bord au vent, le claquement régulier du gréement et le murmure de la toile dans les hauts. La plupart des hommes ne seraient pas autorisés à descendre à terre, ils le savaient bien. Pourtant, ils rentraient au pays et ils reconnaissaient tous cette sensation, même s'ils ne pouvaient l'expliquer.

Bolitho prit la lunette que tenait un aspirant et examina la ligne du rivage. Il sentait son cœur battre comme toujours en pareille circonstance. S'ils observaient la lente approche du trois-ponts, sa gouvernante et Ferguson, son maître d'hôtel, savaient-ils qu'il était de retour ?

– Très bien, monsieur Keverne, vous pouvez lofer.

Le second, qui avait gardé les yeux fixés sur lui, saisit son porte-voix. Ce précieux moment de paix était terminé.

– Du monde aux bras ! A lofer !

Bruits de pieds nus sur le pont, claquements des poulies, grincements des drisses. Il était difficile de croire que ces hommes bien entraînés avaient été autrefois ce ramassis hétéroclite qu'il avait embarqué un beau jour. Les officiers mariniers eux-mêmes avaient du mal à trouver à hurler, tandis que leurs matelots se ruaient à leurs postes, alors que, lors de l'armement, les injures et les cris tenaient lieu d'ordres.

Il avait un bon équipage, le meilleur dont pût rêver un capitaine.

– A carguer les huniers !

Les hommes sautaient comme des singes le long des vergues, Bolitho les regardait avec un peu d'envie. Travailler là-haut, parfois à plus de deux cents pieds, était quelque chose qui l'avait toujours rendu malade, à son grand dam.

– A rabanter les huniers !

Keverne avait la voix rauque, comme s'il ressentait lui aussi une certaine tension à se trouver ainsi exposé aux yeux de toute la ville.

L'*Euryale* se laissa mourir tout doucement jusqu'à son point de mouillage, précédé par son ombre immense qui assombrissait l'eau calme.

– La barre dessous !

Dans le grincement des barres de roue, le bâtiment vint à contrecœur dans le lit du vent. La toile disparaissait déjà le long des vergues, comme si chaque voile avait été manipulée par une force unique.

– Mouillez !

Un grand *plouf* : l'ancre plongea sous l'étrave. Quelque chose qui ressemblait à un frémissement parcourut la coque et les haubans tandis que l'énorme câble se tendait avant de se raidir pour la première fois depuis des mois.

– Très bien, monsieur Keverne, vous pouvez envoyer le grand canot, faites mettre à l'eau le cotre et le petit canot.

Bolitho tourna les talons, sachant qu'il pouvait faire totale confiance à Keverne. C'était un bon second, encore que Bolitho en sût moins sur son compte que sur n'importe lequel de ses prédécesseurs. C'était en partie sa faute, mais aussi parce qu'il avait dû assurer une part croissante de travail à cause de la maladie de son amiral. Cela avait peut-être été une bonne chose pour eux deux, se dit Bolitho. Des responsabilités accrues, son implication croissante dans les affaires de stratégie et de tactique concernant non plus un seul bâtiment mais plusieurs, tout cela lui avait laissé moins de temps pour penser à ses malheurs personnels. D'un autre côté, la part qu'il avait dû prendre dans les affaires de l'amiral avait donné à Keverne davantage de responsabilités et cela le mettrait en meilleure position le jour où il aurait la chance d'obtenir un commandement.

Keverne était extrêmement compétent, mais il avait un point faible. A plusieurs reprises au cours de son embarquement, il s'était montré capable de coups de colère brefs mais violents et il ne savait apparemment pas trop les maîtriser.

Il avait près de trente ans, c'était un homme de haute taille, très droit, avec une bonne tête, et son teint basané lui donnait une allure de gitan. Ses yeux d'un noir sombre, ses dents d'un blanc éclatant ne devaient pas laisser les dames indifférentes.

Bolitho sortit de ses pensées : l'amiral venait de paraître à l'arrière.

II

LE VISITEUR

Bolitho s'obligea à faire une pause de plusieurs minutes pour admirer la maison. Afin d'éviter de traverser la ville, il avait emprunté l'étroit sentier qui serpentait entre les haies verdoyantes, au milieu des senteurs de la campagne. Debout en plein soleil, il savourait le calme, la sensation de la terre ferme sous ses semelles. Tout était si différent de l'agitation et des bruits d'un bâtiment ! A chaque fois, c'était pour lui la même heureuse surprise, le même plaisir. Pourtant, aujourd'hui, les choses étaient différentes. Il entendait à peine le doux bourdonnement des abeilles, un chien de berger qui aboyait dans le lointain en courant après ses brebis. Ses yeux restaient fixés sur la grosse maison massive et carrée qui se détachait sur le ciel bleu et les collines en pente douce jusqu'à la pointe.

Il soupira et se remit en chemin dans la poussière, cligna des yeux au soleil. Il ne s'arrêta qu'une fois arrivé au portail percé dans le mur de pierre grise. Il hésita soudain, ne sachant même plus s'il avait vraiment envie d'être là.

Les deux battants s'ouvrirent ; il aperçut Ferguson, son domestique manchot, suivi de deux servantes, qui l'attendaient pour l'accueillir. Ils arboraient tous des sourires si ravis que cela le sortit momentanément de ses pensées et l'émut même passablement.

Ferguson lui prit la main en murmurant :

– Dieu vous bénisse, monsieur. C'est une bonne chose de vous voir de retour.

Bolitho lui rendit son sourire :

– Je ne reste pas longtemps, mais je vous en remercie.

Il aperçut la femme de Ferguson qui se précipitait vers lui. C'était une personne replète aux joues roses, qui portait son bonnet et un tablier immaculé. Elle hésitait entre le rire et les larmes et fit sa révérence en disant :

– Et vous ne prévenez jamais, monsieur ! Sans Jack, le douanier, nous ne saurions pas que vous êtes revenu ! Il a aperçu vos huniers quand la brume s'est levée et c'est lui qui nous a avertis.

– Bien des choses ont changé, Ferguson.

Bolitho enleva sa coiffure et pénétra dans l'immense hall, savourant la fraîcheur de la pierre, les boiseries de chêne sans âge qui luisaient sombrement dans la lumière tamisée.

– Il fut un temps où les jeunes gens de Falmouth sentaient venir un vaisseau du roi avant même qu'il ait paru à l'horizon.

Ferguson détourna les yeux :

– Il ne reste guère de jeunes gens par ici, monsieur. Tous ceux qui n'avaient pas un bon métier ont été enrôlés de force ou se sont portés volontaires.

Il le suivit dans la vaste pièce meublée de hauts fauteuils à dossiers de cuir. La cheminée était vide. L'atmosphère y était étrangement calme, comme si la grosse demeure retenait son souffle.

– Je vais vous chercher un verre, monsieur, annonça Ferguson – il fit un signe à sa femme et aux deux servantes qui se tenaient derrière Bolitho. Vous souhaitez sans doute rester seul un moment...

– Merci, répondit Bolitho sans se retourner.

Il entendit la porte se refermer et se dirigea vers l'escalier dont le mur était décoré de tableaux, les portraits de tous ceux qui l'avaient précédé. Tout cela lui était si familier, rien n'avait changé. Et pourtant...

Il monta lentement, faisant craquer les marches sous ces regards qui l'observaient. Capitaine de vaisseau Daniel Bolitho, son trisaïeul, qui avait combattu les Français dans la baie de Bantry. Capitaine de vaisseau David Bolitho, son arrière-grand-père, représenté sur le pont d'un bâtiment en flammes, mort en combattant des pirates sur les côtes d'Afrique. L'escalier virait à droite ; il aperçut le vieux Denziel Bolitho, l'aïeul, le seul membre de sa famille à avoir atteint le rang de contre-amiral, qui l'attendait comme un vieil ami. Bolitho se souvenait de lui, ou le croyait du moins, à l'époque où, petit garçon, il s'asseyait sur ses genoux. Mais peut-être ne se souvenait-il que de ce qu'on lui en avait raconté et de ce tableau si familier. Il s'arrêta enfin devant le dernier portrait de la série.

Son père était beaucoup plus jeune alors. Il se tenait très droit, regardait droit devant lui et portait sa manche vide épinglée sur sa vareuse : le peintre avait tenu compte après coup du bras qu'il avait perdu aux Indes. Capitaine de vaisseau James Bolitho. Il avait du mal à se souvenir de lui comme il l'avait vu à leur dernière rencontre, voilà tant d'années, lorsqu'il lui avait raconté la déchéance de son frère, Hugh, celui qui lui était plus cher que la prunelle de ses yeux, celui qui avait tué l'un de ses camarades en duel avant de s'enfuir en Amérique pour se battre contre son propre pays avec les armées de la Révolution.

Il soupira. Ils étaient tous morts, même Hugh qui avait fini par périr sous ses yeux. Cette fin était encore un secret qu'il ne pouvait partager avec personne, l'échec de Hugh devait rester caché à jamais et il ne restait qu'à lui souhaiter de reposer en paix, s'il s'en souciait lui-même.

Ferguson l'appelait d'en bas :

– J'ai posé votre verre près de la fenêtre, monsieur, du bordeaux… – il hésitait – … dans votre chambre, monsieur.

Il semblait mal à son aise.

– Ce devait être une surprise, mais ils n'avaient pas eu le temps de terminer à votre dernier passage…

Sa voix se perdit. Bolitho se dirigea vivement vers la porte au bout du palier et l'ouvrit toute grande.

Pendant un certain temps, il ne détecta aucun changement. Le vaste lit éclairé doucement par la lumière tamisée du soleil, le monumental miroir devant lequel elle brossait ses cheveux quand il n'était pas là… il sentit sa gorge se serrer en se retournant : deux nouveaux tableaux avaient été accrochés au mur le plus éloigné. On aurait dit qu'elle était vivante, ici, dans cette chambre où elle avait attendu en vain son retour. Il avait envie de s'approcher mais il avait peur, peur de craquer. L'artiste avait même réussi à saisir cette couleur vert de mer dans ses yeux, le châtain de ses longs cheveux. Et son sourire… Il s'avança lentement. Son sourire était parfait : doux, un brin amusé, exactement celui qu'elle avait quand il arrivait.

Il entendit des pas dans le couloir et Ferguson annonça tranquillement :

– Elle voulait qu'ils soient accrochés l'un à côté de l'autre, monsieur.

Bolitho découvrit l'autre tableau qu'il n'avait pas encore remarqué. L'artiste l'avait représenté avec sa vieille vareuse, celle qui portait ces anciens parements blancs que Cheney aimait tant.

– Merci, fit-il enfin, la voix rauque. Je vous suis reconnaissant d'avoir respecté ses volontés.

Il s'approcha de la fenêtre et se pencha par-dessus le rebord tout chaud. Là-bas, derrière les collines, il apercevait la ligne scintillante de l'horizon, celle qu'elle aurait vue elle-même de cette fenêtre. Dans le temps, savoir que Ferguson avait placé ces deux tableaux à cet endroit l'aurait sans doute attristé, peut-être même irrité. Cela lui aurait rappelé son souvenir et la perte qu'il avait subie. Mais il aurait eu tort de réagir ainsi. Les mains posées sur ce rebord, il se sentait étrangement en paix, pour la première fois depuis longtemps.

Dans le jardin en contrebas, un vieux jardinier l'aperçut et agita son chapeau tout cabossé, mais il ne le vit pas.

Il revint dans la chambre pour regarder encore les portraits. Ils étaient réunis, Cheney y avait veillé, plus rien ne pourrait jamais les séparer. Lorsqu'il aurait de nouveau embarqué, peut-être à l'autre bout du monde, il reverrait cette pièce, ces deux portraits côte à côte qui contemplaient la mer.

– Ce bordeaux doit être chambré à présent, je descends directement.

Un peu plus tard, assis devant son grand bureau, il rédigea plusieurs lettres destinées aux autorités portuaires et aux fournisseurs de bord. Il songeait à tout ce qu'avait connu cette maison. Que deviendrait-elle à sa mort ? Il ne lui restait plus que son jeune neveu, Adam Pascoe, fils naturel de son frère Hugh, qui le lui avait laissé pour unique héritage. Il était en mer sous les ordres du capitaine de vaisseau Thomas Herrick, mais Bolitho décida qu'il ferait sans tarder le nécessaire pour confirmer au jeune garçon ses droits sur la demeure. Sa bouche se durcit : il aimait tendrement sa sœur Nancy, mais il ne laisserait à aucun prix son magistrat de mari mettre la main sur cette maison.

Ferguson apparut, le sourcil froncé :

– 'vous d'mande pardon, monsieur, mais il y a là un homme qui veut vous voir. Il insiste beaucoup.

– Qui est-ce ?

– Je n'ai jamais eu l'occasion de poser les yeux dessus jusqu'ici. Un marin, pas de doute là-dessus, mais ni un officier ni un gentilhomme, pour ça j'en suis bien sûr aussi !

Bolitho eut un sourire : il était difficile de se souvenir de Ferguson comme de l'homme qui avait embarqué un beau jour après s'être fait ramasser par la presse, en compagnie d'Allday, garçon avec qui il n'avait rien à voir jusque-là. Et pourtant, ils étaient rapidement devenus amis intimes. Lorsque Ferguson avait perdu un bras, à la bataille des Saintes, il avait continué de servir Bolitho ici, en tant que maître d'hôtel. Tout comme Allday, il affichait une attitude protectrice dès qu'arrivait le moindre imprévu, le moindre signe inquiétant.

– Faites-le entrer. Je pense qu'il n'est guère dangereux.

Ferguson poussa le visiteur dans l'embrasure et referma les portes avec une désapprobation manifeste. Bolitho était sûr qu'il allait rester de l'autre côté, pour le cas où.

– Que puis-je faire pour vous ?

L'homme était lourd, musclé, bronzé à souhait et portait ses cheveux nattés. Il était vêtu d'un manteau bien trop petit pour lui qu'il avait sans doute emprunté pour dissimuler sa véritable identité. Avec son large pantalon blanc, ses souliers à boucle, il n'y avait pas à s'y tromper : il aurait aussi bien pu être nu comme un ver, on sentait le marin.

– J' vous d'mandons bien pardon, monsieur, d' vous déranger – il plissa le front en observant rapidement la pièce. Je m'appelle Taylor, quartier-maître à bord de l'*Aurige*, monsieur.

Bolitho l'observait tranquillement. Il avait l'accent grasseyant des gens du Nord et se montrait nerveux. Déserteur espérant le pardon, ou essayant de trouver à se cacher sur un autre bord ? Il arrivait que des hommes de cette sorte finissent par retourner dans le seul univers qu'ils connussent, quel que soit le risque. Et pourtant, celui-ci lui était vaguement familier.

Taylor ajouta vivement :

– J'étais avec vous à bord de l'*Hirondelle*, monsieur. Aux Antilles dans les années 70 – il fixait Bolitho, anxieux. J'étais gabier de hune, monsieur.

Bolitho hocha lentement la tête :

– Oui, bien sûr, je me souviens maintenant.

L'*Hirondelle*, la petite goélette qui avait été son tout premier commandement, il n'avait que vingt-trois ans, le monde semblait alors lui promettre toutes les joies, toutes les ambitions possibles.

– On a entendu comme ça que vous seriez rev'nu, monsieur – il parlait d'une voix précipitée. Et comme que vous m' connaissez, i' m'ont choisi pour venir vous voir.

Il eut un sourire amer :

– J'avions cru que j' devrais emprunter un canot ou nager jusqu'à vot' bâtiment. Mais comm' vous êtes descendu à terre, ça a été plus facile.

Et il baissa les yeux sous le regard insistant de Bolitho.

– Vous avez des problèmes, Taylor ?

Il leva les yeux, sur la défensive.

– Ça dépend de vous, monsieur. On m'a choisi pour vous parler et… et comme on sait que vous êtes un bon capitaine et juste, j'ai pensé que p't-êt' vous écouteriez…

Bolitho se leva et le regarda d'un air tranquille :

– Votre bâtiment, où est-il ?

Taylor fit signe du pouce par-dessus son épaule :

– Près de la côte, dans l'Est, monsieur – il y avait un brin de fierté dans sa voix : Une frégate de trente-six, monsieur.

Bolitho s'approcha lentement de la cheminée vide, revint.

– Et vous, sans compter d'autres hommes comme vous, vous vous êtes emparés de votre bâtiment, c'est cela ? Vous êtes un *mutin* ?

L'homme vacilla sous le choc, et Bolitho continua :

– Si vous me connaissiez, si vous me connaissiez vraiment, vous sauriez que je ne négocie pas avec ceux qui ont trahi leur parole !

– Si vous m'écoutiez seulement, monsieur, répondit Taylor, c'est tout c' que j' demande. Après, vous pourrez vous emparer de moi et me faire pendre si vous voulez, et je l' sais très bien.

Bolitho se mordit la lèvre. Il lui avait fallu du courage pour venir le voir dans ces conditions, du courage et quelque chose d'autre. Ce Taylor n'avait pas été embarqué de force récemment, ce n'était pas un tyranneau d'entrepont mais un vrai marin. Cela n'avait pas dû lui être facile. Pendant tout son voyage jusqu'à Falmouth, il aurait pu être vu par quelqu'un, un dénonciateur cherchant à se faire bien voir des autorités, une patrouille était peut-être même déjà aux portes.

– Très bien, finit-il par décider, je ne peux pas vous promettre de tomber d'accord avec vous, mais je vais vous écouter. Ça oui, je peux le dire.

Taylor se détendit un peu :

– Nous avons été rattachés à l'escadre de la Manche, monsieur, pendant deux ans. On n'avait pas beaucoup de repos, la flotte est toujours à court de frégates, comme vous êtes point sans savoir. Z'étions donc à Spithead quand les troubles i' z' ont commencé le mois passé, mais not' capitaine il a repris la mer avant qu'on ait pu se joindre aux autres.

Il joignit les mains avant de poursuivre d'une voix amère :

– Not' capitaine, c'est un qu'est dur et le second, pareil, qu'est si injuste avec les hommes qu'y en a point guère à bord qu'aient pas tâté du chat sur leur échine !

Bolitho serrait convulsivement ses mains dans son dos. Il fallait l'arrêter tout de suite, avant qu'il en ait dit davantage. S'il l'écoutait encore, il allait s'impliquer dans Dieu sait quoi.

Il lui répondit pourtant d'une voix assez froide :

– Nous sommes en guerre, Taylor. Les temps sont durs, que ce soit pour les officiers ou pour les matelots.

Taylor le regardait obstinément.

– Lorsque les troubles ont commencé à Spithead, il avait été convenu par les délégués de la flotte que nous prendrions la mer pour combattre si les Grenouilles arrivaient. Y a pas un seul mathurin qui serait déloyal, monsieur. Mais quelques-uns des bâtiments ont de mauvais officiers, monsieur, y a personne qui peut dire le contraire. Y en a qu'ont pas été payés de leurs gages ou d'une gratification depuis des mois et les gars crèvent de faim avec de la bouffe pourrie ! Quand Dick le Noir… – il se mit à rougir – … vous d'mande pardon, m'sieur, j' veux dire Lord Howe, a parlé à nos délégués, tout a été réglé. Il a dit qu'il était d'accord avec nos demandes, autant qu'il pouvait.

Il fronça le sourcil.

– Mais nous, on était à la mer à ce moment-là et on n'a pas été mêlés à cet accord. En fait, not' capitaine en est devenu pire et pas meilleur ! Et je jure par Dieu que c'est la vraie vérité !

– Et vous vous êtes emparés de votre bâtiment ?

– Oui monsieur, jusqu'à ce que justice nous soit rendue – il fixait le sol. Nous avons entendu parler des ordres, comme quoi nous devions rejoindre une nouvelle escadre avec le vice-amiral Broughton. Ça veut peut-être dire que nous reverrons pas l'Angleterre avant des années, c'est pas juste que nos droits i' soyent pas reconnus. On a connu l'amiral Broughton à Spithead, monsieur, on dit qu' c'est un bon officier, mais qu'i' serait dur s'il y avait encore des troubles.

– Et si je vous dis que je ne peux rien faire ?

Taylor le fixa droit dans les yeux :

– Y en a plein à bord qui disent qu'on va les pendre de toute façon. Ils veulent aller en France et échanger le bâtiment contre leur liberté – il serra la mâchoire. Mais y en a comme moi qui disent autrement, monsieur. Nous on veut qu'on respecte nos droits comme aux gars de Spithead.

Bolitho l'observait intensément. Que savait Taylor de ce qui se passait dans la flotte du Nord ? Il était peut-être naïf, il pouvait aussi bien être un outil dans les mains de quelqu'un de plus expérimenté en matière de révolte. Mais ce qu'il disait de son propre bâtiment était très probablement vrai.

– Avez-vous menacé quelqu'un à bord ? lui demanda-t-il.

– Personne, monsieur, vous avez ma parole – Taylor joignit les mains comme pour supplier. Si vous pouviez leur dire que vous allez parler de notre cause à l'amiral, monsieur, ça ferait une sacrée différence.

Un triste sourire passa sur ses traits rudes.

– Je crois bien que quelques-uns des lieutenants et le patron seraient sacrément contents si ça arrivait, monsieur. C'est un bâtiment terrible à vivre.

Bolitho réfléchissait à toute allure. Le vice-amiral Broughton était peut-être à Londres, il pouvait aussi bien être ailleurs. Jusqu'à ce qu'il ait hissé sa marque, le contre-amiral Thelwall assurait le commandement, et il était trop malade pour se trouver mêlé à une affaire de ce genre.

Il y avait aussi le capitaine de vaisseau Rook et l'officier commandant la garnison. Il y avait sans doute encore des dragons à Truro, et le siège de l'Amirauté à trente milles de là, à Portsmouth. Tous ces gens-là étaient strictement inutiles pour l'heure.

Si cette frégate se retrouvait entre les mains de l'ennemi, cela servirait de signal général à ceux du Nord, qui hésitaient encore à se mutiner. Cela pouvait même apparaître comme la seule chose à faire quand tout le reste avait échoué. Il sentit un frisson lui parcourir l'échine. Si les Français entendaient parler de cela, ils allaient lancer une opération d'invasion sans tarder. La pensée d'une flotte entière, démoralisée, détruite parce que lui seul avait manqué à agir comme il fallait était inimaginable, quelles que puissent être les conséquences.

– Qu'aviez-vous d'autre à m'expliquer ?

– L'*Aurige* est mouillé en baie de Veryan, à environ huit milles d'ici. Vous connaissez, monsieur ?

Bolitho sourit.

– Je suis cornouaillais, Taylor. Ça oui, je connais bien.

Taylor s'humecta les lèvres. Il s'était peut-être attendu à se faire arrêter sur-le-champ. Maintenant que Bolitho semblait vouloir l'écouter, il ne trouvait plus ses mots assez vite.

– Si je ne suis pas rentré au coucher du soleil, ils mettront les voiles, monsieur. Nous avons été approchés plusieurs fois par un cotre armé et on leur a dit de rester au large, qu'on avait mouillé pour réparer.

Bolitho hocha du chef. Il n'était pas rare de voir de petits bâtiments se réfugier dans cette baie. Elle était tranquille et bien abritée, sauf par très gros temps. Il ne savait pas qui se trouvait derrière cette mutinerie, mais il savait ce qu'il faisait.

– Il y a une petite auberge sur la côte ouest de la baie, monsieur, continua Taylor.

– La Tête de Drake, compléta Bolitho, un vrai repaire de contrebandiers, de toute manière.

– C'est possible, monsieur.

Taylor le regardait, l'air hésitant.

– Mais si vous venez ce soir pour rencontrer nos délégués, nous pouvons discuter là-bas ou ailleurs.

Bolitho se détourna. Comme tout ceci paraissait simple ! Et le capitaine de l'*Aurige*, que pensait-il de tout cela ? Il lui resterait peut-être à serrer son coffre et à débarquer ? Ce genre de raisonnement simpliste paraissait peut-être suffisant dans un entrepont, mais les choses changeraient dès que tout cela remonterait à de plus hautes autorités.

Cela dit, le plus urgent consistait à empêcher ce bâtiment de tomber entre les mains de l'ennemi. Bolitho ne doutait pas un seul instant que son capitaine était tel que Taylor le lui avait décrit. Il y avait suffisamment de tyranneaux de cette espèce dans la marine, et il avait lui-même pris un commandement à cause du comportement de son prédécesseur. En attendant, il ne pouvait pas enfoncer sa tête dans le sable.

– Très bien.

– Merci, monsieur – Taylor hochait vigoureusement la tête. Il faut que vous veniez seul, avec un domestique, pas plus. Ils ont dit qu'ils tueraient le capitaine s'il y avait la moindre tentative de duperie – il secoua la tête : Je suis désolé, monsieur, c'est pas ce que j' voulais. Tout ce que je désirais, c'était terminer mes jours en un seul morceau, avec un bon paquet de parts de prises pour ouvrir une p'tite auberge, j' sais pas, ou un négoce.

Bolitho le regarda d'un air grave. Au lieu de cela, tu termineras sans doute au bout d'une vergue, songea-t-il.

– Ils vont vous écouter, monsieur, reprit soudain Taylor. Je le sais bien. Avec un nouveau capitaine, ce bateau repartirait tout de suite.

– Je ne promettrai rien. Le pardon de Lord Howe aurait certainement dû s'appliquer à votre bâtiment, cependant… – il le regardait droit dans les yeux – … les choses pourraient être difficiles pour vous, et je pense que vous le savez.

– Oui, monsieur, je le sais. Mais, quand on a vécu dans la misère si longtemps, c'est une chance qu'il faut tenter.

– Je me rendrai à l'auberge à cheval, conclut Bolitho en se dirigeant vers la porte, à la tombée du jour. Si ce que vous me dites est exact, je ferai mon possible pour parvenir à une solution acceptable.

Le soulagement de Taylor disparut cependant lorsqu'il ajouta :

– Mais s'il s'agit seulement d'une manœuvre de vos camarades pour gagner du temps et disposer du bâtiment, n'ayez pas de doute sur les conséquences. Cela est déjà arrivé, les coupables ont toujours été châtiés… Au bout du compte, ajouta-t-il après une pause.

L'homme salua et se hâta de sortir. Ferguson le toisa avec un mépris évident :

– Tout s'est bien passé, monsieur ?

– Pour le moment, merci – il sortit sa montre de son gousset. Envoyez appeler mon canot.

Et voyant du dépit sur son visage, il ajouta :

– Je reviendrai plus tard dans la journée, mais j'ai un certain nombre de choses à faire.

Une heure après, Bolitho passait la coupée dorée de l'*Euryale*, se découvrait tandis que retentissaient les trilles des sifflets et que claquaient les mousquets.

Keverne avait l'air préoccupé, ce qui était inhabituel chez lui. Lorsqu'ils eurent atteint la dunette, il lui indiqua seulement :

– Le médecin est inquiet pour l'amiral, monsieur. Il est très faible et je crains pour lui.

Bolitho se tourna vers Allday, qui ne pouvait cacher sa curiosité depuis que le canot avait accosté la jetée :

– Gardez l'armement à poste, je risque d'en avoir besoin bientôt.

Puis il se dirigea vers les appartements de l'amiral.

Allongé dans sa couchette, calme, celui-ci semblait encore plus ténu, plus fragile. Il avait les yeux clos, sa chemise et son mouchoir étaient tachés de sang. Bolitho jeta un coup d'œil au chirurgien, homme maigre, très sec, aux mains velues et d'un exceptionnel gabarit.

– Alors, monsieur Spargo ?

– Je ne suis sûr de rien, monsieur, répondit-il en haussant les épaules. Il devrait être à terre, je ne suis qu'un pauvre chirurgien de marine – nouveau haussement d'épaules. Mais un débarquement pourrait lui être fatal, à présent.

Bolitho acquiesça, son opinion était faite.

– Alors, gardez-le ici et veillez sur lui – et à Keverne : Suivez-moi dans ma chambre.

Keverne le suivit en silence jusqu'à ce qu'ils eussent gagné la grand-chambre qui faisait toute la largeur de la poupe. A travers les fenêtres, le paysage était admirable. La pointe Saint-Antoine bougeait doucement, au gré des lents mouvements du bâtiment dans le courant.

– Je dois retourner à terre, monsieur Keverne.

Il devait veiller à ne pas trop mêler le second à ses affaires tout en lui en disant suffisamment pour le cas où les choses tourneraient mal.

Keverne restait impassible :

– Monsieur ?

Bolitho dégrafa son sabre et le posa sur la table.

– Nous n'avons toujours aucune nouvelle du vice-amiral Broughton. Et il n'y a aucun signe d'agitation à terre. Les canots du commandant Rook viendront à bord après le dîner de l'équipage, vous pouvez poursuivre l'embarquement des vivres tout l'après-midi et jusqu'au quart du soir si la mer reste calme.

Keverne ne disait rien, attendant la suite.

– Sir Charles est au plus mal, comme vous l'avez constaté.

Bolitho espérait que Keverne allait manifester quelque curiosité, comme Herrick l'aurait fait à sa place.

– Vous prendrez donc le commandement jusqu'à mon retour.

– Quand revenez-vous, monsieur ?

– Je n'en sais rien, peut-être tard dans la nuit.

Il avait enfin réussi à susciter son intérêt.

– Y a-t-il quoi que ce soit que je puisse faire pour vous aider, monsieur ? – un silence. Des difficultés ?

– Non, pas si j'arrive à les prévenir. Je vous laisse des ordres écrits au cas où je serais retenu plus longtemps. Vous les ouvrirez et prendrez les dispositions… – et, levant la main : Non, vous prendrez toute mesure utile pour les appliquer sans délai.

Il repassait le moindre détail de la carte dans sa tête. Il faudrait plus de deux heures à l'*Euryale* pour lever l'ancre et atteindre la baie de Veryan, où la vue de sa puissance considérable convaincrait rapidement le cœur le plus endurci de se rendre à raison. Mais il risquait d'être trop tard.

Et pourquoi ne pas prendre la mer immédiatement, sans plus attendre ? Personne ne l'en blâmerait, bien au contraire. Mais il fronça le sourcil et chassa cette idée dans la seconde. Il allait y avoir une nouvelle escadre. Avec cette guerre qui entrait dans sa phase la plus critique, ce serait un bien mauvais début pour le vaisseau amiral que de réduire un bâtiment ami en étal de boucherie parce qu'il n'aurait eu ni le sang-froid ni la volonté de faire autrement.

Keverne souriait de toutes ses dents. Étonnant.

– Je n'ai pas passé dix-huit mois avec vous sans avoir rien retenu de vos méthodes, monsieur – son sourire s'effaça. Et j'espère que vous m'accordez votre confiance.

Bolitho lui sourit à son tour :

– Un capitaine ne peut pas aller jusqu'à partager ses pensées, monsieur Keverne. Les responsabilités pèsent uniquement sur lui, comme vous le découvrirez un jour.

Si les choses se passent mal cette nuit, songea-t-il, vous pourriez être promu plus tôt que vous ne l'imaginez.

Trute, le garçon du capitaine, s'avança sans faire de bruit dans l'embrasure et demanda :

– Permission de mettre la table pour le déjeuner, monsieur ?

– Je vais m'occuper de l'équipage, monsieur, fit Keverne – il détourna les yeux tandis que Trute s'activait à disposer le couvert sur la longue table. Je ne serais pas fâché de reprendre la mer.

Il quitta la chambre sans ajouter un mot.

D'humeur assez morose, Bolitho s'installa seul devant la table qui venait d'être servie et toucha à peine au pâté de lapin que Rook avait dû lui faire expédier. Il repensait à ce que Taylor lui avait dit. Le fait qu'il ait pu venir si facilement à Falmouth et trouver si rapidement la maison en disait long : sans doute y avait-il des espions à proximité, des guetteurs prêts à rendre compte à l'*Aurige* de ce qui se passait. Toute tentative, comme débarquer un effectif de fusiliers plus nombreux que ne l'exigeraient les strictes pratiques, jetterait immédiatement la suspicion, et le capitaine de l'*Aurige* se trouverait dans un fort mauvais pas, ce qui entraînerait des conséquences incalculables.

Irrité, il se leva. Combien de temps allait-il falloir attendre pour que de tels hommes soient définitivement chassés de la marine ? Une nouvelle race d'officiers était en train de naître, des officiers qui savaient concilier de nouvelles manières de faire la guerre tout en améliorant les conditions de vie de leurs hommes. Mais çà et là subsistaient encore des brutes épaisses, des tyrans, des gens qui bénéficiaient souvent de relations bien placées. Et il était impossible de casser ces gens-là, de les remplacer, avant qu'éclatent des mouvements de révolte comme celui-ci, alors qu'il était déjà trop tard.

Trute refit son apparition et le regarda d'un air inquiet :

– Vous n'avez pas aimé le pâté, monsieur ?

Il était du Devon et regardait Bolitho, comme tous les Cornouaillais, avec un mélange de crainte et d'appréhension.

– Non, je verrai plus tard.

Bolitho regardait son sabre, un vieux sabre tout usé, celui-là même qui figurait sur les portraits des membres de sa lignée.

– Je le confie à vos soins – il essayait de garder un ton neutre. Je me contenterai d'un sabre d'abordage… – un silence – … et de pistolets.

Trute prit le sabre :

– Vous le laissez ici, monsieur ?

Bolitho fit semblant de ne pas entendre :

– A présent, faites appeler mon maître d'hôtel.

Allday ne fut pas moins surpris :

– Vous n'avez pas l'air d'être le même sans votre sabre, monsieur – il hochait la tête. Dieu sait ce qui nous attend !

– Je vous ai déjà dit, le reprit sèchement Bolitho, que vous ouvriez trop votre clapet ces derniers temps. Vous n'êtes encore ni si vieux ni si expérimenté que vous ne puissiez craindre d'encourir mon courroux !

– Bien, commandant, répondit Allday, tout sourire.

C'était à désespérer.

– Vous descendez à terre avec moi. Connaissez-vous la Tête de Drake ?

Allday redevint sérieux.

– Ouais, la baie de Veryan. C'te baraque appartient à un vieux grigou qui louche. L'a un œil qui pointe droit devant et l'aut' par le travers, mais il est aussi malin qu'un aspirant.

– Très bien. C'est là-bas que nous allons.

Allday fronça le nez en voyant Trute jeter sur la table des pistolets et un sabre courbe.

– Un duel, capitaine ? demanda-t-il doucement.

– Appelez mon canot, présentez mes compliments à Mr. Keverne et dites-lui que je suis paré, le temps qu'il rédige ses ordres.

Bolitho alla rendre une dernière visite à l'amiral, mais rien n'avait changé de ce côté. Il reposait tranquillement, son visage fripé détendu par le sommeil.

Il trouva Keverne qui l'attendait sur le pont.

– Canot le long du bord, monsieur – il leva les yeux vers le pavillon qui pendouillait. Le vent est tombé pour un bon bout de temps, j'imagine.

Bolitho poussa un grognement : on aurait dit que Keverne voulait le mettre en garde, lui indiquer qu'une fois parti du bord il serait seul et sans assistance. Il s'en voulait de son hésitation : Keverne ne savait rien et, de toute manière, que faire d'autre ? Attendre l'arrivée du nouvel amiral revenait à fuir des responsabilités qu'il avait acceptées comme siennes.

– Veillez sur le bâtiment, coupa-t-il brutalement.

Et il descendit à bord de son canot.

Lorsqu'ils eurent atteint la jetée, il escalada les marches et s'arrêta pour jeter un coup d'œil derrière lui. La silhouette de son bâtiment se détachait sur l'eau bleue et le ciel clair, il semblait indestructible, éternel. Quelle illusion ! songea-t-il amèrement… Aucun navire n'était plus résistant que ceux qui servaient à son bord.

Allday observait d'un œil critique le patron qui manœuvrait pour pousser du quai avant de rentrer à bord. Il demanda :

– Et maintenant, monsieur, que faisons-nous ?

– Direction la maison. J'ai quelques petites choses à faire, il nous faut deux montures.

Il se mit en route, sentit sous sa chemise le médaillon qu'elle lui avait donné avec une boucle de ses cheveux si délicieusement châtains. Il allait le laisser chez lui. Quoi qu'il dût arriver cette nuit, il ne voulait pas que quelqu'un mît la main dessus.

– Belle journée, ajouta-t-il doucement. On a du mal à penser que nous sommes en guerre et que… tout le reste, quoi.

– Ouais, fit Allday, avec une bonne pinte et une voix de femme, le bonheur serait parfait.

Mais Bolitho se sentait soudain irrité.

– Allez, venez, Allday, il faut battre le fer pendant qu'il est chaud, nous n'avons pas le temps de rêvasser.

Allday le suivit, le sourire aux lèvres. Il n'y avait pas à s'y tromper, tous les signes étaient là, aussi sûrs qu'une risée sur l'eau. Quoi que fût en train de tramer le capitaine, il était suffisamment soucieux pour s'irriter à la première occasion et il ne faudrait pas trop s'y frotter d'ici à l'aube.

Il fit la grimace en repensant à ce que lui avait dit Bolitho. Une vergue de hunier, un bon gros étai, voilà des choses qu'il comprenait et il savait comment s'y prendre. Même une bonne femme qui rechigne, passe encore. Mais un cheval ! Il tripotait nerveusement ses boutons. D'ici qu'ils aient atteint la Tête de Drake, ce n'est pas une pinte qu'il allait lui falloir, mais quelques-unes !

Ils quittèrent la maison avant l'obscurité, mais la nuit était tombée quand ils passèrent le petit gué, déjà assez loin de Falmouth. Bolitho connaissait la campagne comme le fond de sa poche et ils avancèrent à bonne allure jusqu'à ce qu'il eût repéré le petit sentier qui serpentait jusqu'à Veryan. Allday trottait maladroitement derrière lui. Le chemin était très escarpé par endroits, la voûte des arbres se rejoignait au-dessus d'eux, les buissons denses bruissaient de froufrous et de frôlements étranges.

En débouchant d'un virage serré, ils aperçurent pendant plusieurs minutes le bord de la pointe ourlé de vagues blanches entre les rochers noirs posés au pied de la falaise.

– Dieu du ciel, gémit Allday, ce cheval n'a aucun respect pour mon postérieur !

– Taisez-vous donc, bon sang !

Bolitho mena sa monture au sommet d'une autre pente vertigineuse pour examiner attentivement une ligne d'épais buissons plus sombres.

Ils étaient plus près du bord de la falaise à présent, sans doute à quelques pas seulement des buissons. Au-delà, il aperçut la mer qui brillait sombrement, plate, lisse, grise comme de l'étain. Mais la baie était noyée dans la nuit, elle pouvait aussi bien ne pas abriter un seul bâtiment du tout qu'en héberger une demi-douzaine.

Il fut pris d'un léger frisson et eut une pensée reconnaissante pour Mrs. Ferguson qui avait remis en état son manteau de quart. Il faisait froid, l'air était humide, la brume allait tomber avant l'aube.

Il entendit Allday qui soufflait bruyamment près de lui :

– Nous ne sommes plus très loin, à présent. L'auberge doit être à un demi-mille.

– J' n'aime pas ça, commandant, marmonna Allday.

– Je ne vous demande pas d'*aimer*, répondit-il en le regardant.

Il n'avait dévoilé à Allday que les grandes lignes de l'affaire, rien de plus, le minimum pour qu'il pût se tirer d'affaire si les choses tournaient mal.

– Vous n'avez certainement pas oublié… – il s'arrêta et lui prit le bras : Qu'est-ce que c'est que cela ?

Allday s'était dressé dans ses étriers :

– Un lièvre, peut-être ?

Il y eut un cri, aussi brutal qu'un coup de feu :

– Restez où vous êtes et levez les mains en l'air, assez haut pour qu'on les voie !

Allday s'empara de son coutelas :

– Par Dieu, c'est une embuscade !

– Laissez ça, Allday !

Bolitho fit avancer son cheval contre lui et lui ôta la main du manche :

– C'est ce que j'attendais.

– Doucement, capitaine, reprit la voix ! Nous ne vous voulons pas de mal mais…

Une autre voix, plus rude, plus insistante :

– Nous n'avons pas de temps à perdre, désarme-les, et vite fait !

Ils étaient sans doute au nombre de trois. Une ombre vint délester Allday de son couteau : il entendit le cliquetis de l'acier quand l'arme tomba dans le sentier.

Un second homme sortit de la nuit tout près de lui et demanda :

– Et vous, monsieur, vous avez des pistolets sur vous ?

Bolitho les lui tendit, ainsi que son sabre, en laissant froidement tomber :

– J'avais cru comprendre qu'une certaine confiance devait régner de part et d'autre, je ne savais pas que cela ne valait que pour moi.

Il l'avait ébranlé, l'homme semblait effrayé :

– Nous courons d'énormes risques, capitaine, vous auriez pu venir avec la milice.

Celui qui ne s'était pas encore montré cria :

– Prenez les chevaux et emmenez-les – un silence, puis : Je reste derrière ; un seul mouvement et je tire, je me moque de qui a tort ou raison.

– Je lui ferai rendre gorge, murmura Allday entre ses dents, pour ce qu'il nous fait subir !

Bolitho restait silencieux et laissait sa monture suivre docilement celui qui le tenait par la bride. Ce n'était pas pire que ce qu'il avait prévu, seul un imbécile aurait organisé ce genre de rendez-vous sans prendre un minimum de précautions. Ils avaient sans doute été suivis pendant les derniers milles, ils avaient mis des chiffons aux sabots de leurs chevaux pour en étouffer le bruit.

Un lueur apparut au sortir d'un virage, il aperçut la forme pâle de l'auberge. C'était une petite maison bancale, modifiée au fil des ans, qui s'était progressivement dégradée et avait été construite sans beaucoup de goût.

Il n'y avait pas de lune, les étoiles étaient toutes petites. Il faisait plus froid, il savait que la mer n'était pas très loin, il restait peut-être un demi-mille jusqu'au pied des falaises. On y accédait par un chemin sommaire et assez dangereux. Il n'était pas difficile de comprendre pourquoi les contrebandiers considéraient l'endroit comme sûr.

– A terre !

Deux silhouettes sortirent de la maison et il aperçut un éclair de métal en se laissant glisser de sa selle.

– Suivez-moi.

Une lanterne unique brûlait faiblement dans l'entrée basse de plafond. Après l'obscurité du chemin, elle avait l'air d'un feu brillant. La pièce sentait un mélange de bière, de tabac, de graillon et de crasse.

L'aubergiste s'approcha dans le rond de lumière en s'essuyant les mains à un long tablier dégoûtant. Il correspondait trait pour trait à la description d'Allday : l'un de ses yeux partait sur le côté comme s'il allait lui sortir de l'orbite.

– C'est pas ma faute, monsieur, commença-t-il d'une voix doucereuse, j' veux qu' vous vous rappeliez bien que j'ai rien à faire dans tout ça.

Il fixa son unique œil en état sur Bolitho avant d'ajouter :

– J'ai bien connu votre père, monsieur, c'était un bon monsieur…

– Ferme ta gueule ! aboya une voix. Je vais te pendre à un de tes chevrons si tu n'arrêtes pas de gémir !

Tandis que l'aubergiste se réfugiait prudemment dans l'ombre, Bolitho se tourna lentement vers celui qui venait de parler ainsi. L'homme portait la trentaine, il avait le visage rougeaud, moins rude pourtant que ce que l'on s'attendait à trouver chez un marin. Les vêtements étaient plutôt comme il faut – vareuse bleue et chemise fraîchement lavée. Son visage était intelligent mais dur. Voilà un homme qui doit se mettre facilement en colère, songea Bolitho.

– Je ne vois pas Taylor.

– Il est au canot, répondit froidement celui qui était visiblement leur chef.

Bolitho regarda les autres. Ils étaient quatre, il y en avait sans doute deux de plus dehors. Tous marins, ils étaient mal à leur aise et observaient leur porte-parole avec un mélange d'inquiétude et de résignation.

– Asseyez-vous, capitaine. J'ai envoyé chercher de la bière… – il retroussa la lèvre d'un air moqueur – … mais peut-être quelqu'un de votre condition préfère-t-il du cognac ?

Bolitho ne réagit pas à la provocation manifeste.

– De la bière, ce sera parfait.

Il ouvrit son manteau et se posa sur une chaise.

– Vous avez sans doute été choisi comme délégué ?

– C'est exact.

Son irritation montait. L'aubergiste arriva en traînant les pieds, posa sur la table quelques chopes et une cruche de bière remplie à ras bord.

– Toi, retourne dans ta cuisine ! – et, sur un ton plus calme : Alors, capitaine, acceptez-vous nos conditions ?

– J'ignore de quelles conditions vous voulez parler.

Bolitho prit une chope et nota avec soulagement que sa main ne tremblait pas.

– Vous vous êtes emparé, poursuivit-il, d'un vaisseau du roi, ce qui constitue un acte de mutinerie et éventuellement de trahison si vous persistez à exécuter la suite de votre plan.

Bizarrement, l'homme parut plus satisfait qu'irrité de cette réponse. Il jeta un coup d'œil aux autres avant de répondre :

– Vous voyez ça, les gars ! Y a pas moyen de discuter avec des gens comme ça. Vous auriez mieux fait de m'écouter au lieu de perdre votre temps.

Un vieil officier marinier tout grisonnant répondit vivement :

– Eh, du calme ! P'têt que si tu lui dirais les autres choses qu'on avait convenu ?

– Imbécile !

Il se tourna vers Bolitho :

– Je savais que les choses se passeraient ainsi. Les gars de Spithead ont gagné parce qu'ils sont restés soudés comme les doigts de la main. La prochaine fois, on pourra toujours nous promettre monts et merveilles, on restera unis !

– Tenez, monsieur, reprit l'officier marinier de sa voix rude, voudriez-vous jeter un coup d'œil à ce livre ?

Il le lui passa à travers la table, sans cesser de le fixer droit dans les yeux.

– J'avions été tant marin qu' mousse, trente années de rang. J'avions jamais vu une chose pareille avant ça, et j' peux bien le jurer, pardieu, monsieur !

– T'en seras pas moins pendu pour autant, espèce d'idiot !

Leur porte-parole le regardait avec un dégoût manifeste.

– Mais montre-lui toujours ça, si ça te fait plaisir !

Bolitho ouvrit le livre recouvert de toile et feuilleta les premières pages. Il s'agissait du registre des punitions de la frégate. Au fur et à mesure qu'il parcourait les lignes soigneusement calligraphiées, il sentait une vague de dégoût lui retourner l'estomac, comme s'il avait la fièvre.

Aucun de ces hommes ne pouvait deviner l'effet que faisait sur lui cette lecture. Ils essayaient seulement de lui faire sentir ce qu'ils avaient enduré. Par le passé, Bolitho avait toujours examiné le registre des punitions des bâtiments dont il venait de prendre le commandement. Il pensait en effet que cela lui fournissait mieux que n'importe quel testament une excellente description de son prédécesseur.

Il sentait tous ces regards rivés sur lui, la tension était palpable.

La plupart des motifs répertoriés étaient banals et assez classiques : désordre, désobéissance, manque de soin, insolence. Son expérience lui avait enseigné que cela était le plus souvent le fruit de l'ignorance.

En regard, les punitions étaient d'une sévérité inouïe. En l'espace d'une seule semaine, tandis que l'*Aurige* patrouillait devant Le Havre, son commandant avait distribué au bas mot mille coups de fouet. Deux hommes avaient été fouettés à deux reprises au cours de cette même période, l'un d'entre eux en était mort.

Il ferma le registre et leva les yeux. Il avait envie de poser une foule de questions. Pourquoi le second n'avait-il rien fait pour tenter de prévenir une telle brutalité ? Mais il se reprit aussitôt : qu'aurait fait Keverne si son commandant en avait ordonné autant ? Ce constat le remplit soudain de colère. Il avait observé trop souvent comment les hommes se tournaient vers lui en cas de difficulté, comme cela arrivait fréquemment à bord d'un gros vaisseau. Parfois, les réactions allaient jusqu'à la terreur et cela le rendait invariablement malade. Un commandant, tout commandant, était seul maître après Dieu pour ce qui regardait le sort de ses hommes, une sorte d'être supérieur qui pouvait faciliter l'avancement d'une main et décréter les punitions les plus terribles de l'autre. Penser que certains d'entre eux, comme le capitaine de l'*Aurige*, pouvaient abuser ainsi de leur autorité, voilà qui le remplissait d'horreur.

– J'aimerais aller à votre bord, commença-t-il lentement, parler à votre commandant.

Comme plusieurs d'entre eux commençaient à s'exprimer tous ensemble, il compléta sa pensée :

– Sans cela, je ne peux rien faire.

– Vous avez peut-être trompé les autres, fit leur chef, mais je vois bien que vous nous menez en bateau – il eut un geste brusque. Un peu de sympathie pour commencer, puis nous connaîtrons du gibet à un endroit bien en vue de la mer, où tout marin pourra voir de ses yeux ce que vaut la parole d'un officier !

Allday poussa un énorme juron en essayant de se lever, mais se calma lorsque Bolitho lui ordonna :

– Restez tranquille, Allday. Quand un homme trouve que corriger une erreur est une perte de temps, il est inutile de discuter.

– Ouais, répondit rudement l'un des marins, qu'est-ce que ça peut bien faire que le capitaine i' vienne à not' bord ? S'il trahit sa parole, on n'aura qu'à le garder en otage.

Il y eut un murmure d'approbation, et leur chef perdit un peu de son assurance.

Il décida de tenter une autre approche :

– Si, d'un autre côté, vous n'aviez aucune intention de demander justice et que vous essayiez simplement de trouver une excuse au fait de remettre votre bâtiment à *l'ennemi*... – il insista lourdement sur ce dernier mot – ... je dois vous prévenir que j'ai pris certaines dispositions pour vous en empêcher.

– Il essaye de nous tromper ! – mais l'homme n'était pas très assuré. Il n'y a pas un seul bâtiment dans un rayon de plusieurs milles !

– La brume va tomber à l'aube – il posa les mains sur la table, des mains tremblantes d'excitation ou pis encore. Vous ne pourrez pas mettre à la voile avant la fin de la matinée. Je connais parfaitement la baie, c'est trop dangereux – puis, durcissant le ton : Surtout sans l'aide de vos officiers.

– Il a raison, Tom, murmura l'officier marinier – il se pencha un peu. Pourquoi pas faire comme i' dit, on n'a rien à perdre à l'écouter.

Bolitho examinait attentivement leur chef. Il s'appelait donc Tom, c'était un début.

– Allez vous faire voir, tous autant que vous êtes !

L'homme était pris d'une flambée de colère :

– Vous, une délégation ? Allons donc, on dirait un ramassis de vieilles !

Sa colère tomba aussi rapidement que la première fois, cela rappelait Keverne.

– Bon, tant pis, on fait comme ça, fit-il brusquement – il désigna l'officier marinier : Tu restes ici avec un guetteur.

Et, montrant Allday du doigt :

– Tu gardes ce laquais en otage, lança-t-il. Si je t'envoie un signal, tue-le. Si nous sommes attaqués, nous les tuerons tous les deux et les pendrons à côté de notre seigneur et maître du diable, compris ?

L'officier marinier hésita avant d'acquiescer.

Bolitho, voyant le visage décomposé d'Allday, lui dit en souriant :

– Vous vouliez prendre du repos avec une bonne pinte de bière. Voilà, vous êtes servi.

Et il lui posa la main sur l'épaule. Allday bouillait intérieurement.

– Tout va bien se passer – il essaya d'être plus convaincant : Nous n'avons pas affaire à des ennemis.

– Nous verrons cela !

Celui qui s'appelait Tom ouvrit la porte et fit une courbette ironique :

– A présent, passez devant moi et prenez garde à ce que vous faites. Je ne ferai pas une jaunisse si je dois vous abattre !

Bolitho sortit dans la nuit sans rien répondre. Il faisait encore très sombre, mais ils avaient encore tant de choses à faire avant l'aube s'il voulait garder une mince chance de réussite ! Il s'engagea dans le chemin en pente, repensant à ce registre des punitions. Il était surprenant de voir que des hommes soumis à des traitements aussi inhumains eussent encore cherché à obtenir justice par des voies qu'ils avaient eux-mêmes du mal à comprendre. Plus surprenant encore, la mutinerie aurait dû éclater des mois plus tôt. Ce constat le rassura un peu, il n'avait pas grand-chose d'autre à quoi se raccrocher.

III

LE SALUT AUX COULEURS

– Ohé, du canot !

La sommation semblait venir de nulle part. Le brigadier mit ses mains en porte-voix pour répondre :

– Les délégués !

Bolitho se raidit sur son banc. La frégate à l'ancre jaillit soudain de la nuit, ses mâts et vergues croisés tournoyant doucement sur fond de ciel étoilé. Tandis que le canot manœuvrait délicatement pour aborder, il remarqua les filets d'abordage soigneusement gréés au-dessus des passavants, quelques silhouettes groupées près de la coupée. Son cœur battait à tout rompre, il se demanda si les mutins ressentaient la même angoisse que lui-même.

Une poussée sur l'épaule :

– Allez hop, en haut !

Lorsqu'il apparut à la coupée, quelqu'un démasqua un fanal. La lumière jaunâtre faisait briller ses épaulettes dorées et les marins se pressèrent pour l'observer de plus près.

– Eh ben, fit une voix, il est venu.

– Poussez-vous, les gars, y a du boulot à faire !

C'était Taylor, inquiet et pressant.

Bolitho resta planté là sans rien dire, tandis que le meneur murmurait quelques consignes aux hommes de quart sur le pont. Le navire semblait bien en main, aucun signe d'ivresse ni de bagarre, comme on eût pu le craindre. Deux des pièces étaient en batterie, au cas où un canot en patrouille se serait approché d'un peu trop près.

Un officier marinier était chef de quart sur la dunette, mais il n'y avait pas d'officier en vue ni le moindre fusilier.

L'homme qui s'appelait Tom lui dit sèchement :

– Nous allons à l'arrière, et vous pourrez voir le capitaine. Mais pas de tricherie.

Il était impossible de lire son expression.

Bolitho se dirigea vers l'arrière et s'enfonça sous le pont. En dépit de ses embarquements à bord de deux gros vaisseaux de ligne, il n'avait jamais pu s'habituer à la très confortable hauteur sous barrot qu'ils offraient. Peut-être regrettait-il encore l'indépendance et l'agilité des frégates.

Deux marins en armes s'approchèrent en le voyant, hésitèrent puis claquèrent des talons.

– Ça va, ça va, fit leur chef, on montre un peu de respect ?

Le délégué s'amusait visiblement.

Il ouvrit la porte de la chambre et suivit Bolitho. La pièce était fort bien éclairée par trois lanternes qui oscillaient doucement, l'air était très humide. Un marin armé d'un mousquet se tenait appuyé contre la cloison et le capitaine de l'*Aurige* était assis sur un banc sous les fenêtres de poupe.

Il était plutôt jeune : Bolitho lui donnait quelque chose comme trente-six ans. L'épaulette unique qui ornait son épaule droite indiquait qu'il avait moins de trois ans d'ancienneté comme capitaine. Ses traits étaient fins et bien dessinés, mais il avait les yeux si resserrés que cela semblait presque anormal. Il observa Bolitho quelques secondes, avant de bondir sur ses pieds.

– Le capitaine de vaisseau Bolitho, annonça tranquillement le délégué.

Il se tut, observant l'effet produit.

– Il est venu seul, pas de cabillots pour vous porter assistance, j'en ai bien peur.

Bolitho ôta sa coiffure et la posa sur la table :

– Vous êtes bien le commandant Brice ? Laissez-moi tout d'abord vous dire que je suis ici de ma propre initiative.

Brice encaissa le choc, avant de se reprendre. Ce qui ne l'empêcha pas de rester tendu, comme un animal traqué.

– Mes officiers sont prisonniers, répondit-il, les fusiliers ne sont pas encore arrivés. Ils devaient arriver directement de Plymouth – il jeta un regard assassin au délégué. Et si cela avait été le cas, « Mr. » Gates chanterait une autre chanson, par tous les diables !

– Épargnez-nous vos discours, répondit le délégué, je vous en prie. J'aurais pu décider de vous faire frétiller sur un caillebotis, s'il n'avait tenu qu'à moi ! Mais on aura le temps de voir ça plus tard, pas vrai ?

– J'aimerais parler seul à seul avec votre capitaine, fit Bolitho.

Il s'attendait à une objection, mais le délégué se contenta de répondre :

– Prenez vos aises. Cela ne servira à rien, vous le savez très bien.

Il quitta la chambre en compagnie du matelot en armes, claqua la porte derrière lui et s'en fut en sifflotant.

Brice ouvrait déjà la bouche, mais Bolitho lançait :

– Nous n'avons guère de temps, je vais être bref. La situation est grave et, si votre bâtiment est livré à l'ennemi, il vaut mieux ne pas penser aux conséquences. Je n'ai rien à négocier et fort peu à offrir pour faire en sorte que ces hommes reviennent sous notre férule.

Son interlocuteur le regardait fixement.

– Mais, monsieur, n'êtes-vous donc pas capitaine de pavillon ? Une démonstration de force, une attaque à grande échelle, et ces rebuts se rendraient vite à raison, non ?

Bolitho hocha dubitativement la tête :

– L'escadre n'est pas encore formée. Les bâtiments sont dispersés ou trop loin pour être d'une quelconque utilité. Le mien est à Falmouth, il pourrait aussi bien être sur la lune – il durcit le ton : J'ai pris connaissance de quelques-unes des doléances de vos hommes et je n'éprouve pas la moindre sympathie pour vos façons.

Brice réagit comme s'il venait de le frapper. Il bondit sur ses pieds, fou de colère.

– Mais quelle horreur de dire une chose pareille ! J'ai conduit ce bâtiment au mieux de mes capacités, et les prises que j'ai faites sont là pour en témoigner. J'ai hérité de la lie de l'humanité, et touché des officiers trop jeunes ou trop fainéants pour travailler comme je l'entends.

Bolitho était resté impassible :

– Sauf pour ce qui est de votre second, j'imagine ?

Puis il explosa, sans laisser à Brice le temps de répondre :

– Asseyez-vous gentiment et surveillez votre langage lorsque vous m'adressez la parole !

Il hurlait, et en était le premier étonné. Cela devait être contagieux, mais sa soudaine bouffée de colère eut l'air de produire l'effet escompté.

Brice se rassit sur son banc et répondit d'une voix sourde :

– Mon second est un officier de valeur, monsieur, un homme qui a de la fermeté, mais c'est…

Bolitho termina sa phrase :

– … mais c'est ce que vous exigez, n'est-ce pas ?

Une dispute éclatait de l'autre côté de la cloison, qui s'estompa aussitôt.

– Si vous étiez au port, continua Bolitho, votre conduite vous vaudrait la cour martiale.

Cette fois, il avait touché juste. Brice serra violemment les doigts.

– Après ce qui s'est produit à Spithead, vous auriez dû accéder à certaines de leurs demandes, vous ne croyez pas ? Allons, monsieur, il faut au moins leur rendre justice, sans parler du reste !

– Ils ont eu ce qu'ils méritaient, répondit Brice, le front bas.

Bolitho se souvint de ce que lui avait décrit Taylor : un « bâtiment de malheur ». Il n'était pas difficile d'imaginer l'enfer que cet homme avait dû leur faire subir.

– Dans ce cas, je ne peux rien pour vous.

Un éclair diabolique passa dans les yeux de Brice :

– A présent, ils ne vous laisseront jamais partir !

– C'est possible, répondit Bolitho qui se leva pour traverser la chambre. Mais la baie sera dans la brume d'ici à l'aube. Lorsqu'elle se lèvera, votre bâtiment se trouvera confronté à bien autre chose que de simples mots et des menaces. Je suis sûr que vos gens se battront, quelles que soient les conséquences. Il sera alors trop tard pour revenir en arrière, trop tard pour trouver une solution.

– J'espère qu'ils périront, répondit Brice.

– Et moi, capitaine, j'en doute fort. Ou bien nous le verrons de l'autre monde. Car à ce moment-là, nous serons, vous et moi, en train de danser au bout d'une corde par manière d'exemple.

– Ils n'oseraient jamais ! fit Brice, mais d'une voix nettement moins assurée.

– Et pourquoi donc ? – Bolitho se pencha sur la table, jusqu'à être à moins de trois pieds de lui. Vous les avez tourmentés au-delà du raisonnable, vous vous êtes comporté comme un fou et non comme un officier du roi.

Il se pencha encore, arracha l'épaulette de son épaule droite et la jeta sur la table.

– Comment avez-vous le front de parler de ce qu'ils peuvent ou ne peuvent pas faire, après avoir été traités ainsi ? Si vous aviez été sous mes ordres, je vous aurais fait casser bien avant qu'on vous fasse l'honneur de vous donner un commandement !

Il se releva, son cœur battait la chamade.

– Faites attention à vous, monsieur Brice. Si votre bâtiment passe à l'ennemi, il vaudra mieux pour vous que vous soyez mort avant. La honte vous collera à la peau plus fort que tous les nœuds coulants, croyez-moi !

Brice détourna les yeux, laissa son regard errer sur la chambre puis sur l'épaulette arrachée. Il semblait encore en état de choc après l'attaque qu'il venait de subir.

– On ne peut pas détruire le goût de la liberté, continua Bolitho, vous ne comprenez pas cela ? La liberté se gagne durement, il est encore plus difficile de la conserver, mais vos hommes, tout ignorants et bêtes qu'ils sont, comprennent fort bien ce que cela signifie.

Les bruits de voix se faisaient plus insistants sur le pont, il sentit soudain le poids du désespoir.

– Tous les marins comprennent que, une fois au service du roi, leur sort dépend en bien ou en mal de leur chef. Mais vous ne pouvez pas leur demander de se battre, de donner le meilleur d'eux-mêmes alors qu'on les traite comme des chiens, sans aucune justification !

Brice contemplait ses mains qui tremblaient.

– Ils se sont mutinés, dit-il d'une voix sourde, contre moi, contre mon autorité.

– Votre autorité ou ce qu'il en reste – Bolitho le fixait d'un air grave. Par votre faute, j'ai exposé mon maître d'hôtel au danger.

Mais vous avez mis en péril bien plus que nos vies et s'il est une chose que je regrette, c'est que vous ne soyez pas appelé à vivre assez vieux pour voir le résultat de vos actes.

La porte s'ouvrit toute grande et le dénommé Gates entra dans la chambre, les mains sur les hanches.

– Alors, messieurs, en avez-vous terminé ?

Il arborait un large sourire.

Bolitho se tourna vers lui. Il avait la bouche sèche ; il régnait un silence de plomb dans cette pièce sans air.

– Oui, je vous remercie. Et, continua-t-il sans regarder Brice, votre capitaine accepte de se placer en état d'arrestation et d'attendre mes ordres. A condition que vous relâchiez immédiatement vos officiers…

Gates le coupa :

– Que dites-vous ?

Bolitho se raidit, s'attendant à entendre Brice crier à l'abus de pouvoir ou exiger de revenir immédiatement sur cette promesse. Mais il ne dit rien et, lorsqu'il tourna la tête, il le vit occupé à regarder le pont, comme dans un état second.

Taylor, le quartier-maître bosco, se tailla un chemin au milieu des autres et cria :

– Vous avez vu ça, les gars ? Qu'est-ce que je vous avais dit ?

Il fixait Bolitho, les yeux ronds, visiblement soulagé.

– Par Dieu, commandant, vous ne regretterez jamais ce jour !

Gates l'interrompit brutalement :

– Espèces d'imbéciles, vous ne comprenez rien ! – et regardant Bolitho : Dites-leur donc la suite !

Bolitho le regarda droit dans les yeux :

– La suite ? Il s'agit d'un cas d'indiscipline. Compte tenu des circonstances, je pense que la justice sera clémente. Cependant, ajouta-t-il en se tournant vers les marins rassemblés derrière la porte, tout ne sera pas entièrement oublié.

– La corde n'oublie jamais personne, n'est-ce pas ? répondit Gates.

Taylor fut le premier à rompre le silence.

– Quelles chances avons-nous de nous en tirer, capitaine ? – il rentra les épaules. Nous ne sommes pas aussi aveugles qu'on croit, on sait qu'on a fait des choses pas bien, mais s'i' nous reste un espoir, alors…

Il se tut.

– Je vais en parler à Sir Charles Thelwall, répondit doucement Bolitho. C'est un officier humain et généreux, j'ai confiance en lui. A n'en pas douter, il jugera comme moi que ce qui s'est passé est inacceptable. Mais il aurait pu arriver encore bien pire – il haussa les épaules. Je ne peux pas en dire plus.

– Alors les gars, fit Gates en jetant un regard circulaire, vous êtes toujours avec moi ?

– Nous allons parlementer, fit Taylor en s'adressant aux autres. Mais je fais confiance à la parole du commandant Bolitho – il s'essuya la bouche. J'ai bossé tout' ma vie pour avoir ce que j'ai, et y a pas de doute que j' vais perdre ce que j'ai gagné. Probable que j' vais tâter du chat, mais ça s'ra pas la première fois. Plutôt ça que de vivre dans la misère. Et j'ai guère envie de passer le reste de mes jours chez les Grenouilles ou à me cacher chaque fois que j' verrai un uniforme.

Il se tourna vers la porte :

– Je suis pour parlementer, les gars.

Gates les regarda sortir avant de conclure tranquillement :

– S'ils croient vos promesses vides, capitaine, alors, je veux recueillir sa confession par écrit.

Bolitho secoua la tête :

– Vous pourrez présenter vos preuves devant la cour martiale.

– Moi ? – Gates éclata de rire. Je ne serai plus à bord quand ces imbéciles se feront prendre ! – il se détourna en entendant des voix. Je reviens.

Et il quitta les lieux.

Brice poussa un profond soupir :

– Le risque était énorme, ils auraient très bien pu ne pas vous croire.

– Il ne nous reste plus qu'à espérer, répondit Bolitho en allant s'asseoir, et je pense que vous le croyez aussi. La menace ne servait à rien.

Il se tourna vers la porte pour cacher son inquiétude.

– Ce Gates m'a l'air d'être au courant de beaucoup de choses…

– C'était mon secrétaire – Brice semblait perdu dans ses pensées. Je l'ai surpris en train de me voler des liqueurs et l'ai fait fouetter. Bon sang, si j'arrive un jour à mettre la main sur lui…

Mais il laissa sa phrase inachevée.

Les lanternes de la chambre se balançaient en cadence avec une amplitude croissante. Bolitho tendit l'oreille : le vent se levait, ils allaient peut-être éviter la brume. Comme d'habitude, le temps cornouaillais se montrait facétieux.

La porte de la chambre s'ouvrit avec fracas, livrant le passage à Taylor.

– Nous avons pris notre décision, monsieur, déclara-t-il sans même regarder Brice. Nous acceptons.

Bolitho se leva en essayant de cacher son soulagement.

– Merci.

Une embarcation cogna contre la coque, il entendit les hommes qui criaient des ordres.

– Ils sont allés chercher les autres, monsieur, ajouta Taylor, ainsi que vot' maît' d'hôtel – il baissa les yeux – Gates s'est enfui.

Un brouhaha, puis trois lieutenants pénétrèrent dans la chambre, peureux, échevelés. Les deux premiers étaient encore jeunes, le dernier, un homme de haute taille aux lèvres épaisses, était visiblement le troisième lieutenant, celui qui, selon Taylor, passait les bornes avec l'équipage et le faisait fouetter sous le moindre prétexte. Bolitho songea à Keverne : quelle chance il avait !

– Je m'appelle Massie, monsieur, déclara sèchement le plus ancien.

Il jeta un regard inquiet à Brice, mais se raidit en entendant la réponse de Bolitho :

– Vous voudrez bien vous considérer comme aux arrêts. C'est pour votre bien.

Et, se tournant vers les deux autres :

– Comment est le vent ?

– Il fraîchit, monsieur, du suroît.

Le plus jeune semblait tout éberlué.

– Parfait. Faites dire au pilote que nous lèverons l'ancre dès que le canot aura rallié. Si nous voulons être à Falmouth avant le matin, il faut sortir de la baie sans tarder – il se força à sourire. Je n'ai guère envie de voir l'*Aurige* drossé sur la Mouette à la face du monde !

Sur le pont, la situation paraissait plus nette, l'atmosphère moins menaçante. Peut-être était ce une illusion, mais Bolitho songeait qu'il y avait de bonnes raisons à cela. Le pilote de la frégate écoutait, l'air incrédule, le second lui parler.

– Je prends le commandement, annonça calmement Bolitho – et il ajouta plus tranquillement encore : J'aime encore mieux courir un faible risque que laisser les hommes dans l'incertitude plus longtemps.

Il réfléchissait : oui, il valait mieux appareiller dans l'obscurité qu'affronter les bordées de l'*Euryale* aux première lueurs.

Le canot revint et Allday passa la coupée, remuant la tête dans tous les sens comme pour prendre le contrôle du bâtiment à lui tout seul.

Quand il eut trouvé Bolitho, il lui dit sans façon :

– Seigneur, monsieur, je ne me serais jamais attendu à ça !

Son enthousiasme était seulement tempéré par une inquiétude trop évidente.

Bolitho lui sourit jusqu'aux oreilles :

– Je suis désolé de vous avoir mis en si grand danger.

Le gros homme attendit que des marins qui passaient fussent partis.

– J'étais sur le point de quitter l'auberge, monsieur, pour tenter ma chance sur ce foutu cheval. J'aurais pu atteindre Falmouth à temps pour donner l'alerte.

– Et vos gardes ? lui demanda Bolitho en fronçant les sourcils.

Allday se contenta de hausser les épaules et tira sur la jambe de son pantalon. Même dans l'obscurité, on voyait la protubérance d'un pistolet à deux canons glissé dans son bas.

– Je dois reconnaître que j'aurais pu laisser ces deux petits chéris là où ils étaient sans me donner trop de peine.

– Vous m'étonnerez toujours, Allday. Comme ça, vous aviez donc votre petit plan à vous ?

– Pas exactement à moi. Ferguson m'a donné le pistolet avant notre départ, il l'a acheté à un agent de la poste, à Falmouth – il souffla bruyamment. Je ne voulais pas vous laisser tout faire tout seul, monsieur – et, parcourant la dunette du regard : Pas au milieu de chiens de cette espèce !

Bolitho se détourna, la tête encore pleine du dévouement tout simple d'Allday. Il essayait de trouver le mot juste, quelque chose qui manifestât combien tout cela lui allait droit au cœur à pareil moment.

– Merci, Allday. L'idée était téméraire mais extrêmement judicieuse.

Pourquoi n'arrivait-il jamais à trouver ses mots lorsqu'il en avait besoin ? Et pourquoi Allday souriait-il ainsi d'une oreille à l'autre ?

– Allons monsieur, vous aussi, vous avez du sang-froid, y a pas à dire. On pourrait être morts tous les deux et au lieu de ça, on est solides comme la Tour de Londres.

Il se frotta les fesses :

– Comme ça, on va rentrer à Falmouth comme des marins et pas sur ces misérables animaux mal foutus et pleins d'os partout.

Bolitho lui prit le bras :

– Je suis content de vous voir satisfait.

Un lieutenant traversa le pont et le salua :

– Cabestan armé, canot à poste, monsieur.

– Très bien.

Il se sentait soudain le cœur léger. Peut-être n'avait-il pas bien perçu à quel point ils avaient frôlé le désastre. Allday avait tout compris, il s'y était préparé à sa façon ; mais si Brice avait refusé de se soumettre, si Gates avait gardé le contrôle des hommes ? Il essaya de chasser ces pensées, la pièce était jouée, il lui restait à remercier le ciel que personne n'ait été tué ni seulement blessé au cours de la révolte.

– Dites au pilote de faire route pour parer la pointe, je vous prie. Nous ferons cap sudet jusqu'à ce que nous ayons assez d'eau pour virer.

Le jeune officier se tenait immobile devant lui, ses yeux brillaient dans l'ombre.

– Vous vous appelez Laker, je crois ? ajouta gentiment Bolitho.

Il fit signe que c'était bien cela.

– Eh bien, monsieur Laker, imaginez-vous que vos supérieurs ont été tués au combat – nouveau signe de tête. Pour le moment, la dunette vous appartient et il serait bon que vos hommes vous voient prendre les choses en main. La confiance est comme l'or, il faut la gagner à son prix.

– Merci, monsieur, répondit simplement le jeune homme.

Et il s'éloigna. Quelques secondes plus tard, le bruit du cabestan se faisait entendre, accompagné par une chanson à virer, mais le cœur n'y était pas vraiment.

Bolitho se dirigea lentement à l'arrière et s'arrêta près de la roue. Il serait ainsi paré à intervenir si la frégate s'approchait trop de la côte. Néanmoins, si l'*Aurige* voulait garder une chance de conserver sa place, il fallait commencer immédiatement, avec son équipage.

Allday avait-il lu dans ses pensées ?

– Ça me rappelle le temps de cette vieille *Phalarope*, commandant.

Il leva les yeux pour surveiller les voiles qui craquaient et grâce auxquelles ils se déhaleraient d'une minute à l'autre.

– Il a fallu un sacré bon bout de temps avant qu'on récupère notre bonne réputation !

– Je m'en souviens, acquiesça Bolitho.

– Larguez les huniers !

Des pieds nus martelaient sourdement les ponts à la gîte, le cliquètement du cabestan se faisait entendre à l'avant, les hommes s'activaient.

– Dérapé !

La grosse masse sombre de la terre commença à glisser lentement par le travers : et la frégate s'ébranlait lentement dans une petite brise.

Bolitho eut une pensée pour Brice, seul dans sa chambre, sentant que son bâtiment revenait à la vie, écoutant des voix qui n'étaient pas la sienne donner des ordres. « Et moi, que ressentirais-je à sa place ? » Il se secoua et chassa Brice de son esprit.

S'il était un jour à sa place, c'est qu'il l'aurait bien mérité, tout comme Brice.

– Gouvernez comme ça !

– En route au nord-noroît, monsieur !

La grande roue grinçait, l'*Aurige* glissait doucement vers la terre.

Bolitho, qui se tenait près de la lisse au vent, observait la ville éclairée par le soleil du matin. L'*Euryale* se balançait droit devant la frégate à l'approche, ses vergues de hune prenaient une belle teinte dorée aux premières lueurs et sa majestueuse figure de proue se détachait sur la masse sombre de la coque.

Le pont de la frégate bruissait d'activité, c'était la première fois qu'il la voyait ainsi en plein jour. Brice avait dû se comporter en vrai tyran. Les peintures étaient en piteux état, écaillées, les marins étaient pour la plupart en haillons et semblaient mourir de faim. Plusieurs d'entre eux, qui ne portaient pas de chemise pour travailler, avaient le dos zébré, comme s'ils avaient été sauvagement griffés par une bête sauvage.

Sur le gaillard, l'équipe de mouillage regardait les deux gigantesques bras de la baie et, au-delà, la ville de Falmouth, encore noyée dans l'ombre. Comme posé sur sa propre image, un canot de rade bouchonnait, le pavillon bleu en tête de mât pour marquer le poste de mouillage de la frégate. Les deux lieutenants les moins anciens et le pilote se concentraient sur les deux dernières encablures de l'approche. Bolitho leur dit tranquillement :

– Monsieur Laker, vous seriez bien inspiré de dire au maître canonnier de se préparer à saluer. Avec tout ce que vous avez en tête, ce serait une honte d'oublier qu'un contre-amiral exige treize coups de canon.

Le lieutenant prit d'abord l'air fort surpris, avant de sourire.

– Je ne l'ai pas oublié, monsieur, encore que je ne me sois pas attendu à vous voir me tester… – il lui montra quelque chose à travers les filets – … mais, comme vous savez, monsieur, il faut quinze coups de canon.

Il souriait encore en courant rejoindre le pilote près de la barre.

Bolitho se dirigea vers les filets et monta sur une bitte. Ce n'était pas possible, l'officier avait dû se laisser abuser par un faux jour, ou par le fait que l'*Euryale* était en inclinaison faible.

Il sauta sur le pont et vit Allday qui l'observait. Il n'y avait pas d'erreur possible : la marque qui flottait au soleil était frappée au mât de misaine.

– Alors comme ça, annonça tranquillement Allday, il est arrivé, monsieur ?

Pendant que l'*Aurige* ralliait lentement son mouillage, au son des coups de canon qui partaient à cadence régulière, Bolitho arpentait le bord au vent. Il imaginait les lunettes braquées sur la frégate, il fallait qu'il se montre, sain et sauf, ayant les choses bien en main. Ces derniers moments lui parurent durer une éternité, au cours desquels il se demandait ce qu'il était advenu du contre-amiral Thelwall, ce que Broughton penserait de sa conduite. En relevant les yeux, il vit l'*Euryale* croiser devant ses bossoirs tandis que la frégate venait dans le vent. La toile craquait, les vergues pivotaient face au vent. L'ancre avait à peine plongé dans l'eau que Bolitho entendit un autre bruit, un grondement qui montait comme le battement de grosses caisses. Il se retourna, courut à la lisse pour apercevoir avec horreur les trois batteries de l'*Euryale* se découvrir, puis, comme manœuvrées par une seule main invisible, les rangées de gueules que l'on mettait en batterie.

– Mon Dieu, murmura le lieutenant.

Taylor arrivait, faisant de grands signes comme un fou :

– Les canots arrivent, monsieur !

Ils étaient près d'une douzaine, cotres et chaloupes, remplies à ras bord de fusiliers dont les tuniques brillaient comme du sang et qui se tenaient immobiles entre les nageurs.

Certains des marins ne parvenaient pas à détacher les yeux de l'artillerie impressionnante de l'*Euryale*, comme s'ils s'attendaient à voir les canons ouvrir le feu. D'autres regardaient la dunette, fixaient Bolitho, espérant peut-être lire le sort qui les attendait sur son visage.

Le canot de tête prit du tour pour rester à l'abri des canons du vaisseau amiral puis se dirigea vers la coupée. Le capitaine de vaisseau Rook se tenait dans la chambre. Arrivé près de la muraille, il leva la tête en criant :

– Êtes-vous sain et sauf, monsieur ?

– L'imbécile ! murmura Allday.

Mais Bolitho ne l'entendit pas. Il baissa les yeux, vit le visage rougeaud de Rook et répondit :

– Naturellement.

Il espérait que les marins qui se trouvaient alentour l'entendraient : ils allaient avoir besoin de lui faire confiance au cours de ce qui allait suivre.

Rook se hissa péniblement sur le pont et salua.

– Nous étions inquiets, monsieur, très inquiets – et, voyant les deux lieutenants qui l'observaient, il leur cria : Remettez vos sabres à cet officier des fusiliers, immédiatement !

Bolitho intervint aussitôt :

– Et sur ordre de qui ?

– Je vous demande pardon, monsieur ?

Rook était visiblement mal à son aise.

– Par ordre du vice-amiral Sir Lucius Broughton.

Et il détourna les yeux. Les canots continuaient d'accoster, des fusiliers réjouis occupaient les passavants, mousquets baïonnettes au canon, pointés sur l'équipage entassé là-haut.

Bolitho s'approcha des lieutenants :

– Soyez tranquilles, je veillerai personnellement à ce qu'il ne vous arrive rien – et, se tournant vers Rook : Je vous en tiens pour responsable !

Le manchot s'épongea le front, l'air soucieux :

– A vos ordres, monsieur.

Bolitho s'approcha de la lisse de dunette et se pencha vers les marins silencieux rassemblés sur le pont.

– Je vous ai donné ma parole. Restez calmes, obéissez aux ordres. Je vais passer à mon bord et voir l'amiral immédiatement.

Il aperçut Taylor qui essayait de le rejoindre, mais un fusilier lui barra le chemin en levant sa baïonnette.

– Je n'ai pas oublié, Taylor, lui cria Bolitho.

Et il se détourna pour gagner la coupée. Un canot arrivait de l'*Euryale*. Pas de doute, il lui était destiné, la demande d'explication n'allait pas tarder.

Il se retourna une dernière fois. Les hommes se taisaient, les yeux fixés sur lui. Ils redoutaient ce qui allait leur arriver. Non, ils étaient terrifiés, il sentait physiquement cette odeur de terreur, il voulait les rassurer.

Il repensa soudain à Brice, celui par qui tout était advenu, à Gates, qui avait utilisé la cruauté de son capitaine à son profit. A présent, Gates était libre, Brice pouvait très bien s'en tirer sans déshonneur. Il serra les dents et attendit impatiemment l'arrivée du canot.

Nous verrons bien, décida-t-il froidement.

Bolitho salua le pavillon avant de demander calmement :

– Où est Mr. Keverne ? Je crois que j'ai besoin de quelques explications, et vite.

Keverne répondit tout aussi calmement :

– Je n'ai rien pu faire, monsieur. Le vice-amiral Broughton est arrivé pendant le dernier quart, hier soir. Il est venu par la terre, en provenance de Truro.

Il haussa les épaules d'un air las. Il semblait soucieux.

– J'ai été obligé de lui parler des ordres cachetés que vous m'aviez laissés et il m'a ordonné de les ouvrir.

Bolitho s'arrêta à l'arrière et regarda la batterie bâbord en contrebas, les pièces de douze livres, toujours en batterie et pointées sur l'*Aurige*. Pourtant, la plupart des canonniers avaient les yeux tournés vers lui, l'air inquiet, surpris. Ils ont bien raison de l'être, songea-t-il amèrement.

Mais ce n'était pas la faute de Keverne, cela déjà était important. Pour commencer, il s'était torturé à l'idée que Keverne ait pu remettre ses ordres de sa propre initiative, afin de se gagner les bonnes grâces du nouvel amiral.

– Comment va Sir Charles ? demanda-t-il.

– Il n'est pas mieux, répondit Keverne en hochant du chef.

Le second lieutenant arrivait :

– L'amiral vous attend, monsieur – il jouait nerveusement avec la garde de son sabre. Pardonnez-moi, monsieur, mais je crois qu'il s'impatiente.

– Très bien, monsieur Meheux, lui répondit Bolitho en se forçant à sourire. Ce jour est décidément voué aux urgences.

Mais il n'avait guère le cœur à badiner. Il ne pouvait en vouloir à l'amiral d'exiger un compte rendu de ses faits et gestes. Après tout, les officiers généraux n'étaient guère accoutumés à s'excuser de leurs propres retards ni à faire part à leurs subordonnés des raisons de leurs décisions. Mais avoir fait mettre cette frégate à la merci du bâtiment amiral, voilà qui était inimaginable.

Il se dirigea vers la chambre de l'amiral en s'obligeant à ralentir le pas, pour se donner le temps de se préparer à ce qui l'attendait.

Un caporal fusilier ouvrit la porte, le regard vide. Même cet homme lui était étranger.

Le vice-amiral Sir Lucius Broughton se tenait tout à l'arrière, près des grandes fenêtres, et observait le rivage à la lunette. Il était en petite tenue bleue et portait ses épaulettes dorées. L'homme avait de l'embonpoint. Lorsqu'il se retourna, Bolitho se rendit compte qu'il était plus jeune qu'il n'aurait cru : la quarantaine ? En gros, le même âge que lui. Il n'était pas spécialement grand, mais sa taille plutôt élancée l'allongeait passablement, trait assez inhabituel lorsqu'on songeait que, une fois atteint le rang d'officier général, une certaine rondeur n'était pas rare. Déchargés des contraintes du quart, des allers et retours incessants sur le pont, ces messieurs trouvaient rapidement des compensations ailleurs que dans leur pouvoir tout frais.

Broughton ne semblait pas irrité ni même impatient. En fait, il était parfaitement calme. Ses cheveux châtains étaient coupés ras, il ne portait qu'une courte queue par-dessus son col.

– Ah vous voilà, Bolitho, enfin.

Il n'y avait aucune intention sarcastique, il se bornait à constater les faits. Comme si Bolitho revenait d'un déplacement de routine.

Son élocution était aisée, aristocratique même. Lorsqu'il s'avança dans la lumière, Bolitho put constater que ses vêtements étaient coupés dans les tissus les plus fins, et que la garde de son sabre était richement rehaussée d'or.

– Je suis désolé de n'avoir pas été présent lors de votre arrivée. Je ne savais pas exactement ce que vous aviez prévu.

– Je vous en prie.

Broughton alla s'asseoir à son bureau et le fixa tranquillement.

– J'espère que vous recevrez très bientôt des nouvelles de mes autres bâtiments. Après cela, plus tôt nous serons en mer, mieux cela vaudra.

Bolitho s'éclaircit la gorge :

– L'*Aurige*, amiral. Avec tout votre respect, je souhaiterais vous expliquer ce qui s'est passé.

Broughton serra les doigts et lui sourit d'un air affable. Un court instant, son visage ressembla à celui d'un jeune garçon, ses yeux brillaient, amusés.

– Comme vous voudrez, Bolitho, encore que vos explications me paraissent assez inutiles. Votre méthode pour empêcher ce bâtiment de tomber aux mains des Français a été assez peu orthodoxe et, c'est le moins que l'on puisse dire, vous a conduit à prendre de gros risques personnels. Votre disparition m'aurait profondément atteint, encore que la perte d'une frégate eût pu paraître aux yeux de certains beaucoup plus considérable.

Il se trémoussa dans son fauteuil. Il ne souriait plus.

– Mais cette frégate est à Falmouth, et nous manquons trop de bâtiments de ce type pour être trop regardants sur leur passé.

– Je crois que son capitaine devrait être immédiatement relevé de son commandement, amiral. De même que son second.

Bolitho essayait bien de se détendre, mais il se sentait pour une fois mal à son aise, sans parler du fait qu'il s'adressait à son nouvel amiral. Il ajouta :

– L'équipage a montré un certain courage en agissant comme il l'a fait. Sans les troubles de Spithead et les promesses que nous avons faites aux équipages, tout cela ne serait jamais arrivé.

Broughton l'observait intensément.

– Vous ne pouvez pas réellement penser ce que vous dites. Vous croyez que Brice est la cause de ce qui s'est passé, et il est possible que vous ayez raison – il eut un haussement d'épaules. Sir Charles Thelwall m'a dit qu'il avait grande confiance dans votre intelligence. J'en tiendrai compte, bien entendu.

– Je leur ai donné ma parole, répondit Bolitho. Je leur ai promis que leurs doléances seraient convenablement examinées.

– Vraiment ? Eh bien, j'aurais dû m'y attendre, naturellement. Vous n'en serez pas blâmé, vous avez ramené ce bâtiment intact –

petit sourire. Mentir astucieusement pour la bonne cause, cela est toujours pardonnable.

– Je n'ai pas menti, amiral.

Bolitho sentait la colère monter.

– Ils ont été brutalisés, pis, ils ont été poussés à agir comme ils l'ont fait.

Il attendit la suite, guettant un signe, mais Broughton gardait le même visage inexpressif.

– Je suis certain, continua-t-il lentement, je suis sûr que Sir Charles aurait agi avec humanité, amiral. Surtout lorsque l'on sait ce qui se passe ailleurs.

– Sir Charles a été débarqué – il aurait tout aussi bien parlé d'un bagage égaré. Je déciderai quand j'aurai fait le tour de la question.

Il se tut un instant avant de reprendre :

– Sur les faits, Bolitho, pas sur des hypothèses. Je vous indiquerai ensuite ce que je désire. En attendant, le capitaine Brice et ses officiers seront conduits à terre et consignés dans une caserne. Vous fournirez une garde que vous placerez à bord de l'*Aurige* en complément des fusiliers.

Il se leva et fit le tour de son bureau d'une démarche souple, gracieuse presque.

– Je déteste les récriminations inutiles, Bolitho… – sa bouche se durcit – … mais j'ai déjà eu mon content de délégations et de dégâts à Spithead. Je n'en souffrirai pas sous mon commandement.

Bolitho le fixait, l'air désespéré.

– Si vous pouviez m'accorder l'autorisation de traiter cette affaire, amiral ? Ce serait un bien mauvais commencement que de prendre de sévères sanctions…

L'amiral poussa un soupir.

– Vous êtes tenace, j'espère que ce trait de caractère n'est pas réservé chez vous aux affaires personnelles. Rédigez donc un rapport circonstancié, je verrai ce que je dois faire – il fixa Bolitho droit dans les yeux. Apprenez que l'efficacité n'est pas le chemin qui conduit le plus aisément à la popularité.

Il semblait s'impatienter.

– Mais en voilà assez pour le moment. Je donne à souper dans mes appartements ce soir, je crois que c'est le meilleur moyen de faire connaissance avec les officiers – son sourire réapparut. Pas d'objection sur ce point, j'imagine ?

Bolitho essayait de dissimuler sa colère. Il était de fait plus désarçonné par son incapacité à convaincre Broughton que par ce dîner. Il avait conduit cet entretien de manière assez malhabile, et s'en voulait. L'amiral ne savait que ce qu'il lui avait dit, ne pouvait se prononcer que sur des faits, comme il l'avait souligné.

– Je suis désolé, amiral, je ne voulais pas…

Broughton leva la main.

– Ne vous excusez pas. J'aime les gens qui ont du cœur au ventre. Si j'avais souhaité avoir un capitaine de pavillon qui dise oui tout le temps, je n'aurais eu que l'embarras du choix – il hocha la tête. Et vous avez passé toute la nuit debout, ce qui ne vous facilite pas les choses. Maintenant, soyez assez aimable pour m'envoyer le commis, je veux lui indiquer ce dont j'ai besoin en ville. J'y ai juste jeté un coup d'œil en arrivant. Petite bourgade, mais pas trop rustique, j'espère ?

Bolitho se mit à sourire pour la première fois :

– C'est ma ville natale, amiral.

– Enfin, fit l'amiral, vous admettez enfin quelque chose !

Bolitho s'apprêtait à quitter les lieux, mais se ravisa :

– Puis je donner l'ordre de saisir les pièces, amiral ?

– C'est vous qui êtes le capitaine de ce vaisseau, Bolitho, comme vous êtes le mien – il leva le sourcil. Vous désapprouvez ma décision ?

– Ce n'est pas exactement cela, amiral – voilà qu'il se remettait sur la défensive, mais les mots se pressaient sur ses lèvres. Je suis à bord depuis dix-huit mois. L'affaire de cette frégate est déjà suffisamment fâcheuse pour qu'ils n'aient pas en plus à tirer sur leurs semblables dans la bagarre.

– Très bien – l'amiral se mit à bâiller. Cela compte énormément pour vous, n'est-ce pas ?

– La confiance, c'est cela que vous voulez dire ? – il hocha vigoureusement la tête. Oui, amiral, cela compte beaucoup.

– Il faudra que je vous emmène un de ces jours à Londres, Bolitho – Broughton s'approcha de la fenêtre et son visage était masqué dans la pénombre. Vous feriez un effet assez insolite, là-bas, inédit même.

Bolitho atteignit le pont sans se souvenir d'avoir marché. Keverne le salua et lui demanda d'une voix anxieuse :

– Des ordres, monsieur ?

– Oui, monsieur Keverne. Faites chercher le commis puis…

Il s'arrêta, il pensait à l'*Aurige*, à l'air amusé de Broughton.

– Et poussez-vous d'ici, monsieur Keverne, jusqu'à ce que je vous appelle !

Le pilote le regarda gagner la lisse et commencer à faire les cent pas, le front soucieux, comme quelqu'un qui réfléchit profondément.

– C'est du temps à grain, glissa-t-il à Keverne, encore tout abasourdi, et ça ne va pas s'arranger.

Keverne se tourna vers lui :

– Lorsque j'aurai besoin de votre avis, monsieur Partridge, croyez bien que je vous le ferai savoir !

Et il se précipita dans l'échelle de dunette.

Partridge regardait la nouvelle marque frappée à l'avant. Espèce de jeune chiot, songea-t-il en ricanant intérieurement. Plus ça montait en grade, plus ça devenait irritable, les choses ne changeraient jamais dans cette marine. Il fit demi-tour : le capitaine s'était immobilisé et l'observait, l'air grave.

– Monsieur ?

– Non, rien, je réfléchissais, monsieur Partridge. Je me disais qu'il n'y a rien de plus beau au monde que d'être l'idiot du village et de rester planté là à sourire comme un niais, au soleil.

Partridge poussa un profond soupir :

– Je suis désolé, monsieur.

De façon assez étonnante, Bolitho se mit à sourire :

– Restez par ici, je vous prie. J'ai le sentiment que cette accalmie ne va pas durer.

Il tourna les talons et disparut à l'arrière, en direction de sa chambre.

Partridge soupira, s'essuya les joues de son ample mouchoir rouge. La vie à bord de l'amiral était souvent rude pour les pilotes. Il tourna les yeux vers la frégate à l'ancre et hocha tristement la tête. Et encore, songea-t-il, l'existence des autres pouvait être moins enviable, beaucoup moins enviable.

IV

POUR L'EXEMPLE

L'élégante berline marron traversa lourdement un pont en dos d'âne avant de s'engager à gauche sur la grand-route de Falmouth.

Richard Bolitho dut se retenir d'une main pour résister aux cahots. De profondes ornières faisaient tressauter les roues, de la poussière jaillissait sous les sabots des chevaux et jusque sous la voiture elle-même. Il voyait à peine le paysage qui se déroulait sous ses yeux, riche de mille nuances de vert, ponctué de taches blanches : les moutons paissant dans les champs qui bordaient l'étroite route en lacet. Il mourait de chaud dans son uniforme de parade ; son chapeau haut de forme lui rendait les brusques mouvements de la berline plus pénibles encore que s'il se fût trouvé dans un canot ballotté par le clapot. En fait, il n'était qu'à peine conscient de ce qui se passait.

L'amiral Thelwall était mort la veille dans la maison de Bolitho, pendant son sommeil. Il avait enfin trouvé un repos qu'il n'avait plus connu depuis des mois.

Lorsque le capitaine Rook leur avait appris la nouvelle à bord de l'*Euryale*, le vice-amiral Broughton avait déclaré :

– Je crois que son vœu était de rentrer à Norfolk. Vous devriez prendre les dispositions nécessaires, Bolitho.

Il avait affiché son petit sourire habituel :

– Mais peu importe, je pense que Sir Charles aurait voulu vous avoir avec lui pour son dernier voyage.

C'est ainsi qu'un petit cortège de voitures avait pris au pas le chemin de Truro, où la dépouille du frêle amiral attendrait de repartir pour un long périple jusqu'à l'autre bout de l'Angleterre.

Il était difficile de mesurer le degré de sincérité des regrets de Broughton. Il avait certes beaucoup à faire avec son nouveau commandement, mais Bolitho avait le sentiment que cet homme-là n'avait pas de temps à perdre avec ce qui n'était pas strictement nécessaire ni avec quiconque ne pouvait plus être tant soit peu utile.

La voiture fit une embardée; il entendit le cocher crier des injures à une petite charrette tirée par un poney à demi hébété, pleine de poulets et de divers produits de la ferme, et dont le conducteur lança une volée de quolibets aussi vulgaires que bien sentis.

Bolitho se mit à sourire : il s'agissait sans doute de l'un des fermiers de son beau-frère. Il se rendit soudain compte avec terreur qu'il n'avait pas trouvé le temps, en quatre jours, de seulement apercevoir le beau-frère en question, pas plus qu'aucun de ses parents.

La voiture s'engagea sur une portion de route plus ferme, les trois derniers milles avant d'atteindre la mer. Il repensait à ces derniers jours si épouvantables depuis son arrivée et celle du nouvel amiral.

Il ne se souvenait pas d'avoir jamais rencontré quelqu'un comme Broughton, capable de paraître si détendu, alors qu'il avait un esprit vif-argent et semblait inaccessible à la fatigue.

Bolitho revoyait ce souper dans la grand-chambre. L'amiral tenait le dé de la conversation, s'adressant alternativement aux officiers présents et, s'il ne monopolisait jamais la parole, il savait faire sentir qu'il animait le débat.

Il n'était pas très sûr de bien saisir l'homme derrière le charme, le raffinement et l'aisance qu'affichait la plupart du temps Broughton.

L'amiral lui semblait inaccessible, et il savait pourtant qu'il essayait de se masquer la méfiance instinctive que l'homme lui inspirait. Il représentait un monde de privilèges, d'autorité indiscutée, monde auquel Bolitho n'avait guère accès et dans lequel il ne souhaitait pas pénétrer pour son compte.

Broughton ne faisait pas d'esbroufe lorsqu'il leur parlait de son hôtel de Londres, des personnalités qui venaient lui faire visite. Il ne s'agissait que de son mode naturel d'existence, de l'un de ses droits en quelque sorte.

Lorsqu'on l'écoutait à sa table, à bord de ce bâtiment qui roulait doucement sur son câble, tandis que passaient les vins fins, il était facile de se laisser convaincre que les décisions les plus importantes au sujet de la guerre contre la France et ses alliés chaque jour plus nombreux ne se prenaient pas à l'Amirauté, mais bien plutôt lors de réceptions que donnaient des demeures dans le genre de la sienne.

N'empêche, Bolitho n'élevait aucun doute sur sa compréhension des affaires politiques et de celles de la marine. Broughton avait participé à la bataille du cap Saint-Vincent, quelque trois mois plus tôt. Son aptitude à saisir les grandes lignes tactiques, à décrire de manière si réaliste le combat, en imposait vraiment.

Bolitho se rappelait encore le sentiment de jalousie, d'amertume qu'il avait ressenti en apprenant la victoire majeure remportée par Jervis. Il était condamné alors à des patrouilles épuisantes de blocus au sud de l'Irlande. Si l'ennemi avait tenté un débarquement sérieux, si l'*Euryale* et ses modestes conserves avaient réussi à le contraindre au combat, il aurait sans doute vu les choses différemment. En lisant avidement les comptes rendus successifs de victoire de Jervis, il avait encore mieux compris le bonheur que l'on doit éprouver lorsque l'on conduit deux escadres à se battre de front.

Le vieil amiral Jervis avait été fait chevalier de Saint-Vincent en reconnaissance de ce haut fait et un autre nom avait émergé, celui du commodore Nelson, qui semblait promettre beaucoup. Nelson, qu'il avait eu l'occasion de croiser rapidement au cours de la malheureuse aventure de Toulon, Nelson qui, plus jeune que lui de deux ans, était pourtant déjà commodore. Si Dieu lui prêtait vie, il pouvait espérer accéder rapidement aux plus hautes fonctions.

Bolitho n'éprouvait pas de rancœur à voir un officier de sa trempe recevoir une juste récompense, mais cela ne faisait que souligner un peu plus à quel point il était loin dans les eaux. Ou du moins, c'est ainsi qu'il le percevait.

Trois vaisseaux de ligne avaient rallié l'*Euryale*, des soixante-quatorze : deux frégates, dont l'*Aurige*, et une corvette. Toute cette petite escadre mouillée en bon ordre dans la baie de Falmouth avait fort belle allure. Il savait pourtant d'expérience que, une fois à la mer, dispersés dans un désert mouvant, ils paraîtraient beaucoup moins invincibles. Il était peu probable que les faibles moyens de Broughton fussent engagés autrement qu'à la marge dans des actions véritablement importantes.

Seule lueur d'espoir au cours de ces quatre derniers jours, Broughton avait fini par se ranger aux vœux et aux demandes de Bolitho pour ce qui regardait le sort de l'équipage de l'*Aurige*.

Le quartier-maître Taylor avait été incarcéré et serait sans aucun doute cassé de son grade. Le capitaine Brice et son second étaient toujours à terre, dans une caserne. A bord de la frégate, les choses s'étaient améliorées de manière saisissante. A l'exception du détachement de fusiliers qui lui était affecté et qui avait embarqué, il n'y avait plus de surveillance particulière à bord. Bolitho y avait dépêché Keverne pour prendre provisoirement le commandement jusqu'à la désignation d'un nouveau capitaine. Le fait que Broughton eût accepté ses demandes, en entérinant notamment le choix de Keverne, laissait assez bien augurer des chances de son second. Il pouvait enfin espérer un commandement pour de bon. Bolitho était désolé de le perdre si tel devait être le cas, mais ravi de le voir bénéficier d'une occasion aussi inespérée.

Les chevaux ralentirent en atteignant le haut de la dernière côte. Il voyait la mer et le port en contrebas, colorés comme sur une carte. L'escadre au mouillage, les allées et venues incessantes des embarcations de Rook, tout trahissait une activité intense, des préparatifs. Une fois en mer, il ne faudrait guère de temps aux capitaines pour se faire aux méthodes des autres ni à leurs bâtiments pour travailler à l'unisson, comme mus par la volonté unique de leur amiral.

Pourtant, leur destination, le rôle que l'on entendait leur faire jouer, tout cela était encore un mystère. Broughton en savait bien plus qu'il ne voulait bien le dire ou que ce qu'il lui avait même confié :

– Occupez-vous de préparer mes bâtiments, Bolitho. Je réglerai le reste dès que j'aurai eu des nouvelles de Londres.

Broughton lui faisait pleine et entière confiance pour tout mettre en bon ordre selon ses désirs. Les barcasses travaillaient du lever au coucher du soleil, apportant à bord du ravitaillement, refaisant les pleins d'eau douce, de cordages. Les bâtiments se répartissaient la récolte humaine moissonnée par les détachements de presse de Rook. L'amiral partageait son temps entre ses appartements et des dîners à terre avec les autorités locales qui pouvaient l'aider à équiper sa flotte.

Tout le malaise et la plupart des incertitudes qui avaient accompagné l'arrivée de l'*Aurige* à Falmouth s'étaient estompés. Bolitho était reconnaissant à Broughton d'avoir fait montre d'humanité et de mansuétude dans l'affaire. Ce qui s'était passé à Spithead ne devait pas se reproduire, à aucun prix. Il lui fallait y veiller, non seulement dans le cas de l'*Aurige*, mais également pour tout le reste de l'escadre.

Il prit son sabre posé sur la banquette et regarda plus attentivement au-dehors. La berline tressautait sur des pavés usés et s'arrêta enfin devant l'auberge qui lui était si familière, près de la jetée. Les chevaux fumants encensaient, impatients d'avoir leur ration et de se reposer enfin.

Il y avait quelques habitants sur la place, mais il fut frappé par la présence des tuniques rouges et par la tension ambiante. L'atmosphère n'était pas la même lorsqu'il était parti pour Truro avec la dépouille de Thelwall.

Rook se précipita vers lui, visiblement très préoccupé.

– Qu'y a-t-il ?

Bolitho lui prit le bras et l'entraîna à l'intérieur de l'auberge.

Rook jeta un regard autour de lui.

– L'escadre du Nord. La mutinerie s'est étendue, et c'est l'ensemble de la flotte qui est aux mains des mutins ; ils se sont emparés des armes ! – il baissa d'un ton : C'est un brick de Plymouth qui nous a annoncé la nouvelle. Votre amiral est depuis lors d'une humeur de chien.

Bolitho se mit en route avec lui. Son visage ne laissait rien paraître, alors qu'il bouillait intérieurement.

– Mais comment se fait-il que nous ne l'apprenions que maintenant ?

Rook tirait sur sa cravate comme si elle le gênait.

– Une patrouille a retrouvé le cadavre du courrier de Londres dans un buisson, la gorge tranchée et délesté de sa sacoche. On aura su qu'il venait ici et on a voulu s'assurer que l'amiral Broughton serait maintenu dans l'ignorance le plus longtemps possible.

Il appela un marin qui se trouvait près de la jetée :

– Appelle-nous un canot, mon garçon !

Bolitho s'approcha du muret chauffé par le soleil pour examiner la rade. L'*Euryale* brillait dans la chaleur, l'équipage s'activait sur le pont et dans les hauts. Comment les choses pouvaient-elles évoluer si rapidement ? Tout était en ordre, et des hommes entraînés sombraient tout à coup dans la mutinerie ?

– Je ne sais pas, ajouta Rook en hésitant. Je ne sais pas s'il m'appartient de le dire, mais je crois que Sir Lucius Broughton a été très marqué par ce qu'il a vécu à Spithead. Ceux qui tenteront de lui désobéir à l'avenir risquent de le payer très chèrement.

Le canot accostait contre la jetée, Bolitho l'y suivit. Rook resta debout jusqu'à ce que Bolitho se fût installé dans la chambre, puis il fit signe au patron de rejoindre le vaisseau amiral.

– Espérons, fit lentement Bolitho, que nous allons prendre la mer sans tarder davantage. Il est plus facile de réfléchir calmement une fois que la terre est par l'arrière.

Il donnait le sentiment de penser à voix haute et Rook se tut.

La traversée jusqu'au trois-ponts dura ce qui leur parut une éternité. En approchant, il vit que les filets d'abordage avaient été gréés. Des fusiliers en nombre occupaient les passavants, la dunette et le gaillard.

Il escalada rapidement l'échelle, passa la coupée, se découvrit tandis que les sifflets retentissaient et que la garde présentait les armes.

Weigall, troisième lieutenant, lui dit rapidement :

– L'amiral vous attend, monsieur – il semblait mal à son aise. Je suis désolé que votre canot ne vous ait pas attendu au môle, mais nous avons rappelé toutes les embarcations à bord, monsieur.

– Merci, fit Bolitho.

Il essaya de dissimuler l'appréhension qui l'envahissait et se dirigea vers la pénombre de l'arrière. Il fallait qu'il eût l'air calme, normal, alors qu'il éprouvait exactement le contraire.

Lorsqu'il arriva devant la cloison de la chambre, trois fusiliers avaient remplacé l'unique factionnaire qui montait d'habitude la garde. Leurs mousquets portaient baïonnette au canon.

Serrant les mâchoires, il poussa la porte. Rook, la gorge sèche, respirait bruyamment tout à côté de lui et il découvrit les autres officiers qui l'attendaient.

Une table avait été installée en travers, des chaises disposées derrière le meuble donnaient à la chambre l'aspect d'une cour martiale. Les officiers qui se tenaient ainsi debout et en silence étaient les capitaines de l'escadre au grand complet, y compris le jeune commandant de l'*Active*, leur corvette.

Un jeune enseigne qu'il ne connaissait pas se précipita vers lui, avec un sourire dont on ne savait trop s'il était de bienvenue ou de soulagement à le voir enfin arrivé :

– Heureux de vous savoir de retour, monsieur – il lui indiqua la petite chambre des cartes de Broughton dont la porte était close. L'amiral vous attend.

Il sembla se rendre compte tout à coup que Bolitho ne bougeait toujours pas.

– Je m'appelle Calvert, monsieur, compléta-t-il comme pour s'excuser, le nouvel aide de camp de l'amiral.

Son élocution distinguée rappelait celle de Broughton, mais les similitudes s'arrêtaient là. Il paraissait exténué, perdu, et Bolitho se mit immédiatement en alerte. Pendant le peu de temps qu'il avait passé à Truro, à serrer la main des notables et à écouter leurs condoléances convenues, les événements n'avaient pas manqué. Il s'entendit répondre d'une voix sèche :

– Conduisez-moi, monsieur Calvert, nous trouverons plus tard le temps de faire les présentations officielles.

On étouffait dans la chambre ; Bolitho constata que les rideaux de claire-voie avaient été tirés, ce qui réduisait à rien l'aération.

Broughton se tenait debout près de la table, les bras croisés, les yeux fixés sur la porte, comme s'il était congelé dans cette attitude depuis une éternité. Sa vareuse était posée sur un fauteuil, sa chemise blanche était marquée de taches humides.

Très calme, le visage vide de toute expression, il salua Bolitho d'un geste avant d'ordonner sèchement à l'enseigne :

– Attendez dehors, Calvert.

L'officier, qui jouait nerveusement avec son manteau, murmura :

– Les lettres, amiral, je pensais…

– Seigneur, monsieur, êtes-vous donc aussi sourd que stupide ! – il se pencha sur la table. J'ai dit : hors d'ici !

La porte claqua sur le malheureux Calvert, totalement décomposé. Bolitho s'attendait que la colère de Broughton prît de l'ampleur, tant on eût dit qu'il s'était retenu jusqu'à la dernière seconde, jusqu'à son retour, et qu'il allait la subir de plein fouet.

Mais sa voix était étonnamment calme lorsqu'il reprit :

– Mon Dieu, je suis bien content que vous soyez enfin rentré – et, lui montrant une enveloppe ouverte sur la table : Enfin, l'ordre d'appareillage. Cet âne de Calvert l'a apporté de Londres.

Bolitho n'avait toujours rien dit, voulant laisser à Broughton le temps de retrouver sa sérénité. Il annonça calmement :

– Si vous l'aviez souhaité, amiral, j'aurais pu vous trouver un aide de camp dans l'escadre…

– Oh, la peste soit sur lui ! répondit tranquillement l'amiral, j'ai été contraint de payer une faveur que l'on m'a faite voici quelques années. J'ai promis à son père de prendre avec moi cet imbécile et de l'éloigner de Londres.

Il se détourna pour contempler le ciel bleu, la tête un peu penchée, comme s'il réfléchissait.

– Je suis sûr que vous êtes au courant des dernières nouvelles – sa poitrine était soulevée par la colère qui le reprenait. Cette racaille, ces misérables ont eu l'impudence de se mutiner, hein ? Toute la flotte du Nord est en éruption grâce à, grâce à… – il laissa sa phrase en suspens – … et voilà ce que donne votre fichue humanité. De la lâcheté, voilà comment je l'appelle, moi, votre humanité, et si vous croyez qu'ils ont le moindre respect pour ce qu'ils prennent pour de la faiblesse !

– Sauf votre respect, amiral, je crois qu'il n'y a aucun lien entre ce qui s'est passé sur l'*Aurige* et les troubles qui ont éclaté dans le Nord.

– Ah bon ? – sa voix était redevenue calme, trop calme. Je peux vous garantir, Bolitho, que j'ai déjà eu ma dose de trahison à Spithead. J'ai vu mon propre bâtiment pris d'assaut par une bande de salopards, hurlant, jurant, des menteurs. J'en suis encore humilié, j'en porte à jamais la trace nauséabonde qui me colle à la peau.

Quelqu'un frappa discrètement à la porte et le capitaine Giffard, qui commandait les fusiliers, annonça :

– Tout est paré, amiral.

Mais il se retira prestement en voyant le regard furibond de l'amiral.

– Puis-je vous demander ce qui se passe, amiral ?

– Vous pouvez.

Il prit sa vareuse sur le fauteuil, son visage luisait de sueur.

– A cause de vous, j'ai pris une décision qui allait contre mon propre jugement. A cause de vous, j'ai laissé les mutins de l'*Aurige* en liberté, je ne les ai pas fait juger.

Il fit volte-face, ses yeux jetaient des éclairs :

– A cause de vous, à cause de vos promesses de malheur, promesses que vous n'aviez ni le droit ni l'autorité de faire, j'ai dû les laisser impunis, ne serait-ce que pour préserver votre autorité de capitaine de pavillon !

Il criait à présent ; Bolitho s'imaginait la tête des autres, derrière la porte, ceux qui sympathisaient avec lui ou bien qui se réjouissaient de le voir rabaissé au même niveau que les autres. Bolitho ne les connaissait pas suffisamment pour se faire une opinion. Il savait une chose : l'attaque soudaine de l'amiral le remplissait d'amertume, de colère. Il répondit d'une voix dure :

– J'ai pris une décision, amiral, j'étais seul…

– Ne m'interrompez pas, hurla Broughton ! Bon sang, il aurait mieux valu que vous attaquiez l'*Aurige* et le réduisiez en pièces ! S'ils ont des officiers dans votre genre, à la flotte du Nord, alors, Dieu ait pitié de l'Angleterre !

Il se saisit de son sabre d'un geste brusque, le mit à sa ceinture en ajoutant :

– Eh bien, allons traiter la mutinerie qui s'est déroulée dans cette escadre !

Bolitho avait du mal à conserver un ton égal :

– Je regrette que vous n'acceptiez pas le jugement que j'ai rendu, amiral.

– Votre jugement ? – Broughton leva les yeux au ciel. J'appelle cela une reddition, moi.

Il haussa les épaules, prit son chapeau.

– Je ne peux pas revenir sur une erreur, mais par Dieu, je vais leur montrer que je ne tolère pas la moindre insubordination à bord de mes bâtiments !

Il ouvrit violemment la porte et s'avança dans la grand-chambre.

– Asseyez-vous, messieurs.

Il prit place au centre et fit signe à Bolitho de s'installer près de lui.

– Messieurs, j'ai convoqué cette cour martiale en vertu de l'autorité qui m'a été donnée et qui me confère des pouvoirs spéciaux tant que durera cet état d'exception.

Bolitho jeta un regard rapide aux autres et ne vit que des masques. Ils étaient sans doute encore interloqués par le changement subit du cours des événements et se demandaient à quelles conséquences ils s'exposaient désormais.

Broughton parlait comme s'il s'adressait à la cloison d'en face, du même ton uni qu'à son habitude.

– Le meneur de l'insurrection à bord de l'*Aurige* était un certain Thomas Gates, secrétaire du capitaine. On l'a laissé, comment dire, prendre la fuite et il est sans aucun doute également responsable d'autres morts, comme celle du courrier à qui l'on a dérobé les dépêches cachetées qui m'étaient destinées.

L'atmosphère était extrêmement tendue ; les bruits du bâtiment leur parvenaient comme étouffés, irréels.

– Le quartier-maître, poursuivit tranquillement Broughton – et, tout en jetant un œil rapide sur le papier posé devant lui : Un certain John Taylor, a été placé sous bonne garde pour conspiration. C'est le principal inculpé convoqué devant cette cour.

– Puis-je m'exprimer, amiral ?

Au son de cette voix, tous les visages se tournèrent vers Bolitho. L'espace de quelques secondes, il eut l'impression de les voir tous un par un, avec cette diversité d'expressions se reflétant dans leurs yeux : sympathie, compréhension, voire, dans un cas, amusement.

Il les chassa de ses pensées et poursuivit calmement :

– Taylor n'est qu'un parmi tant d'autres, amiral. Il est venu me trouver parce qu'il me faisait confiance.

Broughton se tourna vers lui et l'étudia d'un air lointain.

– Deux de ses camarades ont déjà déposé contre lui et ont déclaré qu'il faisait partie des meneurs, comme second de Gates.

Un éclair, de compassion peut-être, alluma furtivement ses yeux.

– Ils ont pu se sentir soulagés de voir Taylor déposer leur chef. Ils sont peut être également de bons et loyaux marins – sa bouche se durcit. Mais cela ne me regarde pas. L'escadre, voilà ce qui m'importe, et j'entends qu'elle remplisse sa mission sans que quiconque l'en empêche – il se tourna vers Bolitho : J'ai bien dit quiconque.

Et, tapant des poings sur la table :

– Amenez le prisonnier.

Bolitho réussit à ne pas bouger lorsque Taylor entra, encadré de deux fusiliers. Le capitaine Giffard, martial, suivait sur ses talons. Il était pâle mais calme, et son visage s'éclaira lorsqu'il reconnut Bolitho.

Broughton le fixa froidement.

– John Taylor, vous êtes accusé d'avoir conspiré pour organiser une mutinerie et de vous être emparé du bâtiment de Sa Majesté britannique l'*Aurige*. Vous êtes accusé avec une autre personne, qui n'a pas encore été interpellée, pour le même chef, et vous avez été appelé ici pour entendre votre sentence.

Il claqua des doigts en ajoutant :

– Votre trahison, en un temps où l'Angleterre lutte pour sa survie, dénote un homme sans honneur et sans foi. Vous qui êtes quartier-maître, qui avez reçu la confiance de vos supérieurs, qui avez été formé par eux, vous avez trahi cette marine même qui vous accordait vos moyens de subsistance.

Taylor n'en revenait pas. Il répondit d'une voix faible :

– Non, ce n'est pas vrai, amiral – il secouait la tête. Ce n'est pas vrai.

– Cependant, continua Broughton en se penchant en arrière et en contemplant les barrots, au vu de vos excellents états de service et de tout ce que mon capitaine de pavillon me dit de vous… – il se tut, voyant Taylor tenter de s'approcher, les yeux brillant d'un fol espoir. J'ai décidé de ne pas vous appliquer la peine maximale, peine qu'exigerait, à mon avis, votre cas.

Taylor tourna la tête, stupéfait et regarda Bolitho. De la même petite voix, il murmura :

– Merci, amiral, Dieu vous bénisse.

Broughton avait l'air passablement irrité.

– En lieu et place, vous êtes condamné à deux douzaines de coups de fouet et vous serez cassé.

Taylor hochait toujours la tête, les yeux pleins de larmes sous le coup de l'émotion, et répétait :

– Merci, amiral.

La voix de Broughton était tranchante comme une lame :

– Deux douzaines pour chacun des bâtiments rassemblés à Falmouth – un signe du menton : Emmenez le prisonnier.

Taylor ne dit rien, les fusiliers le firent se retourner et sortirent avec lui.

Bolitho ne pouvait détacher ses yeux des portes closes, de l'endroit vide où s'était tenu Taylor. Il avait l'impression que la chambre se refermait sur lui, comme si c'était lui et non pas Taylor qui venait d'être condamné.

Broughton se leva et dit simplement :

– Regagnez votre bord, messieurs. Vous prendrez connaissance des ordres que Mr. Calvert va vous remettre. La punition sera exécutée demain matin à huit heures, procédure réglementaire.

Tandis qu'ils sortaient derrière Calvert, Bolitho lui demanda d'une voix très calme :

– Pourquoi, amiral ? Au nom du ciel, pourquoi cela ?

Broughton regardait ailleurs, les yeux vides :

– Parce que j'en ai décidé ainsi.

Bolitho ramassa son chapeau, effondré devant la sévérité de la justice à la Broughton.

– Avez-vous d'autres ordres pour moi, amiral ?

Il ne comprenait pas lui-même comment il parvenait à rester maître de sa voix, à dissimuler à ce point ses vrais sentiments.

– Oui. Faites dire au capitaine Brice de reprendre le commandement de l'*Aurige* – il fixa Bolitho pendant plusieurs secondes. Je porte le poids des responsabilités, il faut bien que j'en aie également les prérogatives.

Bolitho croisa son regard et répondit :

– Si Taylor avait eu droit à une vraie cour martiale, amiral…

Il s'arrêta, comprenant soudain qu'il était en train de tomber dans le piège.

Broughton se mit à sourire doucement :

– Une vraie cour martiale l'aurait condamné à être pendu, et vous le savez fort bien. La sentence aurait été exécutée trop tard pour servir d'exemple, ce délai et cette preuve d'indulgence auraient été tout simplement gaspillés. La punition de Taylor servira de semonce et dissuadera cette escadre de tomber dans la mutinerie, au moment où elle en a le plus besoin. Il peut très bien y survivre, il en tirera gloire et pourra toujours vous en être reconnaissant.

Et comme Bolitho s'en allait, il ajouta :

– Je réunis tout le monde ici dès que la sanction aura été exécutée. Faites signaler à tous les capitaines de rallier mon bord – il détourna le regard. Mais je pense que je puis vous laisser organiser tout cela. Je suis invité à souper à terre chez une personnalité locale. Un certain Roxby, vous connaissez ?

– Mon beau-frère, amiral, répondit-il d'une voix glacée.

– C'est vrai ?

Broughton se dirigea vers sa chambre à coucher.

– Décidément, vous êtes partout.

La porte se referma derrière lui.

Bolitho se retrouva sur la dunette sans se souvenir d'avoir fait le trajet. Les ombres s'allongeaient, le soleil plongeait vers la pointe. Des matelots faisaient la pause sur les passavants. Sur le gaillard, un violon laissait échapper quelques notes plaintives. L'officier de quart passa de l'autre bord pour lui laisser l'espace réservé à ses promenades solitaires. Près des chantiers, deux aspirants se pourchassaient en riant et commencèrent à grimper dans les haubans du grand mât.

Bolitho posa les mains sur le pavois et resta là à fixer sans ciller le soleil qui prenait des teintes orangées. Mais ce soir, il n'arrivait pas à retrouver la paix. Où qu'il se tournât, il revoyait le visage de Taylor, cet air pathétique de gratitude lorsqu'il avait écopé de douze coups, puis l'horreur quand il avait entendu la suite. Taylor devait être à présent à fond de cale, il entendait les éclats de rire des aspirants, la triste mélopée du violoneux. Peut-être l'homme jouait-il à son intention ? Si c'était le cas, le cruel exemple que voulait faire Broughton avait déjà manqué son but.

Il se tourna vers l'*Aurige* qui oscillait doucement sur son câble. On pouvait penser que le châtiment de Taylor n'était qu'un pis-aller, qu'il valait mieux punir un seul homme que beaucoup. Sans l'initiative de Bolitho, ils auraient tous subi le fouet, pour ne pas dire plus. Et sans lui, le bâtiment aurait très bien pu passer à l'ennemi.

Mais l'on pouvait également juger à l'inverse que, quelle que dût être l'issue, la justice maritime n'atteindrait jamais son but en faisant fouetter des boucs émissaires. Bolitho savait bien que Taylor appartenait à cette catégorie, et cela le remplissait de dégoût.

Bolitho, les yeux dans le vague, contemplait sans y faire attention le paysage dévoilé par les fenêtres de poupe. Allday entra :

– Tout est paré, monsieur.

Et sans attendre la réponse, il prit le vieux sabre au râtelier accroché à la cloison, le retourna entre ses mains, frotta un peu de sa manche la garde ternie.

– Vous avez fait de votre mieux, fit-il enfin, vous n'avez aucun reproche à vous adresser.

Bolitho leva les bras pour permettre au gros maître d'hôtel de boucler son ceinturon et de fixer le sabre, puis les laissa retomber. A travers les verres épais des fenêtres, la ville dansait doucement dans le lointain, au gré des mouvements de l'*Euryale* soumis au vent et à la marée. Il prit soudain conscience du silence qui était tombé comme une chape sur le bâtiment depuis que Keverne était venu au rapport : les entreponts étaient dégagés et il était près de huit heures.

Il prit son chapeau, jeta un bref coup d'œil à sa chambre. Voilà qui eût fait une belle journée pour abandonner la terre. Une petite brise de suroît s'était levée au cours de la nuit, l'air était pur et vif.

Il soupira, sortit de sa chambre, passa près de la table où le petit déjeuner était posé, intact, franchit la porte flanquée d'un factionnaire rigide comme une statue et se dirigea vers le rectangle éblouissant qui menait à la dunette.

Keverne l'attendait, le visage impénétrable. Il salua avant d'annoncer :

– Dans deux minutes, monsieur !

Bolitho le regardait, l'air grave. Si Keverne ruminait toujours au sujet du commandement qui venait sans doute de lui échapper, il n'en montrait rien. Et s'il se préoccupait de ce que ressentait son capitaine, il le cachait bien.

Bolitho lui fit un signe de tête et se dirigea d'un pas lent vers le bord au vent où l'attendaient les officiers. Un peu plus sous le vent, les officiers mariniers et les aspirants, alignés de façon impeccable, ne bougeaient qu'au gré des mouvements du bâtiment.

Il jeta un regard sur l'arrière : les fusiliers de Giffard se tenaient en travers, tuniques rougeoyant au soleil, baudriers blancs et chaussures impeccablement cirées comme d'habitude.

Il se retourna, s'avança lentement le long de la lisse, laissant ses yeux errer au hasard sur les marins rassemblés, qui le long des passavants, qui dans les embarcations ou les haubans, tous s'attendant au drame imminent. Leur silence disait éloquemment à quel point l'atmosphère était lourde. Tout endurcis qu'ils étaient à une discipline sévère et à ce genre de punition, on sentait qu'en l'occurrence elle les révoltait.

Huit coups tintèrent à la cloche du gaillard. Les officiers se raidirent en voyant arriver Broughton avec le lieutenant Calvert.

Bolitho salua mais ne dit pas un seul mot.

Le mouillage trembla au départ du coup de canon puis le roulement lugubre des tambours commença. Il aperçut sous le décroché de dunette le chirurgien qui discutait à voix basse avec Trebutt, le bosco, et ses deux aides, dont l'un portait le célèbre sac de toile rouge. L'homme baissa les yeux en sentant sur lui le regard de son capitaine.

Broughton tapotait discrètement la garde de son superbe sabre en cadence avec les tambours, l'air calme et détendu comme à son habitude.

Bolitho se raidit en voyant un aspirant s'essuyer la bouche du dos de la main, geste qui réveillait en lui un mauvais souvenir mal cicatrisé.

Il n'avait que quatorze ans lorsqu'il avait assisté lui-même à sa première séance de fouet devant la flotte. Il ne se souvenait guère que d'un mélange de larmes et de nausée, mais ce cauchemar ne l'avait jamais vraiment quitté. Au sein d'une marine où le châtiment du fouet était fréquent, accepté et pour l'essentiel justifié, le spectacle qui allait se dérouler était largement le pire, aussi dégradant pour la victime que pour ceux qui y assistaient.

– Nous lèverons l'ancre cet après-midi, Bolitho, nota négligemment Broughton. Nous allons à Gibraltar où je recevrai de nouveaux ordres et des nouvelles fraîches – il leva les yeux vers sa marque et conclut : Une belle journée pour appareiller.

Bolitho regardait délibérément ailleurs, essayant de chasser de ses oreilles le battement lancinant des tambours.

– Tous les équipages sont complétés, amiral.

Il se tut, Broughton le savait aussi bien que lui, c'était juste pour dire quelque chose. Pourquoi diable ce qui allait arriver devait-il gâcher tout le plaisir ? Il aurait dû comprendre depuis longtemps que les jours heureux où il commandait une simple frégate étaient à jamais révolus. Dans ce temps-là, visages, hommes, tous étaient pour lui marqués du sceau de l' individualité. Lorsque l'un d'eux souffrait, tout le monde souffrait avec lui. A présent, il lui fallait se résoudre à ne plus les connaître un par un. Ce n'étaient que des objets consommables, comme l'artillerie ou le gréement, l'eau potable, le parquet du pont sur lequel il se tenait.

Il se savait observé par Broughton, et tourna délibérément la tête. Non, tout cela avait de l'importance, il s'en souciait, il ne changerait pas. Il ne changerait certainement ni pour Broughton ni pour augmenter ses chances d'être promu au sein d'une marine qu'il aimait toujours autant, dont il avait de plus en plus besoin.

Il entendit Keverne se racler la gorge, puis quelque chose qui ressemblait à un soupir dans les rangs des hommes massés sur le passavant.

De l'avant du *Zeus*, le soixante-quatorze le plus proche, émergea une lente procession de chaloupes, une par bâtiment. Les avirons s'élevaient, se baissaient, au rythme de la batterie de tambours. Celle de l'*Euryale* occupait la seconde position, vert foncé comme ceux qui étaient saisis dans leur chantier, plein d'hommes silencieux. Chacune des embarcations avait son contingent de fusiliers, dont les tuniques rouges et l'éclat des armes ajoutaient une touche colorée à ce sinistre spectacle. La procession entama un large virage pour se diriger vers le vaisseau amiral.

– Cela ne devrait plus prendre très longtemps, fit nonchalamment Broughton.

– Ce sera bien assez long !

La chaloupe de l'*Aurige* s'approcha du bord, crocha dans les cadènes, tandis que les autres restaient aux alentours pour assister à la punition.

Bolitho prit le Code de justice maritime des mains de Keverne et s'approcha à pas pressés de la coupée. Spargo, le chirurgien, était déjà descendu dans la chaloupe avec les aides du bosco et il leva les yeux en voyant l'ombre de Bolitho tomber sur les nageurs.

– Paré pour la punition, monsieur.

Bolitho se contraignit à avancer encore, jusqu'à voir la forme allongée à l'avant de la chaloupe. Recroquevillée, les bras attachés sur une barre de cabestan, comme un crucifié. On avait du mal à reconnaître Taylor. L'homme qui était venu implorer son secours, qui lui avait demandé le pardon et… Il enleva sa coiffure, ouvrit le Code et commença à lire les articles, le chef d'accusation, la punition.

En bas, dans la chaloupe, Taylor remua un peu et Bolitho s'arrêta pour le regarder de nouveau.

Les bancs et le fond étaient couverts de sang. Pas de ce sang qui coule au combat, non, un sang noirâtre. Noir comme les lambeaux de peau qui pendaient de son dos déchiqueté. La chair noire était si labourée que les os découverts brillaient au soleil comme du marbre poli.

Le bosco leva les yeux et demanda de sa grosse voix :

– Deux douzaines, monsieur ?

– Faites votre devoir.

Bolitho se recoiffa et garda les yeux rivés sur le deux-ponts le plus proche comme l'homme levait le bras. Le fouet retomba avec une force terrible.

Il entendit quelqu'un s'approcher de lui.

– Il semble supporter fort bien la chose, fit Broughton.

Il n'y avait aucun signe d'intérêt dans sa voix, aucun intérêt réel. Non, il se bornait à constater.

Puis tout fut consommé, très rapidement. La chaloupe reprit sa tournée jusqu'au bâtiment suivant. Bolitho vit Taylor tourner la tête, il essayait de le regarder, mais il n'en eut pas la force.

Bolitho se détourna, écœuré par le spectacle de ce visage torturé, de ces lèvres fendues, ce qui avait été autrefois John Taylor.

– Faites rompre, monsieur Keverne, fit-il brutalement.

Et involontairement, il se retourna vers la procession qui venait de se reformer. Encore deux bâtiments, il n'y survivrait pas. Un homme jeune, peut-être, mais certainement pas Taylor.

Broughton était encore là, tout près.

– S'il n'avait pas été sous vos ordres, dans le temps… euh, c'était bien l'*Hirondelle*, n'est-ce pas ?… vous ne vous seriez pas senti si impliqué, si vulnérable.

Voyant que Bolitho ne répondait pas, il ajouta sèchement :

– Il fallait faire un exemple. Je crois qu'ils ne l'oublieront pas.

Tendu à se rompre, Bolitho lui fit face et répondit d'une voix calme :

– Moi non plus, je n'oublierai jamais, amiral.

Ils se défièrent du regard pendant de longues secondes avant de céder. Broughton conclut :

– Je descends. Signalez à tous les capitaines de rallier immédiatement.

Et il s'en fut.

Bolitho essaya de se vider l'esprit, il ne ressentait que colère et dégoût.

– Monsieur Keverne, dites aux aspirants de quart d'envoyer le signal : « Tous les capitaines à bord. »

Keverne le regardait d'un air étrange.

– Quand cela, capitaine ?

Une voix les héla :

– Signal du *Valeureux*, monsieur. Le prisonnier est mort au cours de la punition.

Bolitho fixait toujours Keverne :

– Vous pouvez le faire hisser dès maintenant.

Et se détournant, il prit le chemin de sa chambre.

V

LES CHOSES COMMENCENT MAL

La cloche venait de piquer deux coups en ce début d'après-midi. A l'heure pile, le vice-amiral Sir Lucius Broughton fit son apparition sur le tillac de l'*Euryale*, salua Bolitho d'un bref signe de tête, prit la lunette que tenait en main un aspirant et se mit en devoir d'observer tour à tour chacun des bâtiments de son escadre.

Bolitho vérifia d'un rapide coup d'œil ce qui se passait sur le pont. Les équipes de pièces s'entraînaient sous la direction du second lieutenant. Celui-ci, un dénommé Meheux, garçon à la bonne bouille bien ronde, redoubla d'attention en voyant l'amiral arriver.

Voilà trois jours qu'ils avaient appareillé de Falmouth, trois journées sans fin au cours desquelles ils avaient péniblement parcouru quatre cents milles. Bolitho, accroché à la lisse de dunette, tentait de lutter contre le roulis. Comme ses conserves, l'*Euryale* plongeait lourdement dans la mer, en route à faible vitesse bâbord amures, vergues brassées serré, huniers gonflés à craquer.

Et pourtant, ils n'avaient pas trop mauvais temps, c'était même plutôt l'inverse. Par exemple, lorsqu'ils avaient traversé le golfe de Gascogne, leur pilote, Partridge, avait même fait remarquer qu'il avait rarement vu des conditions aussi favorables. Le vent avait fraîchi du noroît, soulevant une mer de moutons bien formés, et le beau temps allait sans doute les laisser. L'heure serait bientôt à prendre des ris plutôt qu'à renvoyer de la toile.

Aussitôt après avoir paré la terre, Broughton avait décidé de faire travailler ses bâtiments ensemble pour tester les qualités et les défauts, les forces et les faiblesses de son nouveau commandement.

Bolitho lui jeta un coup d'œil : de quoi allait-il encore se plaindre, quelles suggestions allaient sortir de son inspection ?

Un capitaine de pavillon sent en permanence la présence de son amiral, doit se plier à son humeur, travailler en quelque sorte à sa façon à lui. Pourtant, il se surprenait lui-même à constater qu'il ne connaissait pas grand-chose de Broughton. L'amiral réglait son existence comme une horloge, sans se permettre le moindre écart. Déjeuner à huit heures, dîner à deux heures et demie, souper à neuf. Chaque matin, à neuf heures pile, il montait sur le pont et se conduisait exactement comme il était en train de le faire en ce moment. Le moins que l'on puisse dire, c'est qu'il était rigide, trop rigide, et pas seulement dans ses habitudes de vie.

Le premier jour, par exemple, il avait commencé à appliquer sa méthode tactique sans plus attendre. Mais, contrairement aux usages, il avait placé l'*Euryale* en troisième position dans la ligne en laissant un seul soixante-quatorze, le *Valeureux*, sur son arrière.

Tandis que les vaisseaux viraient de bord et se débattaient dans une mer du travers pour exécuter ses brefs signaux, Broughton avait laissé tomber :

– Il convient d'observer les capitaines tout autant que leurs bâtiments.

Bolitho savait pertinemment ce qu'il voulait dire et en avait immédiatement apprécié la signification.

Au combat, il ne servait de rien d'avoir les bâtiments les plus puissants, le vaisseau amiral en particulier, à cracher leur bordée en ligne contre l'ennemi. L'amiral pouvait être désemparé et devenir inutile au moment même où l'on en avait le plus besoin : l'instant où il avait le temps et les données nécessaires pour comprendre les intentions de l'adversaire.

L'amiral pouvait donc très facilement voir à l'œil nu les bâtiments de tête, si toutefois ils conservaient les postes que Broughton leur avait assignés. Au premier rang, presque masqué par les huniers et les voiles d'avant de celui qui le suivait, venait un deux-ponts, le *Zeus*. C'était un vétéran de la glorieuse journée du 1er juin, de Saint-Vincent et autres batailles de moindre importance. Son capitaine, Robert Rattray, le commandait depuis trois ans et était célèbre pour son comportement agressif au combat. Il montrait la ténacité du bouledogue, dont il avait d'ailleurs la tête carrée, tourmentée. C'était exactement le genre d'homme qui convenait pour prendre la première bordée de plein fouet en testant la ligne ennemie. L'homme se montrait bon marin, expérimenté, mais il ne fallait pas lui demander autre chose qu'un sens poussé du devoir et le désir acharné de se battre.

Falcon, le commandant de la *Tanaïs*, le second soixante-quatorze, était exactement à l'opposé. C'était un homme morose, à l'allure étrange, au regard intelligent, capable de suivre sans se poser de questions mais aussi de faire preuve d'imagination quand il s'agirait d'exploiter l'action initiale de Rattray.

Un mille sur l'arrière, donc, le *Valeureux*, capitaine Rodney Furneaux, autocrate hautain à la lippe épaisse. Le *Valeureux* avait montré de jolies capacités manœuvrières et pouvait maintenir une bonne vitesse dans pratiquement toutes les circonstances. Supposé qu'il fût capable de tenir son poste, il était bien placé là où il était, aussi bien pour protéger l'amiral que pour bondir à la rescousse de telle ou telle de ses conserves en difficulté.

Bolitho entendit le claquement de la lunette qu'on referme et se retourna pour saluer Broughton, qui s'approchait de lui. Il lui annonça réglementairement :

– Vent stable de noroît, amiral, mais fraîchissant.

Il vit que Broughton examinait lentement les marins alignés près des pièces et ajouta :

– Nouvelle route au sud-suroît.

– Bien, grommela l'amiral, vos canonniers semblent compétents.

Voilà au moins une chose que Bolitho avait apprise : Broughton commençait généralement sa journée par une remarque de ce genre, pique ou provocation soigneusement calculée. Il lui répondit très posément :

– Postes de combat en dix minutes ou moins, amiral, puis trois bordées toutes les deux minutes.

Broughton l'observait avec une extrême attention :

– C'est là votre règle, n'est-ce pas ?

– Oui, amiral.

– J'ai entendu parler de quelques-unes de vos « règles ».

Broughton, les mains sur les hanches, leva les yeux vers la hune de grand mât où des fusiliers s'entraînaient au maniement du pierrier.

– J'espère que vos gens s'en souviendront lorsque l'heure sera venue.

Bolitho attendait la suite, il n'allait sûrement pas s'arrêter là.

– Lorsque j'ai dîné avec votre beau-frère à Falmouth, continua l'amiral d'un ton badin, il m'a relaté quelques épisodes relatifs à votre famille – il se tourna vers lui, le regard dur : Je connaissais déjà les mésaventures de votre frère, naturellement… – un silence délibéré – … les conditions dans lesquelles il a déserté.

Et il se tut, la tête légèrement penchée de côté.

Bolitho le regarda dans les yeux, l'air glacé.

– Il est mort en Amérique, amiral.

Comme le mensonge lui venait naturellement aux lèvres !… Mais il lui en voulait à mort, il sentait le besoin de lui dire quelque chose de réellement choquant, de le faire descendre de son piédestal. Que dirait-il donc, par exemple, s'il lui apprenait que Hugh était mort au combat, à l'endroit même où il se trouvait en ce moment ? Au moins les remarques inquisitoriales de Broughton lui permettaient-elles de penser à la mort de Hugh sans aucun remords, sans le moindre sentiment de désespoir. Il jeta un bref regard par-dessus l'épaule de Broughton : la vaste dunette impeccablement tenue, la grande roue double, le pilote et son aide. Qu'elle paraissait loin, cette journée tragique, ce jour où Hugh était mort en faisant un rempart de son corps pour sauver Adam, son fils ! Adam qui ignorait tout de la présence de son père au moment où des hommes mouraient en hurlant, dans l'horreur du combat.

– Et tout cela pour un duel, j'imagine ? continua Broughton. Je n'ai jamais réussi à comprendre cette attitude stupide des gens qui considèrent que le duel est un crime. J'espère que vous, au moins, mettez votre point d'honneur à être un bon bretteur ?

Bolitho eut un sourire forcé :

– Mon sabre m'a souvent été d'un certain secours au combat, amiral.

Il ne voyait décidément pas où cette conversation pouvait les mener.

L'amiral laissa entrevoir ses dents, qu'il avait petites et fort régulières.

– Le duel est affaire de gentilshommes – il hocha la tête. Il semble bien, malheureusement, que les membres du Parlement ne soient plus ni gentilshommes ni capables de manier l'épée, je crois donc que nous serons obligés dorénavant de supporter ce genre de comportement.

Il se tourna enfin vers l'arrière :

– Je crois que je vais marcher une demi-heure.

Bolitho le regarda monter l'échelle. La promenade quotidienne de l'amiral : il ne dérogeait jamais à cette habitude.

Ses pensées revinrent aux plans de bataille de l'amiral. La réponse était peut-être bien à chercher dans son caractère plus que dans ses plans. De la rigidité, trop de rigidité. Pourtant, son expérience lui avait sûrement enseigné que, dans la plupart des cas, les vaisseaux livraient combat en ordre dispersé. A Saint-Vincent, et Broughton y avait combattu, le commodore Nelson avait une fois encore confondu ses critiques en se jetant à l'attaque sans appliquer la moindre stratégie préconçue. Bolitho en avait parlé à Broughton, s'attirant une fois encore des remarques sans appel :

– Nelson, Nelson, s'emporta-t-il, mais les gens n'ont que ce nom à la bouche ! Je l'ai vu sur son fichu *Capitaine*, et j'étais moi-même assez occupé de mon côté. On peut dire qu'il a de la chance, mais le sens du rythme, certes non.

Sa colère était retombée aussi vite qu'elle était montée :

– Donnez aux gens un plan d'action, faites-leur apprendre et rabâcher les choses jusqu'à ce qu'ils soient capables de les exécuter dans l'obscurité la plus totale ou au milieu d'un typhon. Ne les laissez jamais en repos, de sorte qu'ils n'aient le temps de penser à rien d'autre. Alors, gardez votre foutu héroïsme pour quelqu'un d'autre ! Donnez-moi un plan, un plan éprouvé, et je vous donnerai la victoire en échange !

Bolitho repensait à ce discours. En fait, Broughton était jaloux. Plus ancien que Nelson, officier qu'il ne connaissait pas autrement que de réputation, il n'avait ni sa naissance ni ses relations. Voilà tout ce dont il était jaloux.

Cet incident n'ajoutait pas grand-chose à la connaissance que Bolitho pouvait avoir de son chef, mais cela le rendait plus humain.

Depuis l'appareillage, Broughton n'avait pas fait la moindre allusion à la mort de Taylor ni à son abominable supplice. Même au cours de la réunion rapide qui avait suivi, il n'avait pas livré le moindre commentaire, sinon pour rappeler que la discipline devait être maintenue en toutes circonstances.

En fait, alors que l'on faisait passer du vin aux capitaines dans la chambre même où Taylor avait entendu la terrible sentence, Broughton s'était montré parfaitement à son aise, jovial même, en leur annonçant qu'ils se rendaient à Gibraltar.

Bolitho revoyait la baleinière de l'*Aurige* s'échouant sur un banc de sable, les fusiliers creusant à la va-vite le trou destiné au cadavre de Taylor. Ils étaient pressés, il faisait chaud, il leur fallait terminer avant le flot. Taylor reposait donc dans une tombe anonyme. Martyr ? Victime des circonstances ? Difficile d'en décider.

Une fois en mer, Bolitho avait soigneusement observé les réactions de son équipage pour détecter tout signe de nervosité, mais la routine de la vie en mer tenait les hommes trop occupés pour qu'ils pussent songer à récriminer ou à discuter. L'escadre avait cinglé sans autre incident et ils n'avaient pas eu écho de la situation dans la flotte du Nord.

Il s'abrita les yeux pour examiner la ligne d'horizon qui scintillait au soleil. Quelque part dans cette direction, loin au vent, visible des seules vigies, se trouvait le bâtiment en question, l'*Aurige*, placé de nouveau sous le commandement de son premier capitaine, Brice. Bolitho avait pris sur lui de le convoquer à son bord juste avant l'appareillage et lui avait adressé un avertissement bien senti. Mais, au moment même où il lui parlait, il savait déjà que c'était en pure perte.

Brice était resté debout dans sa chambre, très calme, tenant sa coiffure sous son bras. Il évitait de regarder Bolitho. Lorsqu'il eut terminé, il déclara doucement :

– Le vice-amiral Broughton ne tolère pas les mutineries. Et vous non plus, monsieur, vous ne les tolériez pas lorsque vous êtes venu à mon bord. Le fait que l'on m'ait rendu comme il convenait mon commandement démontre assez que, si torts il y a eu, ils n'étaient pas de mon fait.

Il esquissa un sourire :

– L'un des deux s'est enfui, l'autre a subi un châtiment plus doux que ce que l'on aurait pu attendre en ces temps incertains.

Bolitho avait fait le tour de la table. Il sentait viscéralement la haine que lui portait son interlocuteur derrière le masque de l'ironie. Lui-même n'en éprouvait guère moins.

– Maintenant, Brice, vous allez m'écouter, et souvenez-vous de ce que je vais vous dire. Nous partons en mission spéciale, une mission qui est peut-être de la plus haute importance pour l'Angleterre. Vous feriez bien de changer de comportement si vous avez envie de revoir le pays.

Brice s'était raidi :

– Il n'y aura plus jamais la moindre révolte à mon bord, monsieur !

Bolitho avait forcé son sourire :

– Je ne pensais pas à vos gens. Si vous trahissez encore une fois la confiance que l'on a mise en vous, je veillerai personnellement à ce que vous soyez traduit en cour martiale pour recevoir le juste châtiment que vous avez pris tant de plaisir à imposer aux autres !

Bolitho s'approcha des filets et jeta un regard à l'eau qui jaillissait le long de la haute muraille. L'escadre se trouvait à cent milles dans le noroît du cap Ortegal, pointe extrême de l'Espagne. Si les bateaux ont de la mémoire, peut-être l'*Euryale* se souvenait-il de l'endroit ? C'est ici même qu'il avait combattu sous pavillon français contre le vieil *Hypérion* de Bolitho. Les ponts étaient rouge vif, la bataille avait fait rage sans faiblir un seul instant jusqu'à son effroyable conclusion. Mais peut-être les navires ne s'en souciaient-ils pas, après tout. Des hommes mouraient, hurlaient le nom d'épouses à demi oubliées ou de leurs enfants, de leurs mères, de leurs compagnons de misère. Les autres végétaient à terre, oubliés de la mer et tenus à l'écart par ceux qui auraient pu leur venir en aide.

Mais les navires, eux, continuaient de naviguer, irrités peut-être par les idiots qui les manœuvraient.

– Signal du *Zeus*, monsieur !

L'aspirant de quart était tout excité. Il bondit dans les haubans, sa grosse lunette déjà rivée à l'œil.

– *Zeus* à l'amiral : « Voile suspecte dans le noroît ! »

Il baissa la tête pour regarder Bolitho, les yeux brillants.

– Excellent, monsieur Tothill. Voilà qui est rondement mené !

Jetant un coup d'œil alentour, il vit Keverne qui l'observait. Ce signal ne signifiait sans doute rien mais, après ces jours d'exercice et d'incertitude pesante, tout événement un peu insolite était le bienvenu. Du coup, il avait oublié tout ce qui lui trottait dans la tête.

– Monsieur ?

Keverne le regardait intensément.

– Faites rompre du poste d'exercice et préparez-vous à établir les perroquets… – il leva la tête, le vent le faisait larmoyer – … et les cacatois avec si le vent ne forcit pas trop.

Broughton fit son apparition au moment où il partait. Il était très calme.

– Voile dans le noroît, amiral, lui annonça Bolitho.

Il vit un éclair briller dans ses yeux et devina soudain combien il devait avoir de peine à se maîtriser ainsi.

L'amiral gonfla ses lèvres :

– Faites signaler à l'*Aurige* de donner la chasse.

– Bien, amiral.

Il fit signe à l'aspirant chargé des signaux, il sentait dans son dos la présence nerveuse de Broughton. Il avait attendu la veille pour envoyer l'autre frégate, la *Coquette*, avec mission de rallier Gibraltar au plus vite pour s'assurer que la mission de son escadre n'avait pas changé. Avec l'*Aurige* au vent et la petite corvette, la *Sans-Repos*, occupée à patrouiller sous le vent dans l'espoir de mettre la main sur un pêcheur français ou espagnol pour recueillir des renseignements, ses forces étaient singulièrement réduites.

Le jeune garçon vint lui rendre compte :

– L'*Aurige* a fait l'aperçu, monsieur.

Bolitho imaginait parfaitement la scène sur le pont de la frégate après que le signal eut été décodé, sans doute quelque part dans la mâture, par un autre aspirant semblable à Tothill.

Il imaginait également très bien les sentiments de Brice : il avait l'occasion de renforcer sa position dans l'esprit de l'amiral en présence de toute l'escadre, la chose n'était pas à prendre à la légère. Dieu vienne en aide à qui aurait le malheur de lui déplaire à cette heure.

Il s'empara de la grande lunette et alla s'installer près de l'aspirant dans les enfléchures au vent. Il pointa l'instrument sur l'horizon. La frégate était visible par moments, voilure haute établie, elle se ruait déjà à la rencontre du nouveau venu. Il imaginait le fracas des embruns qui jaillissaient par-dessus le boute-hors, les grincements du pouliage et des vergues, la toile gonflée par le vent.

A un moment pareil, il était facile d'oublier des gens comme Brice, songea-t-il vaguement. L'*Aurige* était un bien joli petit bâtiment, un être vivant, un animal qui accueillait joyeusement le vent en enfonçant ses sabords dans l'écume.

Il se retourna vers le pont :

– Autorisation de donner la chasse, amiral ?

L'espace d'une petite seconde, il sentit qu'ils partageaient, Broughton et lui, la même analyse, la même excitation. Il vit l'amiral serrer les mâchoires, un éclair passa dans son regard.

– Oui.

Il s'écarta tandis que Bolitho faisait signe de la main à Keverne, avant d'ajouter :

– Tous les autres bâtiments conservent leurs postes, veillez-y.

Les signaux jaillirent aux vergues et se mirent à claquer dans le vent. Bolitho vit les autres faire l'aperçu comme un seul homme. Tous les capitaines devaient s'y attendre, priant le ciel que quelque chose vînt briser la monotonie qui les étouffait depuis Falmouth.

Au-dessus de sa tête, la toile envoyée portait dans de grands claquements, les immenses vergues ployaient comme des arcs et semblaient sur le point de s'arracher des mâts. La gîte s'accentuait, les hommes qui couraient sur le pont principal prenaient des inclinaisons étranges, de la toile, encore de la toile à envoyer.

Sur le pont inférieur, les sabords étaient complètement submergés. Bolitho entendait le claquement des pompes. La coque subissait sans broncher l'effort qui lui était imposé.

Ils rattrapaient le soixante-quatorze le plus proche. Il aperçut à travers l'entrelacs de vergues et de haubans les officiers de la *Tanaïs* qui observaient le vaisseau amiral en train de les remonter.

– Signalez à la *Tanaïs* de faire davantage de toile, ordonna Broughton, visiblement irrité.

Et il regagna le bord opposé. Bolitho entendit Partridge murmurer :

– Bon sang de bois, mais elle va s'arracher les vergues si elle fait ça !

– Monsieur Tothill, ordonna Bolitho, montez en tête de mât et vivement ! J'ai besoin d'une bonne paire de quinquets là-haut !

Il se contraignit à retourner faire les cent pas, lentement, du bord au vent. Ils avançaient avec une lenteur désespérante qui le faisait enrager, il essayait de s'imaginer ce que faisait l'autre bâtiment.

– Ohé, du pont ! Le *Zeus* signale, monsieur : « Ennemi en vue ! »

La vigie était tout excitée.

– Une frégate, cap au nordet !

Keverne se frottait les mains.

– Elle doit faire route à toute allure pour Vigo, j'en suis sûr.

Il semblait anormalement tendu et Bolitho se dit qu'il se voyait commandant de l'*Aurige* en lieu et place de Brice.

– Je pense que nous réussirons à le remonter, monsieur Keverne, lui répondit-il.

Brice était presque vent arrière et naviguait en route convergente sur ses lourdes et lentes conserves. Le français avait le choix entre deux solutions : essayer de distancer son poursuivant ou bien perdre un temps précieux en virant de bord pour reprendre le large. S'il choisissait cette dernière solution, il était même possible qu'un vaisseau de la ligne ait l'occasion de…

Il sursauta en entendant Broughton crier :

– La peste soit du *Valeureux* ! – il jeta sa lunette à un marin. Voilà qu'il prend du retard !

Le signal monta aussitôt aux vergues de l'*Euryale*. Mais le deux-ponts n'avait pas fait l'aperçu, que le cacatois d'artimon se désintégra comme un nuage de cendres et s'éparpilla dans le vent.

– Dois-je signaler au *Zeus* de continuer la chasse indépendamment, amiral ? demanda Bolitho. Il a pris une bonne avance.

Mais il connaissait déjà la réponse. L'amiral pinça les lèvres quand il ajouta :

– Le français pourrait échapper à l'*Aurige*.

– Non.

Un seul mot, un seul, sans le moindre signe de dépit ni de colère.

Bolitho détourna les yeux. Le français allait être surpris de ne constater aucun changement dans la ligne de bataille de l'escadre. Il était quelque part sur l'avant, masqué par la grande pyramide de toile du *Zeus*, et avançait à belle allure. Mais l'*Aurige* venait de couper la ligne et courait sus à l'ennemi, toutes voiles dessus. Il fendait les rangs serrés de moutons, Bolitho voyait le soleil briller sur le doublage de cuivre de la coque élancée qui luisait comme du verre.

Le *Zeus* s'écarta un peu de la ligne et Bolitho retint son souffle en apercevant la frégate française, environ cinq milles devant. Il avait du mal à croire qu'ils aient pu se rapprocher aussi vite.

L'*Aurige* était à trois milles, il rattrapait l'autre frégate. Bolitho essaya de s'éclaircir les idées, de réfléchir à ce qu'il ferait à la place de l'adversaire : virer de bord ou bien continuer vers la côte qui se cachait au-delà de l'horizon ? A cette allure, il n'avait aucune chance de semer l'*Aurige*. Et pourtant, en continuant ainsi, il risquait de se jeter dans les bras d'une patrouille anglaise le long des côtes portugaises. Vigo était le seul refuge possible, il lui faudrait sinon faire face et se battre.

– Faites un signal général, lui ordonna Broughton : « Réduire la toile et reprendre son poste » – il le regarda froidement. L'*Aurige* peut très bien s'en sortir tout seul.

Le signal fut hissé puis répété tout au long de la ligne. Bolitho percevait nettement un fort sentiment de dépit chez ceux qui étaient autour de lui : quatre gros bâtiments de guerre, rendus aussi impuissants que des navires marchands à cause des règles inflexibles de Broughton.

Une détonation sourde roula en échos sur la mer, Bolitho aperçut une bouffée de fumée sale qui dérivait lentement en direction du français. Brice venait de tirer un coup de réglage, mais il ne put repérer la chute du boulet.

Toutes les lunettes s'étaient levées avec un bel ensemble et Keverne cria :

– La Grenouille est en train de virer ! Mais par Dieu, regardez-le !

Cependant le capitaine français avait mal calculé son coup. Bolitho éprouvait presque de la pitié à le voir mettre ainsi son bâtiment en fâcheuse posture, droit entre les bossoirs de l'*Aurige*. Il distinguait la carène à nu, le soleil qui dansait sur les voiles tendues à craquer, les vergues qui pivotaient pour brasser serré. La frégate reprit enfin de l'erre au milieu de ses propres embruns. Un tonnerre retentit de nouveau et résonna en échos sur l'eau. Bolitho imaginait la première bordée de Brice explosant sur le pont sans défense alors qu'il utilisait l'avantage que lui donnaient le vent et sa position.

Quelqu'un poussa un cri de joie du côté de la hune d'artimon de l'*Euryale*. A cette exception près, tous se taisaient. Les matelots et les fusiliers observaient les deux frégates qui allaient se croiser, de plus en plus proches à présent. Le vent avait déjà emporté les fumerolles.

Une autre ligne d'éclairs, du français cette fois-ci, mais les mâts et les vergues de l'*Aurige* étaient toujours intacts, alors que les voiles de l'ennemi étaient criblées de trous. Son grand hunier, touché dès le début, pendait en lambeaux.

– Une bonne prise, à mon avis, murmura Keverne. On trouvera toujours à utiliser une frégate supplémentaire.

Il devenait difficile d'apprécier la situation. Les deux bâtiments étaient à moins d'une demi-encablure l'un de l'autre et se rapprochaient encore. Les tirs redoublaient, le hunier d'artimon de l'ennemi tomba dans la fumée, entraînant dans sa chute la toile et les manœuvres.

– Il va bientôt abandonner, fit Broughton.

– Le vent tombe, amiral.

Partridge parlait à mi-voix, comme s'il avait peur de briser leur concentration.

– Cela n'a plus aucune importance, lui répondit Broughton.

Il souriait.

Le silence était retombé. A trois milles de là, la distance qui séparait le *Zeus* des deux frégates, ils voyaient que le feu avait cessé, les deux bâtiments étaient agrippés l'un à l'autre. C'était la fin.

– Eh bien, Bolitho, fit Broughton d'une voix pateline, que dites-vous de cela ?

Quelques fusiliers perchés sur le gaillard enlevaient leurs shakos et commencèrent à pousser des cris, imités bientôt par ceux de la *Tanaïs*, qui se trouvait sur leur avant.

Bolitho passa derrière l'amiral et arracha une lunette du râtelier. Les vivats s'éteignaient et finirent par se taire aussi vite qu'ils avaient commencé. A la vue du pavillon de l'*Aurige* qu'on descendait de sa vergue comme un oiseau blessé pour le remplacer immédiatement par un autre, il fut soudain envahi par la chair de poule. C'était celui-là même qui flottait fièrement au-dessus des voiles déchiquetées de son adversaire, les trois couleurs de France.

– Bon Dieu, balbutia Keverne, ces salopards se sont rendus aux Grenouilles ! Ils n'ont même pas essayé de se battre !

Il semblait ne pas y croire lui-même.

L'*Aurige* s'éloignait déjà du français, le pont et les vergues bourdonnaient d'activité. La frégate qui tombait doucement sous le vent s'éloignait irrémédiablement de l'escadre impuissante. Bolitho aperçut une tache rouge dans sa lunette, les fusiliers que le détachement français de prise s'employait à rassembler et à désarmer. Quel besoin, songea-t-il amèrement, quel besoin d'un détachement de prise ? L'équipage, qui quelques instants avant se battait encore magnifiquement, s'était rendu en bloc. Avait passé à l'ennemi. Il reposa la lunette, il n'avait même plus la force de la tenir tant sa main tremblait de colère et de désespoir.

Il revoyait les délégués rassemblés dans la petite auberge de la baie de Veryan. Allday et le pistolet qu'il avait dissimulé, Gates. Et John Taylor, crucifié et martyrisé parce qu'il avait essayé d'intervenir.

– Y a plus aucune chance de les rattraper à présent, fit Partridge d'une voix piteuse. I' seront rendus à Vigo avant la tombée de la nuit – il détourna le regard, les épaules voûtées. Et dire qu'on voit des choses pareilles !

Broughton gardait les yeux rivés sur les deux frégates qui s'éloignaient et envoyaient toujours davantage de toile.

– Signalez à la *Sans-Repos* de prendre son poste au vent.

On aurait dit qu'il était ailleurs, comme absent.

– Et ensuite, signal général de revenir à la route initiale – et, interpellant Bolitho : Voilà qui met un point final à vos beaux discours sur la loyauté.

Le ton était coupant.

Bolitho hocha négativement la tête.

– Vous me disiez qu'il fallait comprendre un capitaine tout autant que le bâtiment qu'il commande. Je vous crois, amiral – il tourna ses regards vers l'*Aurige* qui s'éloignait : il donnait l'impression d'avoir rapetissé sous ce pavillon étranger. Mais je crois également que, tant que des gens comme Brice seront autorisés à exercer l'autorité, ce à quoi nous venons d'assister risque fort de se reproduire.

Broughton recula, comme si Bolitho venait de proférer quelque terrible obscénité.

– Le capitaine Brice a pu tomber au combat – il recula encore. J'espère pour lui que c'est bien le cas.

Puis il disparut sous la dunette.

Le lieutenant Meheux dit d'une voix sourde :

– Nous ne pouvions rien faire pour l'empêcher. Cela dit, si ma batterie avait été en portée, je leur aurais donné une bonne leçon.

Plusieurs officiers qui n'avaient rien de mieux à faire vinrent se joindre à la discussion. Allday, qui attendait sous la dunette au cas où l'on aurait besoin de lui, les regardait, l'air dégoûté.

Il vit Bolitho qui faisait les cent pas du bord au vent, la tête penchée, comme quelqu'un qui réfléchit. Tous les autres feignaient de le réconforter et de se réconforter eux-mêmes. En réalité, ils avaient surtout besoin d'être rassurés et n'avaient pas la moindre idée des pensées du capitaine.

Mais lui, Allday, savait. Il avait surpris cette douleur dans ses yeux gris dès qu'il avait découvert ces trois couleurs détestées. Cela lui rappelait sans doute ce jour où il avait dû combattre un autre bâtiment britannique sous pavillon ennemi, un bâtiment commandé par son propre frère.

Il ressentait la honte qui s'était abattue sur l'*Aurige* comme la sienne et tout ce que pouvaient raconter ces têtes de linotte n'avait rien à voir avec cette déchéance.

Allday s'approcha de Bolitho, sans arriver à comprendre comment il marchait. Il le vit s'arrêter, une lueur de colère dans les yeux, comme irrité qu'on le dérangeât.

– Qu'y a-t-il ?

Le ton était de glace, mais Allday ne se laissa pas impressionner.

– Je me faisais juste une réflexion, capitaine – il marqua une pause pour évaluer le bon moment. Les Grenouilles viennent de s'emparer d'une frégate anglaise, mais pas par la force.

– Et alors ?

La voix était dangereusement calme.

Allday fit un sourire :

– Je regardais autour de moi quand tout ceci est arrivé – son sourire s'élargit encore. Regardez ce trois-ponts, par exemple. Je crois bien me rappeler que nous l'avons pris sans trop de difficulté à quelques Grenouilles qui étaient *très* méchantes.

– Votre comparaison est stupide ! Si vous n'avez rien de plus intelligent à me raconter, je vous serai reconnaissant de rester hors de ma vue.

Il parlait à voix suffisamment haute pour faire se retourner plusieurs têtes.

Allday battit lentement en retraite, plein d'espoir et honteux à la fois d'avoir peut-être mal estimé le bon moment.

La voix de Bolitho l'arrêta :

– Puisque vous en parlez, Allday… – il baissa les yeux en croisant son regard – … c'était une bien jolie prise, et c'est toujours un bien joli bateau. Merci à vous de me l'avoir rappelé, j'ai eu tort d'oublier de quoi les marins anglais sont capables.

Allday jeta un coup d'œil aux lieutenants qui observaient la scène en silence puis regagna son poste près de l'échelle de dunette.

Bolitho reprit :

– Parfait, monsieur Keverne, faites rappeler la batterie basse à l'exercice à feu. Profitons de ce que les sabords ne sont plus dans l'eau.

Il se tut et détourna la tête du côté des filets, si bien que Keverne dut s'approcher pour entendre la suite. Mais il ne savait pas très bien si cette suite lui était destinée :

– Nous nous reverrons, cher ami, disait Bolitho. Et les choses risquent de se passer différemment.

Dix-huit jours après avoir vu l'*Aurige* amener ses couleurs, l'escadre de Broughton vint jeter l'ancre à Gibraltar. Compte tenu du temps qu'ils avaient perdu au début de la traversée, lorsque l'amiral avait entraîné ses bâtiments à exécuter ses plans, leur arrivée à l'ombre du Rocher avait été encore plus tardive que ce qu'avait estimé Bolitho. Ils avaient subi des vents qui changeaient perpétuellement, avant de devoir se dérouter pour éviter une grosse tempête, à quatre-vingt-dix milles au large de Lisbonne. L'affaire avait été si rude que le *Zeus* y avait perdu six hommes passés par-dessus bord. Et pourtant, le lendemain les avait trouvés encalminés sur une mer d'huile, voiles pendantes, immobiles sous un soleil insupportable.

A présent, tauds gréés et sabords grands ouverts à une petite brise de terre, l'escadre se reposait dans la lumière de l'après-midi. Les canots faisaient des allers et retours incessants, pareils à des araignées d'eau.

Bolitho gagna sa chambre où tous les capitaines avaient été convoqués une heure après leur arrivée. Ils avaient l'air fatigués par le voyage et les événements qui s'étaient succédé depuis ne leur avaient guère laissé le temps de se remettre.

Inutile de dire que Rattray, du *Zeus*, avait pris la parole le premier.

– Qui est donc ce gaillard qui se trouve avec l'amiral ? Quelqu'un le connaît-il ?

Le capitaine Furneaux, commandant le *Valeureux*, prit le verre de vin que lui tendait un garçon et lui jeta un regard soupçonneux :

– Ça m'a pas vraiment l'air d'un diplomate, si vous voulez mon avis – et, se tournant vers Bolitho : En temps de guerre, on dirait que nous attirons les conseilleurs les plus bizarres, pas vrai ?

Bolitho sourit et fit un signe aux autres en se dirigeant vers les fenêtres de poupe béantes. De l'autre côté de la baie, comme tremblante dans la brume, se trouvait Algésiras, où de nombreuses lunettes étaient certainement pointées sur l'escadre anglaise et d'où des estafettes avaient déjà dû partir pour prévenir les garnisons de l'intérieur.

Le visiteur arrivé à bord de l'amiral, celui dont l'apparition insolite et imprévue suscitait tant de supputations, était certainement un être hors du commun. Il était arrivé de la terre à bord du canot du gouverneur et avait escaladé la coupée avant même que la garde eût pu se préparer à le recevoir.

Vêtu d'une veste et d'un pantalon de la meilleure coupe et qui valaient certainement leur prix, il avait crié :

– Pas besoin de ce genre de truc, nous n'avons pas de temps à perdre !

Son nom était Sir Hugo Draffen, et, en dépit de son habillement et de son titre, il ressemblait plus à un homme à qui de rudes activités et l'effort physique étaient familiers qu'à un coureur d'aventures plus aimables. Carré, trapu même, il avait le visage bronzé. De petites rides entouraient ses yeux, comme s'il était habitué à subir les ardeurs du soleil et à vivre sous des climats moins cléments que celui de Whitehall.

Broughton, prévenu à la hâte dans ses appartements, où il avait passé la majeure partie de la fin de cette traversée, s'était montré étrangement calme, presque obséquieux envers son hôte. Bolitho en avait déduit que ce Draffen devait être beaucoup plus important qu'on n'aurait pu le croire.

Gillmore, capitaine de la frégate la *Coquette*, envoyé devant l'escadre pour recueillir des renseignements frais, dit d'une voix triste :

– Il est venu à mon bord lorsque j'ai mouillé.

C'était un jeune homme dégingandé, efflanqué, et dont la longue figure s'allongea encore quand il repensa à sa rencontre avec Draffen.

– Lorsque je lui ai suggéré que je pouvais faire demi-tour pour reprendre contact avec l'escadre, il m'a dit de ne pas m'en préoccuper… – il haussa les épaules – … et, quand je lui en ai demandé la raison, il m'a répondu de me mêler de mes oignons.

Falcon, de la *Tanaïs*, posa son verre et dit dans un sourire :

– Au moins, cela vous aura épargné d'assister aux malheurs de l'*Aurige*.

Tous les autres le regardèrent, puis se regardèrent entre eux. C'était la première fois que l'on évoquait l'incident.

– Je crois que nous n'allons plus rester longtemps dans l'expectative, fit Bolitho.

Il se demanda en passant si les autres avaient remarqué qu'il avait été exclu de l'entretien qui se déroulait sous leurs pieds. C'était assez inhabituel, mais il fallait croire que ce Draffen était ainsi.

Gillmore ajouta sèchement :

– Si j'avais été sur place, je crois que je les aurais coulés tous les deux plutôt que de laisser faire une chose pareille.

– Mais, lui répondit Furneaux de sa voix traînante, vous n'y étiez pas, jeune homme, si bien que tout blâme vous sera épargné, pas vrai ?

– Cela suffit, messieurs.

Bolitho s'était interposé entre eux deux, conscient de la tension qui montait soudain.

– Ce qui est fait est fait. Les récriminations ne servent plus à rien, ce qui s'est passé doit nous servir d'avertissement.

Il les regarda tour à tour :

– Nous avons beaucoup de choses qui nous attendent, gardez donc votre énergie.

Les portes s'ouvrirent, Broughton entra, suivi de Draffen et de son aide de camp. Broughton les salua d'un bref signe de tête.

– Asseyez-vous, messieurs.

Il fit signe du menton au garçon qui lui servait un verre de vin :

– Attendez dehors jusqu'à ce que j'aie terminé.

Bolitho remarqua que Draffen s'était dirigé vers les fenêtres, soit qu'il se désintéressât de ce qui se passait, soit qu'il eût décidé de se placer à un endroit d'où il pouvait voir leurs visages sans être vu lui-même.

Broughton s'éclaircit la gorge et jeta un coup d'œil à Draffen dont la silhouette carrée se détachait en ombre chinoise contre la fenêtre éclairée par le soleil.

– Comme vous le savez, notre marine a été chassée de la Méditerranée depuis la fin de l'an passé. La progression de Bonaparte, ses conquêtes en Italie puis à Gênes nous ont fermé tous les ports, et il a donc été jugé que nous devions nous retirer.

Draffen s'approcha vivement. Son débit s'accordait à une impatience trop visible.

– Si vous me permettez de vous interrompre, sir Lucius ?

Et il lui tourna le dos sans même attendre la réponse.

– Venons-en au fait. Je ne suis guère habitué à l'indulgence dont sait faire preuve la marine lorsqu'elle juge de ses propres affaires.

Il sourit, et les rides qui cernaient ses yeux se contractèrent comme les serres d'un corbeau.

– L'Angleterre est isolée dans sa lutte contre un adversaire décidé et, si vous me passez l'expression, très professionnel. Lorsque les flottes française et espagnole se sont concentrées à Brest pour mener une grande attaque, puis l'invasion de l'Angleterre, retirer ces bâtiments pour renforcer les escadres de la Manche et de l'Atlantique semblait non seulement prudent, mais extrêmement urgent.

Bolitho jeta à Broughton un regard en coulisse, s'attendant à le voir manifester de l'irritation ou une certaine mauvaise humeur. Mais non, l'amiral restait de marbre.

Draffen poursuivit :

– La victoire de Jervis à Saint-Vincent sur les deux flottes combinées a retardé, et peut-être même rendu impossible, toute tentative d'invasion par la Manche. Elle a également démontré la médiocrité de la coopération entre les deux marines française et espagnole. Il semble donc raisonnable de penser que Bonaparte cherchera à étendre son influence à un autre endroit, et vite.

– Voulez-vous que je poursuive ? demanda soudain Broughton.

– Si vous voulez.

Broughton déglutit avec une certaine difficulté.

– Cette escadre sera la première force de quelque importance à pénétrer en Méditerranée.

Il se tut.

– Regardez cette carte, messieurs.

Draffen arracha le document des mains du lieutenant Calvert et l'ouvrit sur la table. Comme les autres s'approchaient, Bolitho jeta un nouveau coup d'œil à Broughton. L'amiral était tout pâle et il le vit pendant quelques brèves secondes lancer un regard noir à Draffen, qu'il voyait de dos.

– Ici, nous avons Carthagène à deux cent cinquante milles en suivant les côtes espagnoles. C'est là qu'ils basent de nombreux bâtiments qui se rassemblent avant de partir pour Brest.

Bolitho suivait du regard le doigt spatulé qui traversa la Méditerranée jusqu'à la côte algérienne, pleine d'anfractuosités.

– Et ici, dans le sud-est de l'Espagne, à deux cent cinquante milles, se trouve Djafou.

Bolitho comprit soudain que Draffen le regardait d'un air entendu.

– Connaissez-vous cet endroit, capitaine ?

– De réputation, monsieur. Je crois que les pirates barbaresques y avaient établi une de leurs bases, dans le temps. Il s'agit d'un bon abri naturel, rien de plus.

Draffen eut un sourire, mais ses yeux ne cillaient pas.

– Les Espagnols s'en sont emparés voici quelques années afin de protéger leur propre trafic côtier. Maintenant qu'ils sont les alliés des Français, ce mouillage prend un tout autre sens.

– Ils veulent en faire une base, monsieur ? demanda rudement Rattray.

– Peut-être bien… – Draffen se redressa – … mais mes agents m'ont rapporté avoir vu des allées et venues avec Carthagène. Il serait convenable que notre retour en Méditerranée soit marqué par un objectif à atteindre, quelque chose de réel.

Il posa son doigt sur la carte :

– Votre amiral sait ce que l'on attend de lui, mais je peux vous dire que je veux voir notre pavillon flotter sur Djafou, et sans délai.

Rompant le silence, Broughton fit sèchement :

– Mon escadre manque de moyens, monsieur. Cependant, si vous jugez que…

Draffen hocha fermement la tête.

– Mais bien sûr, amiral, j'en juge ainsi. J'ai pris les dispositions nécessaires pour faire venir des galiotes à bombes de Lisbonne. Elles seront ici aujourd'hui ou demain – il durcit le ton. Si les escadres de Spithead et du Nord avaient été moins préoccupées de leurs petites affaires, la vôtre compterait quinze ou même vingt vaisseaux de premier rang au lieu de quatre – il eut un haussement d'épaules. Et maintenant, avec une seule frégate…

Nouveau haussement d'épaules, il passa à autre chose.

– Enfin, c'est votre affaire – il fit claquer ses doigts. Je suggère que nous portions un toast, faites venir le garçon.

Il sourit de toutes ses dents en voyant leur air perplexe :

– Après tout, nous avons du pain sur la planche.

Et se tournant vers Bolitho :

– Vous n'avez pas dit grand-chose, capitaine.

– Je donnerai moi-même mes ordres à mon capitaine de pavillon, sir Hugo, aboya Broughton. Si vous n'y voyez pas d'inconvénient.

– Comme vous voudrez – Draffen souriait toujours. Cependant, je me joindrai à votre escadre pendant quelque temps.

Et il ajouta en prenant le verre que lui tendait le garçon :

– Ne serait-ce que pour m'assurer que votre route est bien la même que la mienne, n'est-ce pas ?

Bolitho se détourna, le cerveau encore rempli des informations très succinctes que venait de leur fournir Draffen.

Après tout, savoir que les vaisseaux britanniques allaient attaquer les confins méridionaux de l'empire que constituait Bonaparte était plutôt une bonne nouvelle. S'emparer d'une nouvelle base pour la flotte, occupant un emplacement stratégique, le plan demandait à la fois habileté et imagination.

D'un autre côté, si l'on devait utiliser l'escadre de Broughton comme appât, pour attirer de nouvelles forces plus importantes en Méditerranée, les choses risquaient fort de tourner au vinaigre pour eux.

Draffen était investi d'une autorité indéniable, même si son statut exact restait un mystère. Peut-être avait-il reçu de mauvaises nouvelles de la flotte du Nord. Le sacrifice de cette petite escadre pour diminuer la pression de l'ennemi autour des ports de la Manche n'était en tout cas pas pire que ce qu'avait représenté pour Broughton la mort de Taylor.

Quelle qu'eût été la décision, Bolitho savait qu'il serait directement impliqué dans l'exécution. Cette perspective aurait dû lui faire chaud au cœur, mais l'idée d'avoir simultanément sur le dos et Broughton et Draffen changeait entièrement les choses.

Broughton s'était écarté pour causer avec Furneaux, et Draffen s'approcha de Bolitho, visiblement pour prendre congé.

– Je suis ravi de vous connaître, capitaine. Je sens que nous allons fort bien nous entendre – il appela Calvert d'un geste avant d'ajouter : A propos, j'ai bien connu votre frère.

Et il tourna les talons pour aller retrouver Broughton et les autres.

VI

DE CONSERVE

Trois jours passèrent, pendant lesquels Bolitho ne revit pas Draffen. Mais les affaires de l'*Euryale* et des autres bâtiments de l'escadre l'avaient tant occupé qu'il n'avait guère eu le temps de repenser à ce qu'il lui avait dit en le quittant.

Le fait qu'il eût connu Hugh signifiait que Draffen avait vécu ou travaillé aux Antilles, voire en Amérique, durant la révolution. Sans cela, il n'aurait guère eu motif à se montrer si discret au sujet de cette rencontre. Draffen avait toutes les apparences d'un négociant, l'un de ces hommes qui aidaient à établir des colonies poussés par le seul désir de faire fortune. L'homme avait du flair, et Bolitho le soupçonnait de pouvoir se montrer sans pitié lorsqu'il le jugeait bon.

Bolitho savait aussi que Draffen n'avait peut-être aucune idée derrière la tête, qu'il avait seulement cherché un moyen d'établir le contact. S'ils étaient amenés à travailler de concert pendant les semaines ou les mois à venir, la chose paraissait naturelle. Mais, au fil du temps, Bolitho avait appris à se méfier, depuis que son frère avait changé de camp. Il en était devenu soupçonneux, hypersensible même, chaque fois que l'on prononçait le nom de Hugh devant lui.

Il y avait tant de choses qui l'attendaient : refaire les pleins de vivres et d'eau douce pour la campagne à venir, trouver des rechanges à n'importe quel prix sur le Rocher, en mendiant, en négociant ou en volant. Une fois entrés en Méditerranée, ils se retrouveraient loin de toute base, incapables de se ravitailler, forcés de vivre sur la réserve embarquée.

Une nouvelle donnée était venue s'ajouter à ce besoin pressant d'indépendance. Deux jours après leur arrivée au mouillage, Bolitho avait vu une corvette tirer des bords pour entrer dans la baie, en provenance d'Angleterre. On disait qu'elle apportait des nouvelles et des dépêches.

Broughton avait fini par l'envoyer chercher. Il était lugubre lorsqu'il lui annonça :

– La mutinerie dans le Nord a encore empiré. Tous les bâtiments ou presque sont tombés aux mains de *délégués*.

Il avait prononcé ce mot comme en crachant, comme s'il avait avalé du poison.

– Ils ont bloqué le fleuve et mettent le gouvernement à rançon tant que leurs exigences ne sont pas satisfaites.

Broughton, bondissant sur ses pieds, avait alors commencé à arpenter sa chambre comme un animal en cage.

– L'amiral Duncan avait établi un blocus devant les côtes hollandaises. Mais que pouvons-nous bien faire, alors que la plupart des bâtiments au mouillage ont hissé les couleurs de la rébellion ?

– Je vais en informer les autres capitaines, amiral.

– Oui, faites-le immédiatement. Cette corvette va repartir sans tarder pour l'Angleterre avec des dépêches, si bien qu'il n'y a pas gros risque à voir les hommes s'enflammer – puis il ajouta, plus lentement : J'ai inséré dans mon rapport le détail de la perte de l'*Aurige*. Les Français pourraient bien l'utiliser pour faire de l'espionnage ; il vaut donc mieux que nos bâtiments le sachent dès que possible. Nous ne savons pas s'il a vraiment amené ses couleurs à la suite d'une mutinerie.

Il ne regardait toujours pas Bolitho.

– Ses officiers ont peut-être été tous tués ou mis hors de combat au cours de l'abordage. Et dans la confusion qui a suivi, l'*Aurige* a peut-être été débordé.

Il ne croyait visiblement pas plus que Bolitho à ce qu'il venait de dire.

Il subsistait cependant suffisamment de doutes pour autoriser Broughton à se contenter de commentaires évasifs dans son compte rendu. La nouvelle qu'un bâtiment britannique venait de changer de camp, pour quelque raison que ce fût, risquait fort d'aggraver encore les choses au sein de la flotte, à supposer que ce fût possible.

Broughton avait été bien content de donner toujours plus de travail à Bolitho, alors que l'escadre faisait ses préparatifs d'appareillage. Les nouvelles du Nord, la perte de l'*Aurige*, cette conjonction d'événements avait eu chez lui une résonance profonde. Il paraissait comme anéanti et, du moins lorsqu'il était seul avec Bolitho, moins maître de soi qu'auparavant. Ce qu'il avait vécu à Spithead à bord de son bâtiment amiral l'avait à l'évidence profondément atteint, comme Rook l'avait noté à l'époque.

Il passait une bonne partie de son temps à terre, conférant avec Draffen ou avec le gouverneur. Mais il y allait seul et gardait ses réflexions pour lui.

L'enseigne de vaisseau Calvert paraissait incapable de rien faire de convenable pour son amiral, et sa vie était rapidement devenue un cauchemar. Quelle que fût sa naissance, il était totalement dépassé par la routine des signaux et des directives qui transitaient par lui à l'intention des capitaines de l'escadre.

Bolitho soupçonnait l'amiral d'utiliser son aide de camp pour passer sur lui ses propres angoisses. S'il avait décidé de lui rendre l'existence invivable, c'était une franche réussite.

C'était pitié de voir l'aspirant Tothill lui expliquer respectueusement mais fermement les trucs et les ficelles de la procédure des signaux. Mais le pire était encore la gratitude que lui en manifestait Calvert. En outre, cela ne lui servait guère. A la première manifestation de mauvaise colère de Broughton, le malheureux oubliait comme par enchantement ce qu'il venait d'apprendre.

L'après-midi du troisième jour, alors que Bolitho discutait de leurs préparatifs avec Keverne, l'officier de quart se présenta au rapport : les deux galiotes venaient de jeter l'ancre tout près de la côte.

Peu après, une chaloupe accosta, dont le patron déposa un pli cacheté destiné à Bolitho. La lettre était de Draffen, et particulièrement brève. Bolitho devait aller sur l'heure le retrouver à bord de l'*Hekla*, l'une des deux galiotes. On lui demandait de prendre la chaloupe qui avait déposé le courrier.

Broughton se trouvait à terre. Aussi, après avoir donné à ses instructions à Keverne, Bolitho embarqua-t-il pour se rendre à la réunion.

Allday le regarda partir en dissimulant mal sa désapprobation. Voir Bolitho utiliser un autre canot que le sien lui paraissait impensable et, alors que la chaloupe poussait du flanc de l'*Euryale*, il sentit une soudaine inquiétude l'envahir. Et si quelque chose allait lui arriver, et si Bolitho se retrouvait là-bas, tout seul ?... Que ferait-il ? Il cherchait toujours l'embarcation des yeux, le regard perdu, alors qu'elle avait disparu derrière le *Zeus*.

De toute sa vie de marin, Bolitho n'avait jamais vu de galiote ; néanmoins il en avait beaucoup entendu parler. Celle vers laquelle la chaloupe se dirigeait en faisant force de rames était exactement comme il l'imaginait. Deux mâts, une centaine de pieds de long, une coque extrêmement trapue, basse sur l'eau. La caractéristique la plus bizarre était ce mât de misaine situé de façon inhabituelle, très en arrière de la figure de proue, ce qui donnait au bâtiment une espèce de déséquilibre, comme si la véritable misaine avait été poussée parallèlement au pont.

Presque de la taille d'une corvette, dont elle n'avait pourtant ni la grâce ni la vélocité, la galiote avait la réputation d'un bâtiment impossible à mener dès que les conditions se gâtaient tant soit peu.

Comme la chaloupe accostait, il aperçut Draffen, dcbout, scul au milieu de la dunette exiguë. Il se protégea les yeux pour l'observer qui montait à bord.

Bolitho se découvrit tandis qu'une modeste garde rendait les honneurs au sifflet, et salua un jeune lieutenant qui le regardait avec une espèce de fascination.

– Venez donc par ici, Bolitho, fit Draffen. La vue est meilleure.

Bolitho prit la main qu'il lui tendait. Elle était semblable à l'homme, dure, rude.

– Ce lieutenant, demanda-t-il, est-ce le capitaine ?

– Non, je l'ai renvoyé en bas juste avant votre arrivée – il haussa les épaules. Désolé de vous avoir privé de votre cérémonial habituel, mais j'avais besoin de ma carte qui se trouve dans sa chambre – il grimaça. Enfin, si on peut appeler ça une chambre. La niche de mon chien est plus confortable. Pas besoin de se demander pourquoi ils les ont construites ainsi, continua-t-il en lui indiquant l'avant. Les membrures sont deux fois plus épaisses que la normale. Le recul et le choc de départ de ces petites beautés réduiraient n'importe quel pont en miettes.

Bolitho suivit des yeux ce qu'il lui indiquait : deux mortiers énormes montés au centre du gaillard. Trapus, noirs, effroyablement laids, ils avaient néanmoins un diamètre de bouche de plus d'un pied. Il imaginait sans peine les efforts qu'ils devaient infliger au pont, pour ne rien dire de ce qui se passait en face.

La seconde galiote, mouillée tout près par le travers, était bâtie sur le même modèle et portait le nom tout désigné de la *Dévastation*.

– Les galiotes appareilleront à la nuit, fit Draffen comme s'il parlait tout seul. Il n'y a aucune raison de laisser ces chacals d'Algésiras en apprendre trop et trop tôt, pas vrai ?

Bolitho approuva d'un signe, la chose paraissait sensée. Il se tourna pour l'observer de côté alors que Draffen regardait quelques marins occupés à lover du cordage en glènes, avec l'aisance d'araignées qui font leur toile.

Draffen était plus âgé qu'il n'avait cru, la cinquantaine avancée. Mais ses cheveux gris contrastaient fortement avec ses traits bien marqués, son visage bronzé.

– Les nouvelles d'Angleterre sont mauvaises, monsieur. Je le tiens de Sir Lucius.

Draffen gardait une attitude parfaitement indifférente.

– Il est des gens qui ne comprendront jamais rien.

Il n'expliqua pas plus avant ce qu'il entendait par là et continua en se tournant vers lui :

– A propos de votre frère, j'ai fait sa connaissance alors qu'il commandait un corsaire. J'ai cru comprendre que vous aviez fini par détruire son bâtiment.

Son regard se fit plus conciliant :

– J'ai appris récemment énormément de choses sur votre compte, et cet épisode me rend particulièrement envieux. J'espère que, dans les mêmes circonstances, je serais capable d'en faire autant.

Puis il changea de sujet :

– Bien sûr, je n'arrive pas à croire tout ce que j'ai entendu sur votre compte. Nul n'est parfait à ce point.

Il sourit en voyant que Bolitho ne savait plus trop sur quel pied danser puis il lui montra quelque chose derrière son épaule :

– Prenez par exemple ce que m'a raconté le commandant de l'*Hekla*. Je n'ai jamais rien entendu de pareil !

Bolitho fit demi-tour et resta figé, totalement surpris. Cet homme qui lui faisait face, avec sa longue tête chevaline où la confusion laissait place au plaisir, c'était Francis Inch, qui n'était plus lieutenant mais portait une épaulette unique sur l'épaule gauche. Capitaine Inch, ex-second de l'*Hypérion* lors du dernier combat sanglant contre les bâtiments de Lequiller, dans le golfe de Gascogne.

Inch s'approcha lentement, pataud, hésitant :

– C'est moi, monsieur ! Inch !

Bolitho prit ses mains dans les siennes. Il n'avait pas perçu jusqu'ici à quel point il lui avait manqué, tout ce passé qu'il représentait pour lui.

– Je vous ai toujours dit que je m'occuperais de vous trouver un commandement bien à vous.

Il ne savait trop que dire, devinait le sourire de Draffen. Et Inch qui le regardait avec cet air familier, décidé, qui avait bien manqué le rendre fou d'exaspération.

Inch rayonnait :

– C'était ou une galiote ou encore second sur un soixante-quatorze, monsieur – il s'assombrit soudain. Et après ce vieil *Hypérion*, j' n'en voulais point d'autre…

Son sourire s'élargit davantage :

– Et maintenant, j'ai celui-ci – il balaya du regard son petit bâtiment. Et ceci – il toucha son épaulette.

– Et vous avez aussi une femme ?

Bolitho devinait qu'Inch s'était retenu d'en parler, pour ne pas lui rappeler sa propre perte.

Inch acquiesça :

– Oui, monsieur. Avec la part de prise que vous nous avez obtenue, j'ai acquis une modeste demeure à Weymouth. J'espère que vous nous ferez l'honneur… – il redevenait comme dans le temps, peu sûr de lui, bredouillant. Mais je suis sûr que vous êtes trop occupé pour cela, monsieur…

Bolitho lui prit le bras :

– J'en serai ravi, Inch. Cela me fait tellement plaisir de vous revoir.

– Eh bien, remarqua Draffen, pince-sans-rire, les officiers de marine seraient finalement des animaux à sang chaud… .

– Je vais écrire à Hannah ce soir, pour lui raconter que nous nous sommes vus.

Bolitho regarda longuement Draffen :

– Vous avez sûrement voulu me faire la surprise, monsieur.

– La marine a ses méthodes… – il regardait vers le Rocher qui les dominait – … et j'ai les miennes.

Puis, se tournant vers Inch :

– Laissez-nous, je vous prie, commandant, j'ai à discuter d'un certain nombre de choses.

– Venez souper avec moi ce soir, Inch, à bord du vaisseau amiral, l'invita Bolitho.

Et il se força à sourire pour cacher l'émotion que lui causait sa vue.

– Votre prochaine promotion pourrait s'en trouver accélérée.

Inch, tout heureux, courut retrouver son second et Bolitho devina qu'il allait sans aucun doute lui raconter quelques bonnes vieilles histoires du temps passé.

– Dites-moi, remarqua Draffen, ce gaillard n'avait pas trop de quoi faire un officier avant que vous vous en occupiez.

– Il a durement appris son métier, répondit tranquillement Bolitho. Je n'ai jamais rencontré d'homme aussi loyal ni aussi chanceux. Si nous tombons sur l'ennemi, je vous suggère de ne pas quitter le commandant Inch d'une semelle. Il a le don de rester vivant quand tous les autres tombent autour de lui et que le bateau est en pièces.

– Je m'en souviendrai, jeta Draffen – son ton se fit plus rude. Tout va bien, votre escadre appareille demain soir. Les galiotes suivront plus tard, mais votre amiral vous donnera davantage de détails.

Il donnait le sentiment d'avoir pris une décision :

– J'ai examiné vos états de service, Bolitho. L'aventure qui nous attend réclamera beaucoup de ressources et de sens de l'initiative. Il est possible que vous soyez contraint de violer quelque peu les règlements de l'Amirauté pour vous adapter aux circonstances. J'ai cru comprendre que ce genre de chose ne vous était pas étranger – il esquissa un sourire. J'ai appris d'expérience que la guerre exige des individus particuliers, avec des idées originales. Les règles trop simplistes et trop rigides ne conviennent pas à ce genre de divertissement.

Bolitho se remémora soudain la tête de Broughton lorsqu'il lui avait suggéré de laisser le *Zeus* donner la chasse au français. Et de son plan de bataille, de sa méfiance instinctive pour ce qui sortait de l'habitude ou de l'orthodoxie.

– J'espère seulement que nous n'arrivons pas trop tard et que les Français n'ont pas renforcé les défenses de Djafou.

Draffen jeta un rapide coup d'œil autour de lui.

– Je possède une certaine influence, des relations si vous préférez, et je n'ai pas l'intention de compter uniquement sur la chance ou la bravoure personnelle. Je connais bien les côtes algériennes et leurs habitants, qui sont pour la plupart des assassins totalement indignes de la moindre confiance – il se remit à sourire. Mais il nous faudra bien utiliser ce que nous trouverons et en tirer le meilleur parti. Comme disait John Paul Jones dans des circonstances très semblables, « si nous n'avons pas ce que nous aimons, tâchons d'aimer ce que nous avons ».

Il tendit la main à Bolitho :

– Je dois aller voir des gens à terre. Je ne doute pas que nous nous reverrons sous peu.

Bolitho le regarda descendre dans son canot avant de rejoindre Inch près du pavois.

– Un homme bien étrange, fit Inch, et très secret.

– Je pense comme vous. Et pourtant, il détient un énorme pouvoir.

– Il m'a raconté, reprit Inch en soupirant, quelques petites choses sur l'endroit où nous allons. Il semble très soucieux des détails – il hocha la tête. Et je n'arrive pourtant pas à deviner lesquels.

Bolitho était pensif. Du commerce sans doute, mais quelle sorte de commerce pouvait-on bien exercer dans un endroit comme Djafou ? Et quel lien cela avait-il avec les Antilles, sa rencontre avec Hugh ?

– Je dois retourner à mon bord. Nous aurons le temps de causer pendant le souper, encore que vous n'y verrez pas beaucoup de têtes connues, j'en ai peur.

– Sauf Allday, monsieur, répondit Inch en souriant. Je ne puis vous imaginer sans lui !

Bolitho lui assena une bourrade sur l'épaule :

– Ni moi non plus !

Un peu plus tard, seul dans sa chambre, Bolitho ouvrit sa chemise pour jouer avec le petit médaillon. Il regardait sans rien voir par les fenêtres de poupe. Inch ne saurait jamais ce que son arrivée représentait pour lui. C'était comme ce médaillon, quelque chose à quoi s'accrocher, un objet familier. Un ancien de l'*Hypérion*.

On frappa à la porte, c'était Calvert. Il entra, pressé, tenant quelques papiers qu'il serrait contre lui comme pour se protéger.

– Asseyez-vous, lui dit Bolitho avec un sourire. Je vais les signer et vous pourrez les distribuer dans l'escadre avant le crépuscule.

Voyant que Bolitho s'asseyait à son bureau et cherchait de quoi écrire, Calvert ne put cacher son soulagement. Cela lui évitait de devoir faire face à Broughton lorsqu'il reviendrait de terre. Ses yeux tombèrent sur le sabre que Bolitho avait posé sur le banc de retour de sa visite sur l'*Hekla*. Oubliant toute retenue, il s'écria :

– Oh, monsieur, puis-je y jeter un coup d'œil ?

Bolitho se tourna vers lui. Cela ne ressemblait guère à Calvert, qui n'avait que peu à dire en dehors des excuses qu'il murmurait lorsqu'il avait commis une erreur. Ses yeux brillaient d'un intérêt soudain.

– Mais certainement, monsieur Calvert.

Il s'enfonça dans son siège pour regarder le jeune enseigne sortir l'antique lame de son fourreau et tâter le fil contre son menton.

– Vous êtes escrimeur, comme Sir Lucius ?

Calvert ne répondit pas directement. Il passa ses doigts sur la garde usée, ternie.

– Un bon équilibre, monsieur. Bien bel équilibre – il regardait Bolitho à la dérobée. Et j'ai l'œil pour ça.

– Alors, gardez votre œil pour vous, monsieur Calvert. Il pourrait vous valoir des ennuis.

Calvert remit la lame en place et reprit sa contenance habituelle.

– Merci, monsieur, merci de m'avoir permis de le prendre.

Bolitho poussa le tas de papiers en ajoutant lentement :

– Et tâchez donc de faire montre d'un peu plus de volonté dans le service. Je connais beaucoup d'officiers qui auraient sacrifié leurs deux bras pour être à votre place. Faites-en bon usage.

Tout souriant, Calvert disparut en balbutiant Dieu sait quoi.

Bolitho se leva avec un soupir. Allday entra et vit immédiatement le sabre, qu'il remit à sa place contre la cloison.

– Monsieur Calvert était ici, n'est-ce pas, monsieur ?

Bolitho sourit de sa curiosité.

– Oui, et il a paru très intéressé par mon sabre.

Allday le regardait toujours, l'air pensif.

– Et il pouvait bien faire l'intéressé. Je l'ai vu hier se livrer à quelques démonstrations devant les aspirants. Ils ont allumé une chandelle et l'ont donnée à Drury, le plus jeune, pour qu'il la tienne en main pendant que Mr. Calvert la fauchait.

– C'est parfaitement stupide, fit Bolitho en se retournant.

Allday haussa les épaules.

– Faut pas vous en faire, commandant. De sa lame, le lieutenant a coupé la mèche et la flamme sans même effleurer la bougie – il s'éclaircit bruyamment la gorge. Vous devriez aller voir le spectacle, commandant.

Bolitho le fixa un instant :

– Vous avez raison, Allday, j'irai voir ça.

Jed Partridge, le pilote, porta la main à son vieux chapeau cabossé en voyant Bolitho émerger de sous la dunette.

– En route au sud-sudet, monsieur.

– Bien.

Bolitho répondit au salut de l'officier de quart avant de gagner le bord au vent pour se remplir les poumons de l'air frais apporté par le soir.

L'escadre avait levé l'ancre à midi sous un soleil impitoyable, mais par bon vent de noroît. Elle s'était aussitôt formée en colonne, chaque bâtiment gagnant son poste sans adresser aux autres plus de signaux qu'il n'était strictement nécessaire.

Sur la côte espagnole, de nombreuses lunettes étaient sans doute braquées sur eux et les supputations sur leur destination devaient aller bon train. Certes, l'ennemi considérait sans doute qu'il n'y avait pas lieu de s'inquiéter d'une force aussi modeste, mais inutile de prendre des risques. Hors de vue de terre, chaque capitaine devait savoir que tout bâtiment rencontré ou presque était potentiellement un ennemi. Les neutres eux-mêmes, et il n'y en avait guère, devaient être traités avec suspicion et comme des espions potentiels de leurs faits et gestes.

On était au crépuscule, une heure qui en Méditerranée fascinait toujours autant Bolitho. Les quatre bâtiments de ligne roulaient et plongeaient en cadence dans une longue houle, le vent restait stable par le travers bâbord. Il voyait les ombres s'allonger sur les passavants et la mer rougeoyer sous les bossoirs. A l'ouest, le ciel devenait rose saumon et la lumière mourante du soleil transformait les voiles du *Valeureux* en gigantesques coquillages.

Si ce vent et cette mer se maintenaient, ils n'auraient pas trop de peine à tenir leurs postes pendant la nuit. « Voilà qui plaira à Broughton », se dit-il.

Keverne arrivait du pont principal.

– La visibilité risque de ne pas rester bonne très longtemps, monsieur.

Bolitho voyait la silhouette massive du pilote près des timoniers.

– Nous allons tout de suite changer de cap de deux rhumbs, monsieur Partridge – et, apercevant l'aspirant Tothill près des haubans : Envoyez le signal : « Changement de route en contremarche. Nouvelle route au sud-est. »

Il n'y avait pas lieu de se préoccuper, concernant les signaux : Tothill et son équipe avaient largement administré la preuve de leurs compétences. « Il fera un bon officier », songea-t-il en passant. Et, s'adressant à Keverne :

– Que chaque bâtiment montre un fanal de poupe, pour le cas où nous serions dispersés. Et cela pourra aider la *Coquette* si elle nous recherche.

La frégate en question patrouillait environ quinze milles en arrière, sage précaution pour vérifier qu'ils n'étaient pas déjà pistés par quelque ennemi un peu curieux.

La *Sans-Repos*, leur petite corvette, était à peine visible au vent du *Zeus*. Bolitho imaginait son jeune commandant tout frais désigné se concentrant sur l'importance de son nouveau rôle. La corvette était leur seul bâtiment suffisamment rapide pour aller enquêter sur une voile suspecte.

C'était toujours la même chose : jamais assez de frégates et, maintenant que l'*Aurige* les avait trahis, ils devaient se montrer encore plus économes pour monter des opérations à longue distance.

– Signal frappé, monsieur, annonça Tothill.

– Bien – Bolitho fit signe à Keverne : Allez-y, je vais prévenir l'amiral.

Il trouva Broughton et Draffen assis aux deux bouts de la longue table dans la salle à manger de l'amiral. Le silence était pesant.

– Eh bien ?

Broughton se carra dans son siège. Il tapotait du doigt un verre de bordeaux auquel il n'avait pas touché.

– Paré à changer de route, sir Lucius.

Draffen l'observait. Ses yeux luisaient à la lueur des lampes suspendus et de la lumière rosée qui pénétrait par les fenêtres.

– Parfait – Broughton tira sa montre. Pas d'indice de poursuite ?

– Aucun, amiral.

Broughton poussa un grognement.

– Alors, allez-y, je vous prie, je monterai plus tard.

Draffen se leva et resta appuyé contre la table comme l'*Euryale* plongeait lourdement dans un creux.

– Puis-je me joindre à vous, capitaine ?

Il fit un petit signe poli à Broughton :

– Je ne me lasserai jamais d'observer des bâtiments bien menés.

– Hé, fit Broughton – Bolitho se retourna. Non, rien, faites ce que vous avez à faire.

Lorsqu'ils furent arrivés sur la dunette, Draffen remarqua tranquillement :

– Partager les appartements d'un amiral n'est pas la manière la plus facile de voyager.

Bolitho sourit :

– Vous pouvez prendre les miens si vous le souhaitez, monsieur. Je passe plus de temps dans la chambre des cartes que sur ma couchette.

L'autre hocha la tête. Il observait tour à tour les petits groupes de marins rassemblés à leurs postes dans l'attente des ordres de l'arrière.

– Sir Lucius et moi-même, Bolitho, nous venons de mondes diamétralement opposés. Mais, dans l'immédiat, il vaut mieux ignorer les différences sociales.

Bolitho oublia Draffen et les tensions qui régnaient dans la grand-chambre, et se tourna vers Keverne.

– Envoyez le signal !

Comme les pavillons montaient aux drisses et claquaient au vent, il ajouta simplement :

– Soyez paré, monsieur Partridge.

– Le *Zeus* a fait l'aperçu, monsieur !

Le bâtiment de tête venait déjà au nouveau cap. Ses huniers et son foc claquèrent un court instant avant d'être repris. La *Tanaïs* suivit, laissant un sillage fluorescent sur le côté en répondant un peu trop vivement à la barre.

Keverne leva son porte-voix. Il s'appuyait souplement contre la lisse comme pour mieux sentir évoluer le bâtiment.

– Aux bras, là-bas !

Il montrait du doigt l'une des ombres rosées au pied du grand mât.

– Monsieur Collins, prenez le nom de cet homme ! Il se traîne comme une putain au milieu d'une noce !

On entendait des voix confuses dans l'obscurité, la roue grinçait doucement. La chevelure blanche de Partridge vira au jaune lorsqu'il se pencha sur le compas.

– Déhalez-moi là-dessus, et vivement !

Les hommes étaient courbés, penchés au-dessus du pont pour

résister à la traction des énormes vergues tandis que les fusiliers viraient avec une cadence impeccable le bras d'artimon. La coque s'inclina davantage, les voiles tremblaient sous la pression du vent.

Bolitho se pencha par-dessus la lisse, fouillant du regard la longueur du pont, détaillant les divers grognements des haubans et du gréement. Ce genre d'inspection était devenu chez lui automatique, il le faisait pourtant avec l'attention la plus soutenue.

– Venez bâbord amures, monsieur Partridge.

Il leva les yeux. La marque de Broughton et la flamme qui battaient paresseusement pointèrent bientôt par tribord avant.

– En route au sudet, monsieur !

Et Partridge passa de l'autre bord de l'habitacle pour laisser Bolitho observer la rose qui dansait.

– Comme ça !

Le bâtiment répondait bien, les larges rectangles des voiles se tendaient au vent, ils étaient à leur nouvelle route.

La lumière baissait rapidement, comme toujours dans ces parages. Vous assistiez à un merveilleux coucher de soleil qui paraissait éternel, puis, subitement, rien d'autre que des embruns laiteux sous le tableau, un mouton çà et là au passage d'une risée sur une crête.

Il entendit Keverne aboyer :

– Et ce bras au vent ! Nom de Dieu, mon garçon, tournez-moi cette manœuvre ! Monsieur Weigall, vos hommes doivent s'activer un brin !

On entendait des échos de voix qui se fondaient dans les grincements du gréement et le claquement de la toile. Il imaginait le troisième lieutenant en train de maudire l'œil perspicace de Keverne, ou son intuition imparable, au choix.

Draffen avait assisté au spectacle sans rien dire. Lorsque les hommes commencèrent à se regrouper par division, il murmura :

– J'espère que je serai encore à bord quand vous aurez l'occasion de naviguer tout dessus.

Il avait l'air tout heureux.

Bolitho lui sourit :

– L'occasion a peu de chances de se présenter cette nuit, monsieur, et nous nous exposons même à prendre des ris dans les huniers. Il y a toujours danger de collision à naviguer ainsi en formation serrée.

Keverne arrivait. Il salua.

– Permission de renvoyer la bordée de repos, monsieur ?

– Oui. La manœuvre a été parfaitement exécutée, monsieur Keverne.

Une voix appelait :

– Le *Valeureux* est à poste, monsieur !

– Très bien.

Bolitho gagna le bord au vent. Les marins et les fusiliers couraient sur le pont pour regagner leurs postes dans les entreponts. Un monde confiné, exigu, où ils vivaient entre les canons qu'ils servaient au combat, où ils avaient à peine la largeur des épaules pour crocher leur hamac. Il se demanda soudain ce qu'ils pouvaient bien penser de leur nouvelle destination.

Draffen se pencha sur le compas et la lampe d'habitacle éclaira un instant son visage. Il alla ensuite rejoindre Bolitho, et ils commencèrent à arpenter lentement le pont sous les filets.

– Cela doit vous faire une impression étrange, Bolitho.

– Et quoi donc, monsieur ?

Bolitho avait presque oublié qu'il n'était pas seul dans son interminable promenade.

– Commander un navire comme celui-ci, que vous avez vous-même pris au combat.

Il continua, bien décidé à explorer plus avant un thème qui le préoccupait visiblement.

– A votre place, je me demanderais si je pourrais en fait *défendre* un bâtiment dont je me serais emparé moi-même de si haute lutte.

Bolitho fronça le sourcil.

– C'est affaire de circonstances, monsieur.

– Mais racontez-moi, je suis vivement intéressé. Que pensez-vous du vôtre ?

Bolitho s'arrêta, posa les deux mains sur la lisse de dunette. Il sentait le bois vibrer sous ses paumes, comme si cet assemblage compliqué de bois et de gréement était un être vivant.

– Il est rapide pour sa taille, monsieur, et il n'a que quatre ans. Il est très manœuvrant, sa coque est remarquablement bien construite – il lui montra l'avant. Contrairement à nos propres bâtiments de ligne, le bordé est continu à l'étrave, si bien qu'il n'y a pas de point faible sous le feu.

Draffen laissa apparaître ses dents.

– J'aime bien votre enthousiasme, il a quelque chose de rassurant. Mais je m'imaginais que vous diriez les choses autrement. Un officier-né comme vous, héritier d'une longue lignée de marins, je n'aurais pas cru que vous salueriez ainsi le travail d'un chantier ennemi – il se mit à rire. Mais on dirait que j'ai eu tort.

Bolitho se tourna vers lui.

– Les Français sont de bons architectes, ils savent dessiner des coques meilleures et plus rapides que les nôtres.

Draffen leva les mains, feignant l'effroi :

– Mais dans ce cas, comment pouvons-nous l'emporter ? Comment remporter la victoire contre des ennemis de plus en plus nombreux ?

Bolitho hocha la tête.

– Les faiblesses de l'ennemi ne résident pas dans ses bâtiments ni dans son absence de courage. Leur problème, c'est le commandement. Les deux tiers de leurs officiers expérimentés ont été massacrés pendant la Terreur. Et ils ne reprendront pas confiance en eux tant qu'ils seront coincés au port par notre blocus.

Il savait pertinemment que Draffen voulait le faire parler, mais n'en continua pas moins :

– Chaque fois qu'ils arrivent à le forcer et qu'ils se confrontent à nos escadres, ils apprennent un peu plus, prennent confiance, même s'ils ne peuvent obtenir une victoire navale. Le blocus n'est plus la bonne méthode, à mon avis. Il atteint les innocents au moins autant que ceux à qui il est destiné. Une action hardie, décisive, voilà la solution. Il faut atteindre l'ennemi partout et chaque fois que cela est possible : que l'action soit d'envergure ou pas ne compte guère.

L'officier de quart était en train d'admonester un homme pris en faute, qu'un quartier-maître bosco avait conduit à l'arrière. On l'entendait murmurer d'une voix courroucée.

Bolitho s'éloigna, Draffen sur les talons.

– Mais alors, demanda Draffen, cela se terminera par une confrontation décisive entre les deux marines majeures ?

– Je n'en doute pas, monsieur. Mais je crois également que plus nous attaquons les lignes de communication de l'ennemi, ses bases, son commerce, plus nous avons de chances de remporter une victoire durable sur terre – il sourit gauchement. En tant que marin, je souffre de devoir le dire. Mais aucune victoire ne sera totale tant que nos soldats n'auront pas planté leur drapeau sur les créneaux de l'ennemi !

Draffen eut un sourire grave.

– Vous aurez peut-être bientôt l'occasion de mettre vos théories en pratique. Cela dépend largement de ma rencontre avec l'un de mes agents. Nous sommes convenus de rendez-vous réguliers, et il faut espérer que cela lui sera possible.

Bolitho ouvrit toutes grandes ses oreilles. C'était la première fois qu'il entendait parler de rendez-vous. Broughton ne lui avait indiqué que le strict nécessaire jusqu'alors. L'escadre devait patrouiller au large de Djafou, hors de vue de terre, tandis que la *Coquette* irait explorer la zone près de la côte pour tenter de recueillir des renseignements. Tactique classique. Classique, mais désespérément terne, avait-il songé alors. A présent, avec la perspective d'obtenir d'autres éléments secrets sur le déploiement de l'ennemi, l'allure de l'opération changeait du tout au tout.

– Je suis un peu anxieux quand je pense au lendemain, reprit Draffen. Nous pourrions nous retrouver face à toute une flotte ennemie. Cela ne vous tracasse pas ?

Bolitho le regarda, mais son visage était dans l'ombre. Il était difficile de dire s'il essayait seulement de le jauger ou bien s'il voulait faire la lumière sur ce qui restait une éventualité bien réelle.

– J'ai toujours vécu dans cette ambiance de crainte, d'excitation ou d'horreur depuis que j'ai douze ans, monsieur.

Sa voix était grave, mais il finit par sourire.

– Mais jusqu'ici, je n'ai jamais vu personne prendre mes sentiments en considération et surtout pas l'ennemi !

Draffen se mit à rire.

– Je vais descendre dormir. Je vous ai dérangé trop longtemps. Mais je vous serai reconnaissant de me tenir au courant, le cas échéant.

Bolitho s'écarta un peu :

– Je vous préviendrai, monsieur. Vous *et* mon amiral.

Draffen s'éloigna en riant :

– Nous en reparlerons plus tard.

Et il disparut.

L'aspirant de quart arriva en courant pour rendre compte au lieutenant que le fanal de poupe avait été allumé. Bolitho apercevait à travers le fouillis du gréement celui de la *Tanaïs* qui brillait comme un feu follet et dont les reflets jouaient dans son sillage.

Il entendit le lieutenant répondre sèchement :

– Je trouve que cela vous a pris bien longtemps, monsieur Drury !

Le garçon marmonna une excuse.

Il n'avait pas de mal à imaginer la silhouette d'Adam Pascoe au milieu de toutes ces ombres, en lieu et place de celle du malheureux Drury.

Bolitho avait essayé de ne pas se faire de souci pour son jeune neveu, mais sa rencontre avec Inch avait rendu soudain plus cruelle, plus tangible, l'absence du garçon. Il y avait des lettres bien sûr, tant de lui que de son capitaine, Herrick, le meilleur ami de Bolitho. Mais son bâtiment, le vieil *Impulsif*, était dans le même cas que l'*Euryale* et ne se souciait donc guère de la chaleur, de l'espoir que pouvait représenter un courrier. Il arrivait même aux lettres de moisir dans le bureau d'un port en attendant l'occasion incertaine d'un retour au mouillage.

Bolitho reprit sa déambulation, essayant de se remémorer Adam comme il l'avait laissé la dernière fois qu'il l'avait vu. Il était sûrement différent à présent. Peut-être lui était-il devenu étranger ? Il accéléra le pas, soudain conscient de son inquiétude.

Ils s'étaient quittés deux ans plus tôt, le jeune homme pour rejoindre le bâtiment de Herrick et lui-même pour prendre le commandement de sa prise, l'*Euryale*, après en avoir assuré le réarmement. Il avait dix-sept ans et tentait peut-être à cette heure de devenir lieutenant. Ces deux années l'avaient-elles profondément changé ? se demanda-t-il. Était-il encore comme il avait commencé à le former ou bien allait-il dans les traces de Hugh ?

Il réalisa en sursautant que l'aspirant lui barrait le chemin. Ses yeux brillaient dans l'obscurité.

– Vous d'mande pardon, monsieur, mais l'officier de quart vous présente ses respects et, et... – il hésita sous le regard perçant du capitaine – ... et il voudrait prendre un ris. On dirait que le vent forcit, monsieur.

Bolitho l'observait toujours, l'air impassible. Il ne s'était même pas rendu compte que le bruit du vent dans les haubans avait changé. Fallait-il qu'il eût été absorbé dans ses pensées !

– Quel âge avez-vous, monsieur Drury, lui demanda-t-il soudain ?

Le garçon déglutit :

– Treize ans, monsieur.

– Je vois. Parfait. Monsieur Drury, il vous reste encore pas mal de tempêtes à essuyer d'ici à ce que vous commandiez personnellement.

– Ououi, m'sieur.

Il redoutait visiblement ce qui allait suivre.

– Et un jeune officier sans doigts risque de rencontrer de vrais problèmes. Aussi, à l'avenir, je ne souhaite pas entendre parler de votre agilité de porte-chandelle quand vous servez de cible à un escrimeur, comprenez-vous ?

– Non, monsieur – enfin, je veux dire : Oui, monsieur.

Il manqua tomber en se précipitant vers l'officier de quart, encore sous le coup que lui avait assené son capitaine avec ses dons de médium.

Keverne apparut sur le pont, son mouchoir plaqué sur la bouche. Il leva les yeux pour examiner les voiles gonflées.

– Des problèmes, monsieur ?

– Nous allons tout de suite ariser les huniers, monsieur Keverne.

Il s'efforçait de garder un ton officiel. Quelles que fussent ses pensées ou ses craintes, il ne devait rien en laisser paraître, rien partager avec ceux qui dépendaient de son jugement. Il regarda Keverne s'éloigner en hâte en boutonnant son manteau pour appeler un bosco.

Mais parfois, comme cette nuit, c'était plus difficile que tout ce qu'il avait imaginé.

VII

UNE BORDÉE

Le lendemain à midi, tous les bâtiments voguaient lentement bâbord amures, vent pratiquement de travers, vergues brassées de manière à en obtenir le meilleur rendement. Peu après les premières lueurs, ils avaient de nouveau changé de cap et se dirigeaient maintenant est-nordet, littéralement piqués à leur image réverbérée dans l'eau par un soleil qui faisait du moindre effort un enfer. L'air était une vraie fournaise et le vent lui-même, qui soufflait toujours du noroît, n'apportait ni fraîcheur ni soulagement. Au lieu de cela, il fouaillait les visages et les corps des marins comme un sable brûlant.

Bolitho écarta sa chemise de sa poitrine et se réfugia à l'ombre des filets de branle. Keverne et Partridge en avaient fini de consulter leurs sextants et commençaient à comparer leurs observations. Plusieurs des aspirants en faisaient autant, encore que, contrairement à leurs supérieurs, ils ne fussent guère partie prenante dans la solennité de ce rite.

Plus haut, sur la poupe, à l'abri d'une petite banne, la silhouette massive de Draffen arpentait le pont de gauche à droite et de haut en bas. Ses chaussures claquaient sur le plancher surchauffé.

Keverne s'approcha de Bolitho et lui dit d'un ton las :

– Cela confirme votre estime, monsieur.

Tout comme les autres officiers, il s'était débarrassé de sa vareuse et de sa coiffure. Sa chemise lui collait au corps comme une seconde peau. Il avait l'air trop épuisé pour manifester surprise ou satisfaction à voir le résultat de ses observations.

La nuit s'était passée sans histoires, l'escadre avait navigué sans encombre, et les bâtiments n'avaient eu aucun mal à tenir leurs postes. Broughton était monté sur le pont dès l'aube, chose si inhabituelle que Bolitho en avait eu la puce à l'oreille : la journée serait décisive.

Tandis que les pavillons montaient aux drisses pour signaler la nouvelle route et que débutaient les préparatifs du déjeuner et du poste de lavage, Broughton avait laissé tomber d'un ton amer :

– Il paraît qu'un des « amis » de Sir Hugo, d'ici au dîner, doit prendre contact avec nous. Par Dieu, je déteste avoir à faire confiance à l'un de ces fichus amateurs !

Il ne précisa pas s'il parlait de Draffen ou de son agent ; il avait l'air si morose que Bolitho jugea préférable de ne pas poser de question, même en y mettant les formes requises.

L'optimisme de Draffen s'était visiblement émoussé au fur et à mesure que s'écoulait la matinée. Chaque fois qu'un membre de l'équipage poussait un cri, il s'arrêtait net dans sa promenade et restait immobile jusqu'à ce qu'il eût compris que cela ne signifiait rien de précis.

– Eh bien, monsieur Keverne, fit Bolitho, nous ne pouvons rien faire pour le moment.

Deux heures plus tôt, la vigie du grand mât avait hélé le pont. Et, comme chacun levait les yeux vers son minuscule perchoir mouvant, deux cents pieds au-dessus des têtes, elle avait signalé la terre.

Malgré sa répugnance pour ce genre d'escalade, Bolitho s'était forcé à grimper aux enfléchures qui vibraient, en tête de mât. Il alla rejoindre le marin là-haut.

Les jambes serrées autour du croisillon, il avait dû se contraindre à ne pas regarder le pont, très loin sous lui, et s'était concentré sur l'opération consistant à ouvrir sa lunette. Pendant tout ce temps, la vigie sifflotait entre ses dents, sans même se donner la peine de se retenir à quoi que ce fût.

Le spectacle vous récompensait amplement de l'angoisse et de la difficulté. Là-bas, loin dans le sud, courait une longue chaîne de montagnes, irrégulière, d'un bleu de glacier dans la lumière brutale du soleil. Elle était coupée de la terre par la brume de mer et possédait une étrange beauté. La côte africaine. Les montagnes, selon son estimation, devaient se trouver à près de trente milles. Elles semblaient inaccessibles, presque irréelles.

Pour l'instant, on ne voyait plus la terre. De chaque bord, la mer dansait et brillait de millions d'étincelles réverbérées. En conséquence, les marins qui travaillaient dans les hauts ou le long des vergues devaient se déplacer précautionneusement, étant trop éblouis.

Les autres bâtiments avaient augmenté l'intervalle et toute la ligne s'était étirée, si bien que la *Tanaïs* se trouvait maintenant deux milles devant l'*Euryale*.

Broughton avait fini par admettre que, si le petit bâtiment qui portait l'agent de Draffen avait besoin de les voir, il était plus prudent d'allonger la formation. Et s'ils devaient être vus par des yeux moins amicaux, il n'était pas mauvais non plus de faire apparaître l'escadre comme la plus importante possible.

Loin sous le vent, les huniers de la corvette brillaient tel de l'acier bruni, tandis qu'elle furetait hardiment, comme un terrier qui a flairé un lapin.

Il n'y avait toujours pas trace de la *Coquette*, et ils risquaient fort de ne pas la voir de longtemps. Elle pouvait très bien être occupée à enquêter sur quelque voile loin derrière l'escadre. Elle pouvait aussi bien se trouver en fâcheuse posture face à l'ennemi.

Calvert fit son apparition sur la dunette, le front soucieux, l'air accablé par l'éclat du soleil.

– Sir Lucius vous fait ses compliments, monsieur. Il vous demande de le rejoindre dans sa chambre de jour.

Bolitho jeta un regard à Keverne, qui fit la moue et déclara :

– Peut-être y a-t-il du changement dans les plans, monsieur ?

Bolitho suivit Calvert qui se dépêchait de redescendre. Il se demandait si Keverne ne manifestait pas quelque ressentiment à être aussi peu tenu au courant. Tout comme lui-même. En entrant dans la chambre, il mit plusieurs secondes à habituer ses yeux à la pénombre. Il faisait presque froid après la chaleur qui régnait sur la dunette.

Draffen était assis près du bureau, alors que Bolitho ne l'avait pas vu quitter le pont.

– Amiral ?

Il vit Broughton debout près d'une fenêtre ouverte. Des reflets de lumière jouaient dans ses cheveux châtains. Loin sur l'arrière, le *Valeureux* tenait strictement son poste, ce qui le faisait ressembler à une maquette réalisée avec minutie qui aurait été posée sur l'épaulette de l'amiral.

– Je vous ai demandé de venir, déclara Broughton, afin d'expliquer à Sir Hugo la nécessité de garder la *Sans-Repos* avec nous et à portée de signal – il souffla profondément. Eh bien ?

Bolitho mit les mains dans son dos. En présence de l'amiral et de Draffen, tous deux impeccables comme d'habitude, il se sentait mal mis, sale. La tension entre les deux hommes était palpable et il jugea qu'ils avaient dû avoir une discussion animée avant son arrivée.

Draffen prit la parole comme si de rien n'était :

– Je dois retrouver mon agent, capitaine. La corvette est suffisamment rapide et petite pour ce faire – il haussa les épaules. Je ne peux pas être plus franc, n'est-ce pas ?

Bolitho se raidit. Ils essayaient tous deux de le mettre dans leur camp et usaient de leur opinion pour faire de lui un allié. Jamais jusqu'ici Broughton ne lui avait demandé son avis en matière de stratégie. Et, si Draffen s'était montré très confiant après leur première rencontre, il ne lui avait jamais dévoilé qu'une faible partie de ses intentions.

– Puis-je vous demander, sir Hugo, quel est le type de bâtiment que nous attendons ?

Draffen changea de position sur son siège.

– Oh, quelque chose de tout petit, un marchand arabe ou je ne sais quoi de ce genre.

Il restait assez vague, pour ne pas dire évasif.

Bolitho insista :

– Et si nous le manquons, que se passera-t-il ?

L'amiral arriva de sa fenêtre et déclara sèchement :

– Je suis supposé laisser cette escadre faire des allées et venues pendant une semaine de plus ! – il jeta un regard à Draffen. Une semaine à éviter le combat, une semaine d'incessants changements de route.

– Je sais tout cela, sir Lucius – Draffen n'avait pas bougé. Mais cette affaire exige énormément de tact et beaucoup de précautions... – il durcit le ton – ... tout autant que le soin apporté à la manœuvre judicieuse de vos bâtiments.

Bolitho s'avança.

– Je comprends votre souci, sir Hugo.

Il avait parfaitement conscience de se retrouver coincé entre deux hommes aussi puissants que déterminés. En dehors de la marine, il n'avait eu que peu de contacts avec des gens de cette sorte et s'en voulait de ne pas les comprendre, de ne pas saisir leur vocabulaire, si différent du sien.

– Dans notre petite escadre, nous avons quelque trois mille hommes et officiers à nourrir chaque jour que nous sommes à la mer. Et je ne parle pas des deux galiotes. Sous ce climat, l'eau douce va devenir un réel problème. A moins que nous n'ayons accès à une source de ravitaillement, il nous faudra rentrer à Gibraltar sans avoir rempli notre mission.

Draffen hocha la tête.

– Je suis désolé, capitaine, vous avez raison. Un terrien a toujours tendance à croire qu'un bateau n'est qu'un bateau et à oublier les hommes, des bouches à nourrir, tout comme ceux qui, plus chanceux, sont restés à terre.

Broughton le regardait avec des yeux ronds :

– Mais c'est exactement ce que je viens de vous dire !

– Il ne s'agit pas de ce que vous m'avez dit, sir Lucius, mais de votre manière de le dire !

Il se leva, les regarda tour à tour.

– Cependant, je dois vous demander de signaler à la *Sans-Repos* de ne pas s'éloigner du vaisseau amiral. Votre pilote m'a assuré que le vent restera stable pendant un bout de temps – il regarda Bolitho : C'est aussi votre avis, j'imagine ?

Bolitho acquiesça :

– Cela paraît probable, monsieur, mais on n'est jamais sûr de rien.

– Il faudra s'en contenter. Je vais passer à bord de la corvette et me rapprocher de la côte. Si je ne parviens pas à établir le contact avec mon agent d'ici le crépuscule, je rallierai l'escadre.

Broughton se frottait le menton du dos de la main.

– Et dans ce cas, nous poursuivrons vers Djafou comme prévu ?

Draffen hésita un peu avant de répondre :

– Je pense que oui.

L'amiral esquissa un sourire.

– Faisons ainsi – il claqua des doigts pour appeler Calvert qui était resté du côté le plus éloigné de la chambre : Signalez à la *Sans-Repos* de rallier immédiatement.

Puis il se mit sans prévenir à arpenter la toile à damiers qui couvrait le pont.

– Vous ferez également un signal au *Valeureux*.

Bolitho jeta un coup d'œil à l'aide de camp qui prenait furieusement des notes dans son calepin. Pourvu qu'il n'écrivît pas trop de bêtises !

– Euh, le *Valeureux* prendra le commandement de l'escadre en gardant la même route. L'*Euryale* ira établir le contact avec la *Sans-Repos* – il lança un bref sourire à Draffen. Cela nous fera gagner du temps et vous donnera quelques heures de… de recherche en plus.

Et se retournant vers Calvert :

– Eh bien, par le diable, qu'attendez-vous ? Allez envoyer ces signaux immédiatement !

Lorsque la porte se fut refermée derrière lui, il ajouta :

– Quel imbécile ! Il serait parfait à faire le joli cœur dans Saint-James, mais il m'est aussi utile qu'un tailleur aveugle !

Draffen se leva pour se diriger vers sa chambre qui se trouvait en face de celle, plus vaste, de l'amiral.

– Je vais me changer avant de partir – il regardait Broughton, très calmement. Je ne voudrais pas me faire placer dans la même catégorie que Calvert par le commandant de cette corvette.

Broughton attendit qu'il fût parti pour s'emporter :

– Mon Dieu, je sens que ma patience s'épuise.

– Je monte m'occuper du changement de route, amiral.

– Oui – Broughton le regardait, l'air assez distant. Je ne serai heureux que lorsque nous serons à Djafou.

Bolitho se hâta vers la dunette, où la chaleur lui tomba dessus comme une pluie de charbons ardents.

Après avoir jeté un rapide coup d'œil à la flamme puis au compas, il ordonna :

– Rappelez l'équipage, monsieur Keverne. Nous allons virer de bord, vous enverrez ensuite les perroquets.

Les vrilles des sifflets retentirent aussitôt, les hommes se ruèrent dans un grondement de pieds nus pour surgir en plein soleil, ne s'arrêtant qu'un instant pour essayer de comprendre la cause de toute cette excitation.

Sur l'arrière, le *Valeureux* envoyait déjà de la toile. L'aperçu au signal de Broughton redescendait, la misaine se gonflait dans le vent. Cet ordre allait plaire à son capitaine, se dit Bolitho. Furneaux n'avait jamais trop aimé ce poste à l'arrière de la ligne, l'ordre qu'il venait de recevoir montrerait aux autres la place qu'il occupait dans l'estime de Broughton.

Il les oublia en entendant l'aspirant Tothill crier :

– La *Sans-Repos* a fait l'aperçu, monsieur !

Et il observait, l'air désespéré, Calvert qui lui tournait le dos, plongé dans le livre des signaux comme si c'était de l'arabe.

– Très bien, monsieur Partridge, lui dit Bolitho en souriant, nous allons voir s'il aime jouer avec le vent.

Les hommes s'étaient rassemblés sous les passavants et au pied des mâts.

– Allons-y, monsieur Keverne.

– Du monde aux bras !

Partridge baissa la main, les timoniers se jetèrent sur les manetons et commencèrent à tourner la roue.

– A hisser !

La voix de Keverne était métallique, comme irréelle dans son porte-voix.

– Allez, hissez-moi ça, bande de vieilles bourriques !

Craquant, protestant, les grandes vergues commencèrent à pivoter et la coque plongea plus lourdement dans la houle lorsqu'ils quittèrent la ligne. En haut, les voiles faseyèrent un instant dans la plus grande confusion. Bolitho entendait les maîtres gabiers houspiller leurs hommes dans un concert de menaces et de jurons. Les perroquets dérabantés se détachaient de leurs vergues en fouettant, avant de se tendre en rectangles nets et sombres dès que la toile eut pris le vent. Ils tiraient sur les poulies et sur le gréement, tentaient de s'emparer d'un gabier distrait pour le faire tomber de son perchoir jusque sur le pont.

– Venez au sud-sudet !

Campé sur ses jambes, Bolitho sentait le pont vibrer sous ses pieds. Les voiles poussaient le bâtiment en avant puis en pente dans de grands creux. Les embruns jaillissaient joyeusement au-dessus de la figure de proue avant d'éclater parmi les hommes occupés aux écoutes des voiles hautes. Dans un tambourinement de pieds nus, les hommes couraient de partout sur le pont et attendaient les ordres.

Pratiquement vent arrière, ils taillaient rapidement la route. Le pont oscillait largement bord sur bord au lieu de rester appuyé à la gîte comme au près.

Bolitho leva les yeux en se demandant à quoi ils pouvaient ressembler, vus de la *Sans-Repos*. La corvette peinait contre le vent et le changement d'avis de Broughton lui avait épargné, ainsi qu'aux autres, beaucoup de peine. Bolitho savait que Broughton en avait probablement décidé ainsi pour de tout autres raisons, et qu'il avait tout simplement essayé de se débarrasser de Draffen, même temporairement.

Mais enfin, pour quelques instants, il pouvait savourer son bonheur. L'*Euryale* se comportait magnifiquement et il évoqua même un instant l'idée de faire établir les cacatois par Keverne. Cependant cet étage supplémentaire de toile risquait tout simplement de les rendre visibles à quelque ennemi dissimulé derrière l'horizon.

Il se retourna en entendant Draffen arriver.

– Vous vouliez le voir naviguer, monsieur ?

Draffen observait attentivement les haubans tendus, vibrants, les voiles gonflées à bloc. Il jouissait de tout ce qu'il voyait, même s'il n'en comprenait pas toutes les finesses.

– Quel seigneur, Bolitho ! Voilà qui vous paye de tous vos ennuis.

Bolitho remarqua qu'il portait une vareuse vert clair et un pantalon flottant. Il aperçut aussi sous la veste un éclat de métal. Draffen était visiblement habitué à porter un pistolet, et semblait tout à fait capable de s'occuper lui-même de sa personne.

Il s'abrita les yeux pour observer la *Sans-Repos*, essayant de comprendre ce que faisait la corvette qui était maintenant vent de travers, voiles faseyantes. Elle partit presque à culer avant de reprendre le vent sous sa nouvelle amure.

Bolitho passa à tribord pour observer l'escadre. La soudaine accélération de l'*Euryale* les avait pour ainsi dire rassemblés en une sorte de fouillis informe qui donnait à l'ensemble l'aspect de quelque horrible monstre. Il appela son second :

– Monsieur Keverne, nous réduirons la toile d'ici à trente minutes. La *Sans-Repos* peut rester sous notre vent le temps que Sir Hugo passe à son bord.

Plus tard, l'*Euryale* mit en panne. Sa coque roulait lourdement dans la longue houle, ses voiles battaient dans un bruit de tonnerre. Broughton monta sur le pont pour assister au départ de Draffen, qui allait embarquer dans le doris de la corvette.

– Bonne chose de faite, lança-t-il, l'air assez content.

Bolitho vit Draffen se retourner pour lui faire un grand signe en montant à bord de la corvette.

– Je souhaiterais mettre cap au nordet, amiral. Cela nous fera gagner du temps lorsque nous irons rejoindre l'escadre.

Broughton attendit pour se détourner de la corvette que ses huniers fussent pleins et qu'elle eût commencé à s'éloigner de son énorme conserve.

– Très bien, répondit-il en le regardant fixement, je suppose que vous ne supportez pas l'idée de reprendre votre place dans la ligne si vite après cette brève escapade ?

Il se mit à sourire :

– Du moins cela ne fera-t-il pas de mal à Furneaux d'exercer son pouvoir un peu plus longtemps.

Bolitho se dirigea vers Keverne qui observait toujours la corvette.

– Nous allons venir au nordet, monsieur Keverne, bâbord amures. Rappelez donc l'équipage, après quoi ils auront leur repas. J'imagine que toutes ces activités auront mis les hommes en appétit…

C'est alors qu'il aperçut, à moitié sorti de la grande écoutille, le coq, un géant barbu extrêmement laid à qui manquait un œil.

– … Encore que j'aime mieux ne pas penser à ce qu'il met parfois dans les plats.

Et il retourna au vent. Une fois encore, les marins fourmillaient dans les enfléchures puis sur les marchepieds. Broughton l'avait percé à jour plus qu'il ne croyait. Indépendance et initiative, lui avait dit un jour son père, sont les deux biens les plus précieux d'un capitaine. Maintenant qu'il commandait un vaisseau amiral et qu'il était soumis aux dures contraintes d'une escadre, il comprenait trop bien ce qu'il avait voulu dire.

Il repensa soudain à la demeure de Falmouth, aux deux portraits accrochés face à la fenêtre. Et il fut bouleversé de voir qu'il pouvait y penser sans douleur ni amertume. C'était comme s'il y avait quelqu'un là-bas, qui attendait son retour.

Keverne revint le voir, le visage impassible.

– Cet après-midi, monsieur, nous avons deux séances de punition.

– Quoi ? fit Bolitho en le regardant avant d'acquiescer : Très bien.

Ce moment de paix était terminé. Et se dirigeant vers la lisse de dunette, il pria le ciel de lui en accorder d'autres.

A six heures du soir ce même jour, Bolitho était assis à son bureau et regardait ce qui se passait par les fenêtres de poupe, l'esprit occupé par les affaires du bord. Trute, garçon, posa un pot de café près de lui et s'en fut sans dire un mot. Il avait fini par s'habituer à l'étrange humeur du capitaine, à son besoin d'être seul, fût-ce pour se verser lui-même du café. C'était comme son désir d'avoir son bureau tourné vers l'arrière ou d'y prendre son souper au lieu de se faire servir à la belle table de la chambre adjacente. Trute, qui avait servi trois capitaines, n'avait encore jamais rien vu de pareil. Les autres exigeaient d'être obéis au doigt et à l'œil, à toute heure du jour ou de la nuit. Ils se montraient extrêmement durs lorsque quelque chose leur avait déplu. Trute avait fini par penser que, bien qu'il trouvât en Bolitho un maître qui le considérait et se comportait honnêtement, il s'était senti plus à l'aise avec les autres. Au moins, avec eux, on savait la plupart du temps ce qu'ils pensaient.

Bolitho avala une gorgée de café bouillant. Quand cela allait-il devenir un luxe, parmi tant d'autres produits ? Il n'y avait jamais moyen d'avoir l'esprit tranquille avec ces questions de vivres et d'eau douce à bord, lorsqu'il fallait sans cesse se demander quelle était la marge de sécurité.

Il entendit les coups que l'on piquait à la cloche, des bruits de pas plus bas. Sans doute un officier marinier surpris à somnoler et qui s'activait avant la fin du dernier quart de jour.

Bolitho avait eu un après-midi particulièrement chargé. Soulagé des soucis de l'escadre, il avait décidé de se consacrer aux affaires du bord ; aussi avait-il été assailli par une procession ininterrompue, tant on avait besoin de le voir.

Grubb, le charpentier, homme grisonnant, pessimiste invétéré qui traquait en permanence l'ennemi numéro un de tous les bâtiments : la pourriture. Ce n'était pas que, lors de son excursion journalière, où il fouinait comme une taupe dans les fonds qui n'avaient jamais vu ni ne verraient jamais d'autre lumière que la lueur du fanal, il en eût découvert la moindre trace. Il voulait simplement s'assurer, semblait-il, que Bolitho était bien conscient de tous les efforts qu'il déployait pour son compte. Et cela prenait du temps.

Il avait ensuite accordé plusieurs minutes à Clode, le tonnelier, suite aux plaintes du commis concernant plusieurs barils d'eau douce. Cela dit, Nathan Buddle, ledit commis, se plaignait en permanence de tout et de rien, pourvu que la plainte ne touchât pas son propre service. C'était un homme chétif, couleur muraille, à la peau toute parcheminée, qui avait toujours l'air d'un animal traqué. Bolitho le soupçonnait de cacher des choses sans rapport avec l'état des barils. Pour être franc, il n'avait jamais rien trouvé de répréhensible dans les comptes quotidiens de Buddle. Pourtant, comme tous les gens de cette espèce, il fallait le surveiller de près.

Enfin, ainsi que Keverne lui en avait rendu compte plus tôt, deux hommes devaient subir leur punition à l'arrière, sous le regard, comme toujours, de tous ceux qui n'avaient rien de mieux à faire.

Bolitho avait beau savoir que l'on ne pouvait y couper, il n'en détestait pas moins ce genre de spectacle. On n'en voyait pas le bout : les caillebotis à gréer, les coupables arrimés serré, sa propre voix lisant les articles du Code de justice maritime par-dessus le fracas du vent et des voiles… Quant à la punition en tant que telle, elle ne suscitait jamais dans l'assistance qu'un intérêt parcimonieux.

Le premier puni, condamné à recevoir douze coups, avait été pris en flagrant délit de vol au détriment d'un camarade. Tout le monde devait penser qu'il ne s'en tirait pas si mal, si l'on songeait au châtiment que lui réservaient ses compagnons et que seul avait détourné de lui l'intervention fort opportune du caporal d'armes. Bolitho avait entendu parler de cas où semblables vols avaient valu à leur auteur d'être passé nuitamment par-dessus bord, quand il ne se retrouvait pas amputé de la main qui lui avait servi à commettre son forfait.

Le second coupable avait écopé de vingt-quatre coups pour négligence en service et insolence. Les deux motifs avaient été inscrits par Sawle, le benjamin des lieutenants du bord. Dans cette affaire, Bolitho ne se sentait pas exempt de tout reproche. Il avait promu Sawle six mois plus tôt mais si, lors de la maladie de l'amiral Thelwall, les affaires de l'escadre ne lui avaient pas mangé tout son temps, oui, il le savait à présent, il y aurait regardé à deux fois. Sawle avait manifesté les qualités d'un bon officier, mais en surface seulement. Agé de dix-huit ans, il avait l'air maussade et Bolitho avait demandé à Keverne de s'assurer que sa tendance à s'en prendre à ses subordonnés ne dépassait pas les limites du tolérable. Keverne avait peut-être fait de son mieux, à moins qu'à ses yeux Sawle ne pût bien se comporter comme il l'entendait dès l'instant qu'il s'acquittait convenablement de l'ensemble de sa tâche.

Quoi qu'il en fût, le dos ensanglanté du marin rappellerait amèrement à Bolitho qu'il lui faudrait à l'avenir surveiller Sawle en permanence. C'était l'un de ses officiers, il lui fallait donc confirmer son autorité. Toujours est-il que, si Meheux, le second lieutenant, homme sympathique et chaleureux, ou encore Weigall, troisième lieutenant, avaient été à la place de Sawle, l'incident n'aurait pas dégénéré. Meheux était populaire à bord, peut-être à cause de son robuste humour du Nord. Il avait la réputation méritée de prendre un ris ou de faire une épissure aussi bien qu'un matelot et l'affaire ne serait pas allée plus loin qu'une franche explication d'homme à homme. Weigall, qui avait la stature, mais hélas aussi la cervelle, d'un lutteur de foire, aurait envoyé au coupable un coup de poing dont il se serait souvenu, avant de tourner la page. Weigall était plutôt aimé des hommes de sa bordée, mais ils l'évitaient pour la plupart. Il était responsable de la batterie milieu et le malheureux avait perdu l'ouïe au cours d'un engagement contre un briseur de blocus. Il lui arrivait de s'imaginer que ses hommes parlaient de lui derrière son dos et, du coup, il leur infligeait sur-le-champ un supplément d'exercice.

Bolitho se carra dans son siège et contempla le sillage de l'*Euryale*, que le vent faisait bouillonner. Ils gardaient la direction du nordet.

Il se versa encore un peu de café en faisant la grimace. Il allait être bientôt l'heure de virer et d'envoyer davantage de toile pour retrouver l'escadre, ce qui ne devait pas soulever de grosses difficultés. Cet après-midi puis cette soirée de liberté relative lui avaient donné le temps de réfléchir et de reconsidérer les choses, d'observer ses proches, dont il était malgré tout séparé par le grade et la situation. Broughton l'avait laissé totalement seul et Calvert lui avait donné à entendre que l'amiral avait consacré le plus clair de son temps à étudier les cartes et à relire ses ordres secrets, comme s'il voulait vérifier s'il n'avait pas omis quelque chose.

Quelqu'un frappa à la porte et le fusilier de faction aboya :

– L'aspirant de quart, monsieur !

C'était Drury, qui avait écopé d'un quart de rab après l'histoire du fanal.

– Mr. Bickford vous présente ses respects, monsieur, et il faudrait que vous veniez sur le pont, je vous prie.

– Et pourquoi cela, monsieur Drury ? J'ai peur que vous n'ayez oublié l'essentiel…

Drury avait l'air horriblement confus.

– Une voile, monsieur, dans le noroît.

Bolitho sauta sur ses pieds.

– Merci.

Et il se précipita vers la porte en ajoutant :

– Je demanderai à Trute de vous faire visiter ma chambre, monsieur Drury, mais pour l'instant, nous avons du pain sur la planche.

Drury rougit violemment et se précipita derrière lui, si bien qu'ils arrivèrent ensemble sur le pont.

Bickford, quatrième lieutenant, était un homme qui prenait son métier très au sérieux, mais manquait totalement d'humour.

– La vigie vient de signaler une voile, monsieur, dans le noroît.

Bolitho gagna le bord au vent pour scruter l'horizon. La ligne bien marquée et brillante comme du métal faisait songer au fil d'un sabre. Le vent n'avait pas varié, c'était toujours ça de pris, il pouvait tout aussi bien tourner à l'ouragan avant l'aube. Il leur faudrait alors un certain temps pour retrouver l'escadre et pour prendre contact avec Draffen à bord de la *Sans-Repos*.

Bickford prit son silence pour de l'indécision.

– Je crois que c'est la *Coquette*, monsieur – il élevait le ton pour impressionner Drury et l'autre aspirant. Je pense que c'est l'hypothèse la plus probable.

Bolitho leva les yeux, examina un instant les huniers gonflés à bloc, la flamme raidie comme un gigantesque fouet. Cette montée atroce, le terrible tremblement des haubans.

– Je vois, monsieur Bickford, merci.

Le lieutenant acquiesça, confirmé dans son opinion.

– C'est pourquoi il arrive seul et sans se méfier de rien, monsieur.

Keverne qui arrivait par l'échelle de dunette se précipita vers lui. Bolitho observait toujours les vergues.

– Monsieur Keverne, montez donc voir là-haut avec une lunette, aussi vite que vous pourrez. Nous avons un bâtiment sous le vent, il est peut-être tout seul – un coup d'œil à Bickford : Ou peut-être pas.

Et, à voir soudain se raidir Bickford et les autres, il devina que Broughton était monté sur le pont.

– Ah, Bolitho, pourquoi ce remue-ménage et toute cette excitation ?

– Une voile, amiral.

Et il lui indiqua l'horizon au-dessus des filets.

– Hmmm.

Broughton se tourna pour regarder. Keverne avait déjà entrepris son escalade.

– Qui est-ce ?

– Je crois qu'il s'agit de la *Coquette*, amiral, fit vivement Bickford.

Broughton ne cilla même pas en répliquant à Bolitho :

– Voudriez-vous rappeler à cet officier que si, par un malheureux hasard, je n'avais besoin de rien, je ne manquerais pas de faire appel à lui ?

Bolitho lui répondit en souriant, alors que Broughton se mêlait aux officiers rassemblés près de la lisse :

– Je lui en ferai part, amiral.

Il n'arrivait pas à comprendre comment tous faisaient pour rester aussi calmes. En dépit de l'intérêt moyen que manifestait Broughton, son cerveau bourdonnait de questions et de calculs. Il serait intéressant de voir si, cette fois-ci, il allait demander l'avis de son capitaine de pavillon.

Keverne redescendit sur le pont en se laissant glisser le long d'un pataras et se précipita vers eux, visiblement tout excité.

– Un bâtiment marchand, monsieur, mais bien armé, je dirais une cinquantaine de pièces. Il est vent arrière mais ne porte pas de cacatois.

Il s'aperçut enfin que Broughton le regardait et ajouta :

– Un espagnol, amiral, y a pas de doute.

Broughton se mordait les lèvres :

– La peste soit de ce gaillard.

– Même sans cacatois, nous pourrions avoir du mal à le rattraper, amiral – Bolitho réfléchissait tout haut. Mais si nous parvenons à le prendre, il pourrait nous fournir des renseignements.

Il se tut pour voir la réaction de Broughton.

– Des renseignements qui vous reviendraient et que vous pourriez partager comme vous le jugeriez convenable.

Il avait bien jugé : Broughton fit demi-tour, les yeux brillants.

– Par Dieu, je vois déjà la tête de Sir Hugo quand il reviendra les mains vides et nous demandera si nous avons des nouvelles – il poussa un soupir. Mais cela servirait à quoi ? Le temps que vous fassiez changer de route à ce pachyderme, l'espagnol aura pris la fuite pour rentrer chez lui. Je ne peux pas me permettre de me lancer dans une poursuite trop longue et qui m'entraînerait trop loin de l'escadre.

– Je crois que nous avons oublié un détail important, amiral, reprit Bolitho – il frappa du poing dans la paume. D'une certaine manière, Mr. Bickford n'a peut-être pas tort.

Il regardait les autres en souriant. Bickford s'était reculé, de peur sans doute de subir une nouvelle réprimande.

– Cet espagnol, poursuivit Bolitho, cet espagnol doit croire que l'*Euryale* est français !

Il fixait Broughton, dont l'expression passait du doute et du dépit à un timide espoir.

– Et pourquoi pas, amiral ? Après tout ce temps, ils ne s'attendent probablement pas à voir un bâtiment anglais isolé en Méditerranée. En outre, ils n'ont certainement pas eu le temps d'être avertis de notre départ du Rocher.

Broughton s'approcha des filets et grimpa légèrement sur une bitte. Il fixait l'horizon, comme pour contraindre le navire à se montrer.

– Le bâtiment est toujours vent arrière, monsieur ! cria la vigie.

Broughton revint sur la dunette en se frottant le menton.

– Il nous a certainement vus ! Les Espagnols eux-mêmes ne sont pas aveugles à ce point !

– Mais le temps de réduire la toile ou de virer de bord, répondit Bolitho, il saura qui nous sommes.

– Allez donc au diable, Bolitho ! Vous me faites espérer quelque chose et puis vous jouez les rabat-joie !

– Je le vois, monsieur ! Deux quarts sur l'avant du travers !

C'était Drury, accroché à un hauban, la lunette rivée à l'œil.

Bolitho se saisit d'un instrument dans le râtelier et essaya de le stabiliser en dépit des mouvements du bâtiment. Puis il le vit, silhouette claire sur l'horizon qui courait toutes voiles dehors. Son patron profitait de la bonne brise.

– Il arrive vite, amiral.

Monter lui-même dans les hauts ? Il abandonna l'idée et demanda à Keverne :

– Vous disiez : cinquante canons, monsieur Keverne ?

– Oui, monsieur, j'en ai déjà vu de semblables. Ils sont bien armés pour se défendre contre les pirates et ce genre de choses. Nous finirions par le rattraper, mais je doute que nous soyons aussi manœuvrants.

– Tout ceci ne nous mène à rien, fit sèchement Broughton.

– Nous devrions l'attirer à courte distance, amiral.

Bolitho se dirigea d'un pas vif vers la barre, revint.

– Mais il nous faut garder l'avantage. Sans le vent pour nous, nous allons rapidement nous retrouver sur son arrière.

– Et si on montrait le pavillon des Grenouilles, monsieur ? suggéra Partridge.

L'amiral frappa dans ses mains, excédé :

– C'est beaucoup trop simple !

Et voyant le capitaine Giffard et son adjoint appuyés à la lisse de poupe, occupés à pointer des lunettes sur le nouvel arrivant, il ajouta :

– Faites dégager ces officiers hors de ma vue ! Des tuniques rouges sur un vaisseau français, mais à quoi pensez-vous, Giffard ?

Les deux fusiliers disparurent comme par magie.

– Un homme à la mer, amiral, fit lentement Bolitho.

– Eh bien, quoi ? – Broughton le regardait comme s'il avait prononcé une insanité. Quoi, un homme à la mer ?

– La seule circonstance dans laquelle un bâtiment vire de bord sans prévenir.

Broughton ouvrit la bouche, la referma. Il n'arrivait plus à dominer l'incertitude et les doutes qui l'envahissaient.

– Il nous faudrait un bon nageur, insista doucement Bolitho. L'armement du doris, nous pourrions le récupérer plus tard – il hocha la tête. Ça vaudrait la peine d'être tenté, amiral.

Broughton réfléchissait en silence.

– Cela pourrait marcher. Donnez-nous le temps de… – il frappa du pied. Mais oui, par Dieu ! Nous allons essayer !

Bolitho respira un grand coup.

– Monsieur Keverne, rentrez la grand-voile de misaine, nous resterons sous focs et huniers. La chose est assez classique à cette allure et ne devrait guère susciter de surprise.

Keverne courut exécuter l'ordre, il se retourna vers Partridge :

– Quand nous aurons rentré la misaine, nous allons perdre un peu d'erre. Je n'ai pas envie de passer trop sur son avant.

Partridge hocha du chef en souriant, son triple menton dodelinant contre sa cravate. Il avait été vexé de la réaction de

Broughton à sa première suggestion, mais semblait avoir retrouvé sa bonne humeur.

La grand-voile de misaine faseyait déjà et prenait le vent à contre, des marins s'activaient aux écoutes et aux drisses, pressés par Keverne qui leur donnait ses ordres au porte-voix.

Quand le second vint rendre compte que la voile était rentrée et rabantée, Bolitho lui ordonna :

– Envoyez en haut un officier marinier expérimenté pour observer l'espagnol et rendre compte du moindre indice d'alerte. Vous pourrez ensuite renvoyer les hommes en bas. Nous ne pourrons pas rappeler aux postes de combat sur le pont principal, il faut donc agir vite et bien. Je ne veux pas que les hommes risquent d'être blessés par des éclats de bois ou des espars sans raison valable.

Comme Keverne s'en allait, Broughton demanda sèchement :

– Cela va durer combien de temps ?

– Une heure au plus, amiral. Je vais remonter d'un rhumb, cela nous aidera.

– Il fera trop sombre pour voir quoi que ce soit d'ici trois heures – Broughton hocha tristement la tête. Il vaudrait mieux en avoir terminé.

L'amiral s'apprêtait à regagner l'arrière, mais il s'arrêta pour ajouter d'une voix douce :

– Si vous mettez mon vaisseau amiral hors d'état, Bolitho, je ne vous laisserai aucun espoir.

Bolitho se tourna vers le pilote :

– Revenez d'un rhumb dans le vent.

Puis il s'obligea à reprendre sa marche du bord au vent, les mains croisées dans le dos. Si l'*Euryale* était mis hors de combat, il n'y aurait à vrai dire aucun espoir pour eux tous.

Bolitho pointa sa lunette sur l'autre bâtiment. Depuis qu'il avait émergé au-dessus de l'horizon et que l'*Euryale* avait rappelé aux postes de combat, il avait espéré quelque signe d'alerte ou de reconnaissance, mais le bâtiment maintenait toujours sa route et se trouvait à présent à moins de deux milles. Si l'*Euryale* continuait ainsi, l'espagnol allait lui passer environ un mille sur l'arrière.

Il était exactement tel que Keverne l'avait décrit. Un deux-ponts, portant toute la toile nécessaire, qui taillait bien sa route. Les embruns pleuvaient au-dessus de sa figure de proue rouge et bleu et montaient jusqu'à la grand-voile de misaine bien gonflée. Il discernait tout juste un artimon à l'ancienne mode, une voile triangulaire, au-dessus d'un tableau arrière sculpté. Des éclairs de lumière brillaient parfois, sans aucun doute des officiers qui les observaient à la lunette et se demandaient quelles étaient ses intentions.

– Il se rapproche, monsieur, fit Keverne, l'air sinistre.

Bolitho s'approcha de la lisse de dunette et vit un grand gaillard debout au milieu d'un groupe de marins qui bavardaient.

– Paré, Williams ?

L'homme lui fit un clin d'œil, et répondit avec un grand sourire :

– Oui, monsieur.

Bolitho lui adressa un signe de tête. L'homme s'était visiblement fait traiter au rhum par des âmes bien intentionnées. Pourvu qu'ils n'eussent pas abusé, sans quoi la ruse tournait rapidement à l'immersion funéraire.

– Passez le mot aux entreponts, monsieur Keverne – il retourna au vent et observa un instant l'autre bâtiment. Faites charger tribord à double charge et assurez-vous qu'ils ne mettent pas en batterie sans ordre. La vue d'une seule gueule en train de flairer le vent suffirait à faire s'enfuir nos amis.

Comme Keverne appelait un aspirant, Bolitho fit signe à l'enseigne de vaisseau Meheux qui commandait sur le pont supérieur. Il était occupé à inspecter ses pièces et son gros visage tout rond était renfrogné, ce qui était inhabituel.

– N'ayez crainte, monsieur Meheux, vos équipes auront suffisamment de travail d'ici peu. Mais si on les voit en train de charger et de larguer les palans, notre ruse fera long feu.

Meheux salua et reprit son air dépité.

Allday, qui arrivait en courant, traversa la dunette et tendit son sabre à Bolitho, lequel leva les bras pour le laisser boucler son ceinturon.

– J'ai expliqué au patron du canot ce que vous attendiez de lui, commandant – il sourit. Et ce qui l'attend s'il rate son affaire !

Bolitho fronça le sourcil : l'espagnol allait passer plus loin sur l'arrière qu'il n'avait estimé. C'était maintenant ou jamais.

– Parfait, Williams, allez-y !

Le gros marin grimpa sur le passavant bâbord, l'air extrêmement déterminé, et se pencha par-dessus la lisse.

– Mon Dieu, murmura froidement Keverne, il donne là le meilleur de ses capacités !

– Ça y est, il est parti !

Partridge se hâta de retourner à son poste près de la roue au moment même où Williams, d'une violente traction, disparaissait derrière la lisse.

Bolitho courut aux filets comme on criait : « Un homme à la mer ! » Cette alarme sortit les hommes du canot de leur nonchalance. Il respira mieux en voyant la tête du matelot réapparaître à la surface tout près du bord.

– Hunier d'artimon à contre, monsieur Keverne ! hurla-t-il. Mettez le canot à la mer !

Il avait craint que, poussé par son enthousiasme, Williams n'eût mal calculé le moment de sa chute. Le retour de muraille du gros trois-ponts lui aurait facilement cassé le bras ou la tête s'il n'y avait pris garde.

Il détourna le regard de la confusion apparente qui régnait. L'armement du canot se précipita dans l'embarcation encore saisie sous son portemanteau, tandis que là-haut le hunier d'artimon, avec un grand vacarme, claquait contre le mât et sa vergue, agissant comme un frein sur une voiture désemparée, le temps qu'il fallait pour que l'espagnol s'en rendît compte. Lequel espagnol n'était plus qu'à deux encablures du point où il allait franchir le sillage de l'*Euryale*. Il voyait des silhouettes courir le long du gaillard d'avant, comme pour mieux jouir du dramatique spectacle.

Bolitho leva le bras :

– Attention ! paré à virer !

La vergue d'artimon reprenait déjà sa position initiale en grinçant, tandis que les matelots jusqu'ici dissimulés sous les passavants couraient à leurs postes, encouragés par les cris des équipes de pièces.

– Paré, monsieur ! répondit Partridge.

– La barre dessous !

Bolitho pointa sa lunette sur l'espagnol : apparemment aucun signe d'alarme.

– La barre dessous, monsieur !

A l'avant, les écoutes avaient déjà été choquées en grand et la coque commença à pivoter doucement en remontant lentement, très lentement, dans le lit du vent. Keverne houspillait les hommes aux manœuvres pour les contraindre à déhaler encore plus alors qu'ils peinaient, basculés en arrière, jurant, haletant, les yeux levés vers les vergues.

Les voiles battaient à grand fracas et, tandis que son bâtiment continuait à virer, Bolitho constata, sur l'autre, une soudaine activité à l'arrière . Un officier faisait de grands gestes, montrait du doigt ses hommes toujours groupés autour des bossoirs.

– A larguer écoutes et amures !

Bolitho dut s'abriter les yeux pour voir ce qui se passait en haut, dans le fatras de voiles et de haubans où les gabiers se ruaient vers les vergues de cacatois afin d'être prêts pour la seconde partie de l'attaque. Il lui fallut retenir son souffle encore un instant. Le vent était encore bien établi et pourrait au pire abattre les mâts de hune ou laisser le lourd vaisseau travers au vent et sans erre.

Mais la flamme flottait toujours, le navire répondait et passait le lit du vent comme un mammouth bien dressé.

– A border ! ordonna Keverne, qui n'avait pas quitté des yeux les équipes de pont. Souquez-moi là-dessus !

Lentement mais sûrement, les grandes vergues commencèrent à obéir aux bras jusqu'à ce que, dans un roulement de tonnerre, les voiles finissent par se gonfler, emplies de vent, tandis que le pont basculait à la gîte sous la nouvelle amure.

Bolitho avait les yeux rivés sur l'espagnol, qui reculait à travers le fouillis du gréement de misaine jusqu'à se retrouver paré par le travers tribord et non plus en sécurité sur bâbord.

Il n'y avait aucune trace du canot ni du nageur, et il trouva le temps d'espérer que quelqu'un veillait sur eux.

– Transmettez, monsieur Keverne : batterie basse en batterie !

Tandis que les mantelets se levaient, il entendit le grondement familier et les gémissements des affûts. Il imaginait aisément les hommes pestant et jurant en bas alors qu'ils devaient manipuler les énormes charges sur le pont incliné, vers la lumière.

– Montrez nos couleurs, monsieur Tothill !

La voix de Broughton le fit se retourner :

– Voilà un bien beau virement de bord, Bolitho, j'ai cru que vous alliez tout casser.

Il était monté sur le pont, vêtu de sa vareuse à galons d'or et portant son magnifique sabre, comme pour une inspection.

Il y eut une grande explosion, un nuage de fumée s'échappa à l'arrière de l'espagnol. Il avait dû conserver une pièce chargée et parée, songea Bolitho, qui ne vit cependant pas où le boulet était tombé.

– A envoyer les cacatois, monsieur Keverne, je crois que ce gaillard a l'intention de nous tirer sa révérence !

Les deux bâtiments étaient en route parallèle, l'*Euryale* à deux encablures sur l'arrière.

Un autre bruit de départ, quelqu'un poussa un hurlement, le boulet passa à travers le hunier de misaine avant de tomber à la mer loin au vent.

L'espagnol avait un arrière à l'arrondi prononcé et Bolitho devina qu'il devait y avoir là quelques pièces dissimulées afin de le protéger d'un éventuel poursuivant.

– Il n'y a pas de raison de ne pas en finir au plus vite, déclara Broughton.

Bolitho hocha du chef : à chaque minute qui passait, un boulet pouvait abattre un espar vital.

– Batterie milieu, monsieur Keverne, feu pièce par pièce !

Et à Partridge :

– Venez un rhumb dans le vent !

Tandis que l'*Euryale* s'écartait légèrement de sa victime, le pont milieu se transforma en un nuage de fumée brune. De l'avant à l'arrière, pièce après pièce, les canons firent feu toutes les deux secondes. Les mastodontes de trente-deux livres reculaient au moment où l'effroyable flamme orangée sortait de leur gueule.

Bolitho vit des gerbes d'eau jaillir tout près du château de l'espagnol ou au-delà, les éclats de bois voler du bordé sous l'impact.

Il entendait les canonniers pousser des cris de joie en bas, les affûts grincer comme on les remontait sur le pont incliné jusqu'à leurs sabords.

Keverne le regardait, les yeux brillants de tension.

– Ils ne se rendent pas, monsieur.

Bolitho se mordit la lèvre. Le pavillon orange et rouge d'Espagne flottait toujours au-dessus de la poupe ; un nouveau coup partit, même, et le boulet passa tout près de leurs têtes en gémissant comme un damné.

Il avait espéré que l'espagnol abandonnerait à la seule vue de leur pavillon. Ils étaient à une encablure de distance. Avec son cacatois qui tirait bien, l'*Euryale* augmentait continûment l'écart.

Quelque chose attira son regard : le canot, silhouette noire sur la surface scintillante, dont l'armement, et sans doute Williams également, assistait au combat en poussant des acclamations.

Les pièces de dunette de l'espagnol crachèrent une nouvelle fois leurs flammes orangées. Trois pièces cette fois-ci, peut-être quatre. Avant que la fumée eût pu se dissiper, Bolitho sentit le pont sursauter. Un boulet avait frappé la coque de l'*Euryale* comme un marteau.

– Venez encore d'un rhumb, monsieur Partridge.

Mais que faisait donc cet imbécile d'espagnol ? C'était folie pure que de poursuivre ce combat. S'il continuait vent arrière, l'*Euryale* le rattraperait. S'il s'éloignait, le trois-ponts pouvait ravager son arrière et le démâter en quelques instants.

De nouveaux éclairs ; cette fois, un boulet vint se ficher dans le passavant tribord et deux marins s'écroulèrent en hurlant, en donnant de grandes ruades, fauchés par des éclis.

– Batteries basses, monsieur Keverne, ordonna Bolitho.

Et il attendit, les yeux rivés sur ce pavillon qui le défiait. Il espérait encore. Il finit par crier :

– Toute la bordée !

Les deux ponts inférieurs avaient eu tout leur temps, les chefs de pièce avaient pu préparer leurs équipes, les officiers faisaient les cent pas, courbés en deux sous les énormes barrots pour mieux observer par les sabords grand ouverts. Avec une espèce de dignité lasse, l'*Euryale* se dégagea légèrement de son adversaire en lui montrant une double rangée de gueules noires. Une seconde plus tard, les officiers donnaient un coup de sifflet, les chefs de pièce tiraient sur les cordons tire-feu, les pièces crachèrent d'un seul mouvement et tout le bâtiment en trembla comme s'il venait de heurter un récif.

De la dunette, Bolitho observa la fumée qui montait en tourbillons vers l'espagnol. Plus haut, l'artimon s'inclina vers l'avant avant de plonger en travers de la poupe, dans un craquement audible malgré l'écho de la bordée qui se répercutait sur la mer comme un tonnerre.

La fumée dérivait toujours vers l'autre bâtiment. Il vit des trous béants dans ses œuvres vives et le long de la dunette, un fatras de gréement qui traînait le long de la muraille. L'espagnol tombait sous le vent comme un ivrogne, exposant à nu son énorme tableau comme pour l'offrir à la dévastation finale.

Mais quelqu'un cria :

– Il se rend !

Et les cris d'enthousiasme furent repris en chœur par les canonniers des batteries inférieures qui écouvillonnaient avant de recharger pour la prochaine bordée.

– Voilà un brave capitaine, fit Bolitho.

– Mais un capitaine stupide.

Broughton examinait l'espagnol qui continuait à dériver au milieu de la fumée, désormais pitoyable, lui qui avait donné ce spectacle de vitalité.

– Nous allons réduire la toile immédiatement, monsieur Keverne, et le garder sous notre vent – il attendit que Keverne eût relayé ses ordres pour ajouter : A présent, nous allons peut-être découvrir ce qui l'a poussé à se défendre si désespérément.

VIII

LA PRISE

Le vice-amiral Broughton arracha sa lunette des mains de l'aspirant de quart et se dirigea vers Bolitho.

– Mais enfin, par tous les diables, que font-ils donc ?

Et il dirigea la lunette sur l'autre bâtiment, qui dérivait toujours à une demi-encablure sous le vent de l'*Euryale*.

Bolitho ne répondit pas. Lui aussi l'examinait qui tanguait et plongeait. Le pavillon blanc qui venait d'être hissé flottait négligemment au grand mât, ce qui prouvait que l'enseigne de vaisseau Meheux et son détachement de prise avaient réussi au moins une chose.

Il jeta un coup d'œil aux voiles qui faseyaient et aux haubans qui vibraient. Voilà près d'une heure qu'ils avaient mis les embarcations à l'eau pour conduire Meheux et ses hommes à bord de la prise. Dans l'intervalle, le temps avait changé sans que ce fût dans le sens de l'amélioration. Le ciel s'était rapidement couvert, la mer avait perdu sa couleur et sa chaleur. Les vagues courtes et les crêtes serrées avaient pris des teintes d'un gris menaçant. Seul l'horizon restait clair, froid et brillant comme l'acier, comme si une autre lumière que celle du soleil l'éclairait. Sans avoir besoin de consulter la flamme, il savait que le vent avait encore refusé et soufflait maintenant de l'ouest en forcissant à vue d'œil.

Ils étaient bons pour un coup de chien et, ligotés qu'ils étaient par ce bâtiment désemparé, sans trop de nouvelles de Meheux, la chose ne pouvait guère tomber plus mal.

– Le doris revient, cria Broughton, et il en a mis un temps !

A voir la frêle embarcation aux avirons qui plongeait et roulait sur les crêtes, il était évident que le temps s'aggravait.

Les autres canots avaient déjà été rappelés et hissés à bord. Celui-ci constituait le dernier lien de Meheux avec le vaisseau amiral.

Bolitho aperçut dans la chambre la silhouette de l'aspirant Ashton, qui avait été envoyé à bord de la prise avec Meheux, le quartier-maître pilote et un officier marinier de confiance.

Voyant le doris qui bouchonnait durement sous la dunette de l'*Euryale*, Ashton, ayant mis ses mains en porte-voix, cria :

– Il est salement troué de partout, monsieur ! Et les drosses du safran ont été sectionnées !

Bolitho se pencha par-dessus la lisse, bien conscient d'être entendu des hommes rassemblés autour de lui :

– Mais comment s'appelle-t-il ? Pourquoi mettez-vous tant de temps ?

– C'est le *Navarra*, monsieur, lui répondit Ashton. Il vient de Málaga – il manqua passer par-dessus bord quand une méchante lame fit plonger le canot dans un creux. Il transporte des marchandises et… et…

Il sembla se rendre soudain compte de la présence de l'amiral.

– Et il y a beaucoup de passagers, amiral.

– Mais pour l'amour du ciel, Bolitho ! Demandez à ce jeune imbécile ce que leur a dit le capitaine !

Mais Ashton répondit :

– Il a été tué par notre bordée, amiral, et la plupart de ses officiers avec lui – il jeta un regard désespéré à Bolitho. Le bâtiment est à bout de bord, monsieur.

Bolitho fit signe à Keverne :

– Je pense qu'il vaudrait mieux que vous alliez y voir. La mer devient mauvaise et j'ai peur que notre prise ne soit en plus mauvais état que nous ne l'imaginions.

Mais Broughton arrêta Keverne, qui partait :

– Annulez cet ordre ! – il fixait Bolitho d'un œil rendu encore plus glacial par cette étrange lumière. Et que se passera-t-il si Keverne ne parvient pas à régler les problèmes ? Nous accumulerons les retards et nous nous ferons cueillir dans l'œil de la tempête. C'est vous qui allez passer à son bord !

Il cligna soudain de l'œil en entendant au-dessus de lui les haubans gémir et ronfler comme des instruments désaccordés.

– Vous déciderez ce qu'il y a lieu de faire, et pas de détail ! Je ne veux pas perdre cette prise, mais j'aimerais encore mieux ça que de gaspiller des heures ou même des jours à rejoindre l'escadre en compagnie d'un canard boiteux ; je préférerais encore la couler sur place.

Et, devinant dans les yeux de Bolitho une question muette, il conclut :

– Nous recueillerons l'équipage et les passagers à bord, si nécessaire.

– Bien, amiral, répondit Bolitho.

Keverne l'observait, et tout dans son expression disait qu'il essayait de cacher sa déception. On lui avait ôté sa chance de prendre le commandement de l'*Aurige*, il perdait à présent une nouvelle occasion d'améliorer sa situation. Si le *Navarra* était sauvé, mais incapable de suivre le vaisseau amiral, celui qui en prendrait le commandement jusqu'à Gibraltar avait de bonnes chances d'en rester le capitaine.

C'est à cette méthode que Bolitho devait son premier commandement, et il comprenait donc parfaitement le dépit, voire la rancune, de Keverne.

Il chassa pourtant ces pensées et fit signe au canot d'approcher. Si le vent forcissait encore, il pouvait très bien ne plus y avoir de prise du tout d'ici une heure.

Allday était arrivé et lui demanda en l'aidant à enfiler son manteau :

– Vous m'attendiez, capitaine, naturellement ?

Bolitho se tourna vers lui. Son anxiété n'était que trop visible, comme le jour où il était allé sans lui à bord de la galiote.

– Mais oui Allday, répondit-il en souriant, *naturellement*.

Descendre dans le canot était aussi périlleux qu'inconfortable. L'embarcation se rapprochait dangereusement de la muraille, avant de retomber dans un creux. Les nageurs avaient fort à faire et poussaient des jurons en essayant d'éviter la casse.

Bolitho sauta en bas, sachant pertinemment qu'une erreur de jugement pouvait le faire passer sous le revers ou se faire écraser par le canot.

Il parvint enfin à ramper hors d'haleine dans la chambre, aveuglé par les embruns, à moitié étourdi par un bond qui ressemblait plus à une chute qu'à autre chose.

Allday souriait de toutes ses dents au milieu des embruns. Les nageurs éloignèrent leur canot du bâtiment et commencèrent à peiner sous le vent.

– Bien vilain temps, capitaine !

– Ces grains peuvent se calmer en quelques minutes, répondit Bolitho, mais ils peuvent tout aussi bien mettre un navire en grand péril.

Il était étonnant de voir avec quelle promptitude Allday avait retrouvé sa bonne humeur, maintenant qu'il était de nouveau avec lui.

En se retournant, il aperçut l'*Euryale* qui plongeait lourdement. Ses huniers au bas ris lui donnaient juste assez d'erre pour manœuvrer tandis qu'il s'éloignait pour parer l'autre bâtiment. Vu ainsi dans cette lumière d'un gris métallique, il paraissait énorme, formidable, et il fut reconnaissant à Keverne de voir qu'il avait fait fermer les sabords inférieurs. Le vaisseau roulait méchamment et des sabords ouverts signifiaient travail inutile pour les pompes et inconfort pour les hommes qui vivaient dans l'entrepont.

Même dans cette pénombre, les plaies de l'espagnol n'étaient que trop visibles. La poupe et les œuvres vives de l'arrière étaient creusées de trous béants à plusieurs endroits, des pièces de membrures noircies pointaient comme de grandes dents pour témoigner de ce qu'avait été cette bordée.

– Mr. Meheux a fait gréer quelques pierriers, monsieur, lui cria l'aspirant Ashton. Mais l'équipage semble trop hébété pour pouvoir reprendre le contrôle.

– Et il n'y aura plus rien du tout à reprendre dans pas longtemps, grommela Allday.

Le canot réussit enfin à crocher sous le vent du *Navarra* à la troisième tentative. Mettant son mouchoir sur sa dignité, Bolitho sauta comme un fou à travers la porte de coupée. Son chapeau s'envola et il se fit tremper jusqu'à la taille par une méchante déferlante qui balaya le flanc du bâtiment comme pour l'entraîner avec elle.

Des mains secourables se tendirent vers lui et il finit par atterrir sur le pont où l'attendaient Meheux et le quartier-maître pilote, assez étonnés de cette arrivée sans trop de cérémonie.

Allday arrivait comme il pouvait derrière lui et Bolitho s'aperçut alors qu'il avait, on ne sait trop comment, réussi à récupérer sa coiffure tombée à la mer, coiffure qui risquait fort de ne jamais retrouver sa forme originelle.

Il la prit des mains de son maître d'hôtel, l'examina soigneusement, le temps de retrouver un souffle normal. Il en profita pour inspecter rapidement le pont afin de juger du niveau des dommages.

Le mât d'artimon était cassé en deux, un fatras de toile et d'espars jonchait le pont, où gisaient de nombreux cadavres bouche béante. Maculés de sang délavé sous les embruns, les corps dégoulinaient d'eau tout comme lui-même.

– Monsieur Meheux, finit-il par déclarer, je vous serais reconnaissant de vouloir bien me faire part de vos observations et conclusions.

Il se retourna brusquement : la chute d'une poulie tombée d'on ne sait où et qui s'écrasa contre un tas de planches en vrac, ce qui avait été autrefois les embarcations du bâtiment.

– Soyez bref, conclut-il.

Le second lieutenant de l'*Euryale* jeta un coup d'œil circulaire sur le pont en débâcle avant de répondre.

– Il est salement troué, monsieur, y compris au niveau de la flottaison. Si les conditions empirent, les pompes n'y suffiront pas. Mais le gros problème, c'est le nombre de gens qui se trouvent en bas, monsieur. En sus de son équipage, le bâtiment transporte une centaine de passagers. Des femmes, des enfants, il y a de tout, entassé. S'ils perdent leur calme, il sera impossible de maîtriser la panique – il lui montra d'un geste le chantier pulvérisé : Et pas d'espoir pour eux de ce côté, monsieur.

Bolitho se frottait le menton. Tous ces passagers, pourquoi le capitaine avait-il risqué leurs vies en essayant de combattre un trois-ponts ? Cela n'avait pas de sens, cela ne collait pas avec l'attitude normale d'un Espagnol lorsqu'il s'agissait de survivre.

– Vous avez trente hommes avec vous, monsieur Meheux – il essayait d'oublier tous ces malheureux terrifiés, confinés en bas. Envoyez quelques hommes du *Navarra* en renfort aux pompes. En les faisant travailler par équipes, nous pouvons espérer étaler. Et le gouvernail, avez-vous fait quelque chose ?

– Mon officier marinier, Mr. McEwen, s'occupe des drosses, monsieur – Meheux hocha la tête, considérant visiblement que c'était en pure perte. La tête du safran est également endommagée, et elle nous lâchera si la mer est trop forte.

L'aspirant Ashton était enfin arrivé à la coupée et se secouait comme un terrier à moitié noyé.

Bolitho jeta un rapide coup d'œil au ciel. Les dernières lueurs du jour faisaient paraître les nuages plus rapides, plus bas. De toute manière, songea-t-il tristement, nous sommes partis pour une sale nuit.

Meheux l'observait, l'air inquiet. Il se demandait certainement comment essayer de se sortir de cette situation impossible. Bolitho lui donna une tape sur l'épaule et lui dit avec une assurance qu'il ne ressentait absolument pas :

– Venez donc, monsieur Meheux, vous faites une tête de dix pieds ! Mettez vos gens au travail, pendant que Mr. Ashton m'emmène voir les passagers.

Et il suivit Ashton à l'arrière, où un cadavre vêtu d'une vareuse galonnée d'or était étendu près d'une échelle dévorée par les flammes. Ce devait être le capitaine, se dit-il. Le visage de cet homme avait été à moitié emporté, et il n'y avait pourtant presque aucune trace de sang sur le vêtement immaculé.

Deux marins, portant un catogan, se tenaient près de la roue et manœuvraient les manetons en suivant les ordres d'une voix étouffée venue de dessous l'échelle, celle de l'officier marinier qui leur criait ses instructions. Ils aperçurent Bolitho, et l'un d'eux se mit à sourire, visiblement soulagé :

– On l'abandonne, monsieur ? I' gouvern'ra jamais comme i' faut avec c' truc.

Revoir son capitaine après avoir cru qu'on l'avait définitivement laissé à bord de ce navire dévasté qui prenait de la bande, voilà qui avait peut-être fait momentanément oublier le respect normalement dû à un officier. Mais Bolitho ne vit qu'une seule chose : le visage de cet homme fendu d'un large sourire. Un homme qu'il avait à peine remarqué jusque-là au milieu des huit cents êtres qui composaient l'équipage de l'*Euryale* et qui lui faisait pourtant maintenant l'impression d'être comme un vieil ami au beau milieu de ce monde étranger, désespérant.

– Je crois tout de même, répondit-il en souriant à son tour, que nous sommes mieux ici que sur un radeau.

Comme il se courbait pour passer sous les barrots, le marin fit un clin d'œil à son camarade :

– Et qu'est-c' que j' t'avions dit ? Que ce vieux Dick i' nous laisserait point longtemps.

L'officier marinier, les mains et les bras couverts de cette graisse dont on garnit les gouvernails, surgit derrière eux et grogna :

– Probab' qu'i' vous a pas crus, pas plus que moi.

Mais, tout surpris qu'il était lui-même d'apprendre que son capitaine était arrivé à bord, il n'en était pas moins rasséréné lui aussi.

Un pont plus bas, Bolitho suivit Ashton le long d'une coursive qui tanguait dangereusement. Il entendait parfaitement les grincements du bois, les craquements de l'appareil à gouverner désemparé, il voyait trop bien les apparaux à la dérive qui marquaient leur progression. On entendait la mer clapoter le long de la coque, les grands tremblements de protestation du bâtiment qui tombait lourdement dans un creux avant de remonter péniblement contre les assauts du vent. Son pied glissa, et il aperçut à la lueur du fanal le cadavre d'un homme étendu en travers d'une hiloire. Son torse était pratiquement sectionné en deux par un boulet qui avait dû entrer par un sabord ouvert et le cueillir alors qu'il portait un message ou courait pour essayer de sauver sa peau avant le bombardement sans merci qu'ils avaient subi.

Deux matelots se tenaient près d'une échelle dont le sommet était fermé par un lourd panneau. Tous deux armés, ils regardèrent Bolitho avec un mélange de surprise et de honte. « Ils ont probablement dévalisé quelques chambres », songea-t-il, mais la chose se réglerait plus tard. Tant qu'ils n'avaient pas trouvé d'alcools ou déniché du vin dans le coffre d'un officier... Trente hommes, enflammés par la boisson, ne seraient pas capables de grand-chose pour sauver ce bâtiment ou n'importe quoi d'autre.

– Ils sont tous en bas ? leur demanda-t-il sèchement.

– Oui, monsieur – celui qui répondait tapa de son mousquet sur le panneau. Et la plupart d'entre eux avaient été mis là avant l'attaque, monsieur.

– Je vois.

La chose constituait une sage précaution en dépit de la terreur et du fracas des coups de canon. Sans cela, beaucoup d'entre eux seraient morts avec le capitaine et ses officiers.

– Vous n'allez tout de même pas descendre là-dedans, capitaine ? susurra Allday.

– Ouvrez, fit seulement Bolitho, feignant de ne pas l'entendre.

Il tendit l'oreille : Meheux criait des ordres, puis ce fut un bruit de pas, les hommes qui exécutaient la consigne, là-haut, sur le pont. Il y avait de la crise dans l'air, mais il fallait que Meheux se débrouillât seul. Pour l'instant, il devait aller voir les passagers : en bas, sous la flottaison, il était sûr qu'il trouverait la réponse à l'une de ses questions, et il n'avait guère le temps de traîner.

Au début, Bolitho ne vit rien. Mais, lorsque les matelots eurent soulevé le panneau et qu'Ashton eut tendu son fanal au-dessus de l'échelle, il sentit monter vers lui, presque physiquement, comme une tension, un climat de terreur qui se développait.

Il descendit deux échelons. Il était à moitié éclairé par le fanal et fut presque abasourdi par de violentes clameurs, des cris, des sanglots, avant d'apercevoir des centaines d'yeux qui brillaient dans la lueur jaunâtre se balançant au gré des mouvements de la coque. Des yeux qui lui apparaissaient comme détachés de toute forme humaine. Mais les voix, elles, n'étaient que trop humaines. Plus hautes, plus stridentes, il y avait celles de femmes et d'enfants, et il s'arrêta net sur son échelle, soudain conscient que la plupart de ces gens ignoraient tout de ce qui venait de se passer dans le monde extérieur, au-dessus d'eux.

– Silence là-dedans ! cria-t-il. Je vous garantis qu'il ne vous sera fait aucun mal...

Mais cela ne servait à rien. Des mains se tendaient dans l'ombre, s'agrippaient à l'échelle, à ses jambes, tandis que la myriade d'yeux s'avançait, poussée en avant par les silhouettes que l'on distinguait plus loin, à l'arrière.

– Laissez-moi faire, monsieur, fit Ashton, le souffle court, je sais un peu l'espagnol.

Bolitho le poussa en bas de l'échelle et lui cria :

– Dites-leur simplement de rester tranquilles !

Tandis qu'Ashton essayait de se faire entendre par-dessus les clameurs, Bolitho appela les deux marins :

– Allez me chercher du monde et faites-les descendre ici ! Et vivement, ou je vous réduis en charpie !

Mais Ashton s'accrochait à sa manche pour lui montrer quelque chose en contrebas :

– Monsieur ! Il y a là quelqu'un qui tente de nous dire quelque chose !

Il s'agissait d'un homme assez replet, l'air tout effrayé, et dont le crâne chauve luisait comme du marbre poli. Il criait :

– Je parle anglais, capitaine ! Je vais leur dire de vous obéir, mais sortez-moi d'abord de cet endroit !

Il pleurait presque de terreur et d'épuisement, tout en réussissant cependant à conserver dans sa main crispée quelque chose que Bolitho finit par reconnaître pour une perruque.

– Je vais tous vous faire sortir d'ici sous peu. Restez sur l'échelle et dites-le-leur.

Il fut soudain désolé pour ce malheureux inconnu, qui ne semblait ni trop jeune ni trop vaillant sur ses jambes. Mais pour le moment c'était une valeur sûre, et il ne pouvait se permettre de le perdre de vue.

On ne s'attendait pas à pareil organe chez ce chauve, qui néanmoins chercha plus d'une fois son souffle. Il réduisit le tintamarre, et l'on vit en partie se calmer la ruée des formes humaines au bout d'une série de ses supplications.

Le quartier-maître pilote et trois marins arrivèrent haletants dans la coursive. Bolitho leur cria :

– Ah, vous voilà, monsieur Grindle, vous avez fait vite. Tenez-vous prêt à conduire les enfants à l'arrière, et Dieu seul sait combien il peut y en avoir en bas…

Il s'interrompit en voyant une forme qui essayait de passer derrière Ashton dans l'échelle et, l'empoignant au collet, lui ordonna brutalement :

– Dites à ce gaillard que je le fais jeter par-dessus bord s'il n'exécute pas mes ordres !

Grindle le regardait d'un air dubitatif :

– Ce sont point des marins, monsieur.

– Je m'en fiche. Donnez-leur des haches, qu'ils nettoient tout ce bazar. Débarrassez-nous de tout ce qui gêne, vous pouvez passer les pièces de retraite par-dessus bord si vous y arrivez sans qu'elles ravagent tout.

Il s'arrêta un instant pour écouter le vent qui gémissait le long de la coque, le grondement de plus en plus fort et les chocs qui semblaient venir de partout, de chaque bord, de dessus, de dessous.

Grindle acquiesça :

– Bien, monsieur, mais j'ai bien peur qu'on n'arrive pas à le sauver.

– Faites ce que je vous dis, répondit-il en l'arrêtant avant qu'il partît. Écoutez-moi, monsieur Grindle, et regardez les choses en face. Ces gens ne peuvent pas abandonner le navire, il n'y a plus d'embarcations, nous ne pouvons pas fabriquer de radeau dans cette mer. Leurs officiers ont péri, ils sont au bord de devenir fous de terreur.

Grindle était un homme d'expérience et il méritait bien qu'on lui fournît quelques explications, même si c'était bien tard.

Le quartier-maître hocha du chef.

– Bien, monsieur, je vais faire ce que je peux – il éleva la voix : Par ici, les gars ! Veillez au panneau pendant qu'on descend tirer les loupiots de là-dedans !

Un autre marin arrivait en titubant par la coursive.

– Capitaine ! Mr. Meheux vous présente ses respects et il dit que l'*Euryale* fait des signaux !

Il resta bouche bée en voyant passer Grindle qui émergeait du panneau, les bras chargés de deux nourrissons qu'il portait comme il eût fait d'un rouleau de toile.

– Aidez donc Mr. Grindle ! lui cria Bolitho – et à Ashton : Allez voir ce qui se passe sur le pont.

Le garçon hésita puis se mit à courir, poursuivi par les cris de Bolitho :

– Maniez-vous donc le train, mon garçon, je risque d'avoir encore besoin de vos talents en espagnol.

La marée humaine augmentait à chaque instant, tandis que les marins parvenaient de temps à autre à se saisir d'un homme qui essayait de se dissimuler derrière les femmes.

Bolitho distinguait vaguement des cheveux sombres, des regards effrayés, des visages ruisselant de larmes, le tout dans une atmosphère de désespoir et de panique.

Ashton était de retour ; le chapeau tout cabossé, il se fraya un chemin dans la foule avant de rendre compte :

– L'amiral souhaite savoir quand vous revenez, monsieur.

Bolitho essaya de s'abstraire des clameurs, de toute cette angoisse qui l'environnait, qui le cernait de tous les côtés. Il finit par crier :

– Signalez à l'amiral immédiatement : J'ai besoin d'encore un peu de temps, il va bientôt faire un noir d'encre.

Ashton le regardait fixement :

– Mais il ne fait pas nuit du tout, monsieur.

– Et le vent ?

Il lui fallait absolument réfléchir, libérer son cerveau de cette multitude de gens terrifiés, presque irréels.

– Il est fort, monsieur et Mr. Meheux dit qu'il forcit toujours.

Bolitho détourna les yeux. Leur sort était scellé, il l'avait peut-être toujours été.

– Allez hisser votre signal, mais informez également l'amiral que je vais réussir à remettre ce navire en route d'ici une heure.

Ashton avait l'air sidéré. Il s'était peut-être attendu à voir Bolitho leur ordonner de quitter le bâtiment : le canot pouvait encore effectuer le transfert, au moins pour quelques-uns d'entre eux.

Grindle revenait, haletant, ses cheveux gris dressés comme de l'herbe sèche.

– Combien en avez-vous sortis ? lui demanda Bolitho.

L'homme se gratta la tête :

– A peu près une vingtaine de gosses, et une cinquantaine de femmes !

Il eut un large sourire qui découvrit une rangée de dents assez hétéroclites :

– Un vrai rêve de marin, pas vrai, monsieur ?

L'humour de Grindle eut le don de calmer Bolitho. Il savait qu'il avait été sur le point de rappeler son aspirant avant qu'il eût envoyé le signal, sur le point de se résoudre à un dernier compromis, si bien que Broughton aurait pu trouver toutes les bonnes raisons de le rappeler à bord de l'*Euryale*.

Mais il chassa immédiatement cette idée. Imaginer Meheux qui faisait son possible là-haut, tandis qu'il essaierait de s'abriter derrière sa fonction, cela lui était insupportable.

Ashton revint presque immédiatement, le visage blanc comme un linge et visiblement dans tous ses états.

– Signal de l'*Euryale*, monsieur. Si vous êtes sûr de pouvoir sauver la prise, monsieur, pouvez-vous confirmer immédiatement ?

Il eut un hoquet en entendant quelque chose s'écraser sur le pont, puis des cris et des jurons que poussaient les marins.

– Allez confirmer, monsieur Ashton.

– Dans ce cas, ajouta l'aspirant, vous avez ordre de faire route indépendamment et de rallier l'escadre. Le navire amiral va remettre en route.

Bolitho essayait de dissimuler ses sentiments. Broughton avait visiblement peur de perdre le contrôle de son escadre, plus que de toute autre chose. Et après tout, c'était la principale de ses responsabilités. S'il se laissait prendre au milieu d'une méchante tempête, il lui faudrait peut-être des jours et des jours avant de retrouver les autres bâtiments, pour apprendre que Draffen avait trouvé quelque chose d'utile.

Il pesa ses propres réactions pour ce qu'elles valaient. Keverne pouvait s'en sortir de manière tout à fait honorable, il l'avait déjà prouvé. Tandis qu'ici… Il chassa cette pensée et attrapa Ashton par la manche :

– Allez, fichez-moi le camp.

Tandis qu'Ashton courait dans la coursive, il le héla :

– Et marchez : il n'y a pas de mal à paraître calme, même si vous ne vous sentez pas ainsi !

L'aspirant jeta un regard derrière lui et se força à sourire avant de continuer son chemin. Au pas, cette fois.

Allday l'appelait par-dessus le brouhaha :

– Pourriez-vous venir sur le pont, commandant ? – il jeta un coup d'œil à quelques passagers mâles que deux marins en armes poussaient dans l'autre direction. Dites-moi que je rêve, commandant, mais on dirait les portes de l'enfer !

– Et que dois-je faire, monsieur ? demanda Grindle.

– Gardez les passagers tranquilles jusqu'à ce que je puisse envoyer un officier marinier vous relever. Vous essaierez de trouver quelques cartes, et nous déciderons ensemble ce qu'il y a lieu de faire ensuite.

Il suivit Allday dans l'échelle et lui dit :

– Faites dégager ce cadavre de la descente, les enfants n'ont pas besoin de voir ça quand il fera jour.

Allday le regarda, lui fit un timide sourire. Quelques instants avant, il semblait qu'ils allaient abandonner. Et à présent, voilà qu'il parlait du jour. Les choses allaient peut-être s'améliorer, après tout.

Bolitho se fit cueillir sur le pont par un vent et une mer devenus démentiels. Toute lumière avait pour ainsi dire disparu, à l'exception de quelques langues de ciel gris qui déchiraient les nuages. Cette vague lueur lui permettait tout juste de distinguer des hommes regroupés çà et là sur le pont dévasté, l'espace vide où l'artimon abattu se retrouvait immobilisé dans son gréement.

Il donna rapidement quelques ordres et dit à Meheux :

– Vous avez fait du bon travail.

Il se retourna en voyant Meheux lui désigner quelque chose du geste, au-delà de la lisse. L'*Euryale* n'était plus qu'une ombre surmontée de taches blanches de plus en plus grandes, les huniers qui se gonflaient au vent alors que le vaisseau s'éloignait. Quelques instants plus tard, il vit la muraille glisser dans des nuées d'embruns, le damier noir et blanc des rangées de sabords fermés. Il imaginait Keverne occupant sa place sur la dunette, songeant peut-être déjà à une nouvelle occasion qui s'offrait à lui.

– Nous allons faire route vent arrière, monsieur Meheux. Si nous tentions de virer de bord, nous y laisserions le gouvernail et peut-être pire encore.

Le quartier-maître arriva, émergeant de l'obscurité, une carte plaquée contre la poitrine.

– Il se rendait à Port-Mahon, monsieur. La plupart des passagers sont des commerçants avec leurs familles, autant que je puisse voir.

Bolitho fronça le nez. Le *Navarra* se trouvait beaucoup plus au sud que nécessaire lorsqu'ils l'avaient intercepté. Décidément, on engrangeait plus d'énigmes que de réponses.

– Nous allons tenter d'établir les huniers, monsieur Meheux. Mettez deux hommes de confiance à la barre, Mr. Ashton traduira vos ordres aux marins espagnols.

Il chercha des yeux l'*Euryale*, mais il avait totalement disparu. Il ajouta :

– J'aimerais mieux envoyer tout de suite les Espagnols en haut, nous pourrons les garder à l'œil.

Meheux fit la grimace :

– Ils risquent de ne pas être ravis de grimper là-haut par ce vent, monsieur.

– S'ils refusent, dites-leur qu'il ne leur restera plus qu'un seul endroit où aller – il montra du doigt quelque chose entre ses pieds : Mille brasses droit dessous.

Un autre marin arriva, il le cherchait et cria :

– Il y a une centaine de blessés sur le gaillard, monsieur ! Y a du sang partout, une horreur !

Bolitho observait les silhouettes sombres monter précautionneusement dans les enfléchures, houspillées par un Meheux se livrant à de grands gestes que renforçait un espagnol de sa façon.

– Descendez dire à McEwen de voir s'il y a un médecin parmi les passagers. S'il en trouve, qu'il le fasse monter sur le pont.

Meheux l'appelait :

– Il y a plusieurs boulines qui sont sévèrement abîmées dans le grand mât, monsieur ! Tout ça risque de tomber dès que nous enverrons un bout de toile !

Bolitho fut pris d'un grand frisson, soudainement conscient qu'il était trempé comme une soupe.

– Mettez du monde aux bras, monsieur Meheux ; prenez également des passagers en renfort. Je veux voir tous les muscles à l'ouvrage ! – et à Grindle : Paré à la barre !

Mais sa voix était presque couverte par les éléments déchaînés et le bruit des rideaux d'embruns qui s'abattaient contre le bord au vent, tels des esprits qui auraient essayé de les entraîner par le fond.

Il chercha un porte-voix, mais il ne voyait rien que les visages des deux hommes de barre, luisants comme s'ils avaient été recouverts de cire.

Avait-il adopté la bonne méthode ? La tempête pouvait très bien se calmer instantanément, auquel cas mieux valait remonter dans le vent sous huniers au bas ris. Mais si elle ne tombait pas aussi vite qu'elle était montée, il fallait mettre en fuite, c'était leur seule chance de s'en sortir. Et même dans ce cas, le gouvernail pouvait s'en aller, les pompes ne plus étaler des entrées d'eau qui restaient toujours aussi régulières. D'ici l'aube, il leur était impossible d'évaluer l'étendue exacte des dommages ni leur état réel.

Meheux l'appelait en faisant de grands gestes :

– Paré, monsieur !

Bolitho se souvint du commentaire qu'avait fait Broughton : *à Dieu vat*. Comme cela lui semblait vieux ! Et pourtant, il ne s'était pas écoulé trois heures depuis que leur pavillon avait monté à la vergue du *Navarra*.

Il entendit un bruit à l'avant, le boute-hors qui craquait effroyablement, le raclement incessant des poulies. Il imaginait les hommes perchés sur les vergues, ballottés comme des poupées de chiffons sur du bois d'épave, aussi fragiles qu'elles.

– A larguer les huniers de misaine !

Il aperçut Meheux qui se précipitait à l'avant pour transmettre l'ordre.

– Mettez-moi ces gens-là aux pompes, monsieur Grindle ! – il faisait de grands gestes. Allez, du nerf ! Hardi sur les drosses !

– Et les bras sous le vent !

Il glissa sur ce pont qui ne lui était guère familier, se força à regarder ce qui se passait devant.

– A larguer les grands huniers !

Grindle criait comme un fou :

– Il répond, monsieur !

Bon gré mal gré, luttant contre la poussée du safran et des

huniers brassés, le *Navarra* dérivait dans une mer courte de l'avant, les mâts s'inclinaient de plus en plus sous une pression irrépressible.

– Allez, encore, monsieur Grindle !

Bolitho courut à la lisse de tableau pour observer le grand hunier qui apparaissait à peine dans l'obscurité, mais commençait à les déhaler.

La roue tournait, tournait, Bolitho criait des ordres aux hommes cachés plus bas qui brassaient les bras. Il en avait la gorge sèche.

Mais enfin, il venait doucement, doucement, avec une peine infinie. Les voiles claquaient dans un tonnerre effroyable, se gonflaient comme des êtres vivants, le boute-hors faisait comme un pâle croissant qui se détachait sur les lignes sombres des haubans et des étais.

Il essuya rapidement les embruns qui obscurcissaient sa vue et courut du bord au vent. L'inclinaison des vagues avait déjà changé, les crêtes des déferlantes arrivaient désormais par le travers. Tout autour de lui, il entendait les craquements de protestation du bois et du chanvre, les claquements des apparaux brisés. Tout son être tendu à se briser s'attendait d'un moment à l'autre à voir les espars tomber comme le dernier signe de son échec.

Mais rien ne tomba, les timoniers réussirent à garder le contrôle. « On peut dire que celui qui a dessiné le *Navarra* en connaissait un bout », se dit-il soudain, presque instinctivement.

– Nous ferons route plein est, monsieur Grindle.

Il dut répéter pour se faire entendre. Ou bien était-ce que les autres étaient trop sonnés, tout comme il l'était lui-même, assourdis par le tintamarre et le vent, incapables d'entendre autre chose ?

– Aux bras !

Sans la moindre lumière, on avait l'impression de s'adresser à un pont désert, à un vaisseau fantôme livré à lui-même, isolé, sans le moindre espoir.

– A hisser !

La fatigue, les reflets changeants lui faisaient perdre le sens, étaient-ce des mirages ? Il dut compter mentalement dans sa tête, essayer d'estimer l'inclinaison des vergues plutôt que de se confier à ses yeux chavirés.

Meheux arriva en titubant à l'arrière, silhouette qui montait, tombait comme un ivrogne, poussant des jurons abominables quand il buta contre le cadavre du capitaine espagnol.

– Il faut prendre un ris de mieux, commandant – il s'arrêta, visiblement étonné d'être encore vivant. Vaudrait mieux envoyer les Espagnols faire ça tout de suite. On n'arrivera pas à les renvoyer en haut une fois de plus, même en les menaçant !

Bolitho grimaça un sourire. L'incertitude, la peur vous donnaient une sorte d'excitation bizarre, comme au combat, une folie totale, pas moins forte que la vraie. Plus tard, ce sentiment allait s'estomper, vous laisser vidé, épuisé, comme un renard qui fuit devant les chiens.

– Allez vous en occuper ! lui cria-t-il, faites vite et assurez – il souriait toujours, mais d'un sourire figé. Et priez le ciel que nous restions en un seul morceau !

Meheux avait l'air aussi dérangé que lui, son accent du Nord n'en ressortait que mieux.

– Vous savez, monsieur, je passe mon temps à prier depuis que j'ai embarqué à bord de cette épave ! – il se mit à rire au milieu des gerbes d'embruns. Ça m'a beaucoup aidé à ne pas trop penser !

Bolitho retourna à la roue.

– Nous allons prendre un ris, monsieur Grindle, mais si vous sentez qu'il part, prévenez-moi. Je ne veux pas virer de bord et j'aime donc mieux avoir trop de toile que pas assez.

L'officier marinier qu'il avait envoyé en bas arrivait.

– Pas trouvé de médecin, monsieur. Et j'ai aperçu quelques sacrés trous sur tribord arrière.

– Allez dire à Mr. Meheux d'y envoyer les Espagnols dès qu'ils auront fini là-haut. Je veux qu'on utilise tous les seaux, tout ce qui peut servir à écoper de l'eau, faites la chaîne. Cela évitera de noyer les pompes et, au moins, ça les occupera pour un bout de temps.

L'homme hésitait :

– Il y a des femmes qui désirent aller à l'avant s'occuper des blessés, monsieur.

– Parfait, faites-les escorter, McEwen – il éleva le ton. Et arrangez-vous pour qu'elles ne se blessent pas, compris ?

– Bien, monsieur, répondit-il en lui faisant un large sourire.

– Faudrait un sacré bon matelot pour tenir une femme quand on voit ce que c'est, grommela Grindle, ça c'est sûr !

Allday apparut à son tour :

– Pourriez-vous venir, monsieur ? Je crois que nous avons besoin d'épontiller à l'arrière, près de la soute du charpentier. J'ai… j'ai bien essayé, mais je n'y arrive pas…

Il se tut, incapable d'en dire plus.

Et la nuit continua de la sorte, jusqu'au point où Bolitho ne parvint plus à voir les heures passer. Il fallait régler un problème après l'autre. Les visages, les voix se brouillaient, Allday lui-même n'arrivait plus à organiser le flot continu d'exigences nouvelles, des demandes d'aide ou de conseils. Le *Navarra* plongeait toujours lourdement dans les déferlantes.

Vaille que vaille, pourtant, les pompes continuaient de pomper, les hommes se relayaient pour remplacer leurs compagnons épuisés afin de ne pas risquer de perdre ce combat incessant contre les entrées d'eau. La chaîne de seaux fonctionnait sans répit, jusqu'au moment où les hommes épuisés s'écroulaient comme des cadavres, inconscients de l'eau qui les détrempait, des coups de pied et des jurons des marins anglais. Les drosses prirent progressivement du mou et gouverner devint de plus en plus difficile, mais elles ne lâchèrent pas, pas plus que les voiles qui auraient pourtant dû lâcher sous les assauts du vent.

Aux premières lueurs de l'aube, presque timidement, comme un assaillant qui a perdu la partie, le vent commença à mollir, les crêtes s'aplatirent, se calmèrent, le bâtiment commença enfin à se soumettre aux ordres de ses nouveaux maîtres.

Bolitho n'avait pas quitté un seul instant la dunette. Aux premières chaleurs de ce nouveau jour, il observa précautionneusement l'horizon : la mer était à eux.

Il se frotta les yeux, remarqua vaguement les ombres vagues de ses hommes sous les passavants, Meheux, endormi debout, adossé au grand mât comme si on l'y avait amarré.

Dans un instant, lui aussi allait s'effondrer, sombrer dans le sommeil, totalement épuisé. Il n'arrivait même pas à ressentir une quelconque satisfaction, un sentiment de fierté pour ce qu'il venait d'accomplir. Il n'éprouvait plus rien, rien qu'un immense désir de dormir.

Il se secoua et trouva encore la force de dire :

– Allez chercher McEwen !

Mais sa voix le trahit, il n'arrivait plus à émettre qu'une espèce de cri de mouette fâchée.

– Faites relever les hommes, monsieur Grindle, nous verrons bien ce que nous pourrons trouver.

Deux femmes apparurent à la cassure du gaillard et restèrent plantées là à observer autour d'elles. L'une d'elles, qui avait du sang sur son tablier, lui fit un petit signe en l'apercevant. Bolitho essaya de sourire, mais rien. Il se contenta de lui faire signe lui aussi, mais son bras retomba comme du plomb.

Il y avait tant à faire. Les questions à régler, les demandes pressantes qui allaient reprendre sous peu.

Il respira profondément et posa ses mains sur la lisse. Un boulet en avait sectionné un morceau comme un couteau qui entame du fromage mollet. Il était toujours là, le regard fixe, lorsque Allday lui dit d'un ton sans réplique :

– Je vous ai préparé une couchette à l'arrière, commandant.

Et il se tut, prévoyant quelque protestation, tout en sachant que Bolitho n'en avait plus la force. Il ajouta :

– Je vais appeler Mr. Meheux pour lui demander d'assurer le quart.

La dernière chose dont fut conscient Bolitho fut la sensation qu'on l'allongeait sur une étroite couchette suspendue. Quelqu'un lui enlevait ses souliers, le débarrassait de son manteau tout chiffonné. Il s'endormit aussitôt, comme si un rideau noir venait d'être tiré.

IX

UN NOUVEL ADVERSAIRE

Bolitho s'assit devant la table en marqueterie dans la chambre exiguë du *Navarra* et contempla la carte d'un œil assez morose. Il avait dormi trois heures, inconscient de ce qui se passait, jusqu'à ce que son instinct le sortît de sa couchette, l'œil et l'oreille aux aguets.

Au cours de ces trois heures le vent était totalement tombé, et rien ne laissait deviner ce qu'avait été sa fureur. Lorsqu'il était monté en hâte sur le pont, il avait vu les voiles qui pendaient sans vie, la mer qui ondulait doucement dans un calme plat.

Tandis que Meheux s'occupait d'immerger les morts et que Grindle essayait de compter puis de nourrir les passagers ainsi que l'équipage espagnol, il avait entrepris de fouiller méthodiquement les appartements du défunt capitaine.

Levant les yeux, il fit du regard le tour de la chambre où un homme semblable à lui avait autrefois dressé des plans, s'était reposé, avait espéré. A travers le trou béant dans le bordé, il apercevait la mer bleutée qui léchait la coque comme pour se moquer de lui. La chaleur montait déjà par les fenêtres ouvertes, la bordée de l'*Euryale* ayant fait voler en éclats toutes les vitres et transformé la chambre en un véritable champ de ruines. Un incendie s'était sans doute déclaré, car il ne trouva en cherchant les papiers et le livre de bord du bâtiment que des cendres noirâtres. Il n'y avait rien qui pût lui fournir le moindre début d'explication, pas même un sextant pour lui permettre d'observer leur position approximative. L'ouragan de la nuit avait pu les faire dériver de plusieurs milles vers l'est, la terre – Espagne, Afrique du Nord ? – était peut-être à trente ou cinquante milles, il n'était sûr de rien.

Meheux pénétra dans la chambre, faisant craquer les morceaux de verre sous ses semelles. Il avait l'air fatigué, tendu, comme tous les hommes de son détachement.

– Je crois que nous arrivons enfin à préparer quelque chose qui pourrait ressembler à un dîner, commandant – il lui indiqua la carte. Une chance d'estimer notre position ?

– Aucune.

Il était inutile de lui laisser cette illusion. Si quoi que ce fût lui arrivait, ce serait à Meheux de conduire le navire en sûreté.

– Et être encalminés comme nous sommes ne nous mène pas à grand-chose – il regardait Meheux, l'air grave. Comment vous en sortez-vous avec les passagers ?

L'officier haussa les épaules :

– Ils passent leur temps à bavarder comme un vol de mouettes. Je ne suis pas sûr qu'ils comprennent exactement ce qui leur arrive.

Ni moi non plus, se dit Bolitho.

– Lorsque tous vos gens se seront restaurés, remettez-les au travail sur la coque. Les voies d'eau sont toujours aussi inquiétantes : assurez-vous que l'on vérifie les pompes.

Allday apparut dans l'embrasure branlante, le front soucieux.

– Pardonnez-moi, commandant, mais il y a un Espagnol qui désire vous parler. Si vous préférez, je l'enverrai aux pelotes et vous pourrez dîner en paix.

– Je suis désolé, fit Meheux en acquiesçant, j'avais oublié de vous en parler. Ce petit Espagnol tout replet, c'est celui qui a aidé Ashton à traduire ce que je disais. J'avais tant de choses à quoi penser…

Bolitho sourit :

– Je doute que ce soit si important que cela, mais allez le chercher, Allday – puis il ajouta à l'intention de Meheux : Je suis tellement à court de renseignements que je n'ai guère le choix.

L'Espagnol fit son entrée, assez agité, la tête courbée sous les barrots qui le dominaient pourtant de deux bons pieds. Il avait remis sa perruque en place, mais Bolitho songea avec surprise que le postiche, loin de le rajeunir, contribuait plutôt à accuser son âge. Il savait déjà que l'homme répondait au nom de Luis Pareja et qu'il se rendait à Port-Mahon, où il comptait finir ses jours.

– Eh bien, señor, que puis-je pour vous ?

Pareja commença par observer le décor, les trous laissés par le passage des boulets, les morceaux de bois calcinés, avant de répondre d'une voix timide :

– Votre navire nous a causé des dégâts terribles, commandant.

– Si nous vous avions balancé une vraie bordée, murmura sèchement Meheux, vous seriez coulés au fond de l'eau avec les autres. Alors, faites attention à ce que vous dites !

Pareja parut atteint :

– Je ne voulais pas du tout sous-entendre que vous… – il vacilla un peu, mais ajouta tout de même : Ils ignorent ce qui va se passer maintenant, et si nous arriverons chez nous.

Bolitho le regarda longuement.

– Ce navire est dorénavant sous pavillon britannique. Il vous faut comprendre qu'en temps de guerre il est difficile de prévoir les événements. Mais nous avons des vivres en quantité suffisante, et j'espère que nous retrouverons bientôt notre bâtiment.

Il crut voir un éclair de doute passer dans les yeux de son interlocuteur et ajouta d'un ton ferme :

– Très bientôt, même.

– Je le leur dirai – Pareja avait en fait l'air moins sûr de rien que jamais. Si je puis vous être de quelque secours, merci de m'en faire part, commandant. Vous nous avez sauvé la vie en restant à bord, je le sais pertinemment. Sans cela, nous aurions certainement péri.

– A propos, señor Pareja…

Bolitho baissa les yeux : lui montrer trop de confiance risquait d'être pris par lui comme un doute sur sa propre assurance.

– … Savez-vous pour quelle raison votre capitaine est descendu si loin dans le sud ?

Pareja fit la moue.

– Je sais qu'ils ont eu des discussions, mais, dans la précipitation de l'appareillage, je n'y ai guère fait attention. Mon épouse devait quitter l'Espagne. Depuis notre alliance avec la France, les choses ont commencé à mal tourner chez nous. J'espérais la conduire dans ma propriété de Minorque. Ce n'est pas très grand, mais…

– Parlez-nous donc de ces discussions, le coupa Meheux.

– Du calme, monsieur Meheux – Bolitho lui jeta un regard qui avait valeur de mise en garde. Lui aussi a ses soucis, non ?

Il se retourna et demanda d'une voix neutre :

– Mais vous disiez quelque chose, señor ?

Pareja écarta ses grosses mains potelées.

– J'ai entendu l'un des officiers, il est mort, malheureusement, dire qu'ils avaient rendez-vous avec un autre bâtiment, pour transférer un passager. Quelque chose de ce genre.

A ces mots, Bolitho essaya de dissimuler son soudain intérêt.

– Vous parlez fort bien anglais, cela peut nous être très utile.

Pareja sourit en prenant l'air modeste :

– Ma femme le parle fort bien. Et j'ai fait des affaires à Londres – il hésita. Les temps étaient plus faciles.

Bolitho se contraignit à s'asseoir, parfaitement conscient de l'impatience de Meheux et des mouvements paresseux du bâtiment sous ses pieds.

– Vous souvenez-vous, lui demanda-t-il doucement, à quel endroit devait avoir lieu ce rendez-vous ?

– Je ne pense pas.

Et il s'essuya le visage, ce qui le fit ressembler à un gros poupon qui aurait joué à « qui c'est ça ? » derrière une vieille perruque.

Bolitho poussa lentement la carte dans sa direction.

– Regardez ceci. Les noms qui sont indiqués sur la côte.

Ce faisant, il fixait intensément Pareja qui explorait la carte déchirée, le regard vide.

– Non.

Meheux s'éloigna et fit en se mordant la lèvre :

– Qu'il aille au diable !

Quant à Bolitho, il se détourna pour cacher sa déception.

– S'il vous revenait quoi que ce soit, señor Pareja, soyez assez aimable pour en faire part à l'un de mes hommes.

Pareja, avec une courbette assez cérémonieuse, fit mine de se retirer. Il s'arrêta pourtant, leva la main comme pour réclamer le silence.

– Mais l'officier a dit aussi autre chose, fit-il, tout excité – nouveau léger froncement de sourcils. Il disait qu'il… trouvait étrange que l'on recommence à faire des affaires avec les Français.

Il se tourna vers Bolitho, dont le visage s'éclairait, avant de conclure :

– Mais c'est tout ce que je sais, je suis désolé.

– Monsieur Meheux, y a-t-il des Français à bord ? demanda Bolitho en retenant son souffle.

– Mais oui, répondit vivement Pareja avant même que Meheux eût eu le temps d'ouvrir la bouche, mais oui, il y en a un. Il s'appelle Witrand et il est arrivé si tard à Málaga qu'il n'y avait plus de cabine pour lui.

Il avait l'air étonné lui-même de ce qu'il disait.

– On l'a autorisé à partager les appartements du capitaine. Voilà qui est bizarre.

Bolitho se leva lentement, balançant entre méfiance et espoir. Pourtant oui, c'était fort possible, quelqu'un d'assez important pour partager les appartements du capitaine était peut-être bien capable de monter un transfert pas très chrétien en mer. Cela ne signifiait guère plus que quelques jours de route de mieux pour les autres passagers. Le pouvoir est comme la richesse, il sait trouver les arguments qui font la différence. Cet homme, ce Witrand, était peut-être un contrebandier, un criminel de haut bord en fuite, un traître ou un marchand qui essayait d'échapper à ses concurrents. Cela dit, il savait peut-être des choses intéressantes, des choses qui pourraient jeter une autre lumière sur ce qui se passait dans ces eaux.

Il y eut soudain un brouhaha dans la coursive, il entendit Allday s'emporter :

– Cela ne sert à rien ! Vous n'avez pas le droit de passer par ici ! – puis sa voix prit un accent étrange, gras. *Ça n' vous servira d' ren, señora !*

La porte s'ouvrit pourtant violemment sur ses gonds à moitié arrachés et une femme fit irruption dans la chambre. Elle fulminait.

– Ah, te voilà, Luis ! Tout le monde t'attend pour savoir ce qui se passe ! Et tu restes ici à tailler une bavette, comme une poissonnière !

Bolitho était tout interloqué. Elle était grande, avec des cheveux longs aussi sombres que les siens, et portait ce qui avait dû être une toilette de grand prix. Mais sa robe était constellée de taches de sel et d'autres traces plus foncées à la taille, sans doute du sang.

Pareja, qui avait l'air tout penaud, annonça :

– Mon épouse, capitaine. Elle est anglaise comme vous.

Bolitho avança un siège à la dame :

– Asseyez-vous, señora, je vous prie.

Elle avait une tête de plus que son mari ou presque et portait vingt ans de moins, à première vue. Elle était plus séduisante que belle ; on remarquait surtout ses yeux très noirs et une bouche qui n'était pour l'heure qu'une mince ligne marquant la détermination et la colère.

– Inutile, je ne resterai pas – elle se tourna vers lui pour la première fois. Tout le monde parle de l'importance nouvelle que mon mari a prise auprès de vous. Je suis simplement venue m'assurer qu'il ne se comportait pas comme un imbécile.

– Mais non, ma colombe ! s'exclama Pareja en reculant lorsqu'elle lui fit face.

– Ne m'appelle pas *ma colombe* ! Tu m'avais promis de m'emmener loin de cette guerre et même, de la peur de la guerre ! Et dès que nous sommes en mer, tu as vu ? – elle fit un geste menaçant en direction de Bolitho. Ce monsieur s'empare de notre bâtiment et manque de nous tuer au passage !

– Vous feriez bien de tenir votre langue, madame, aboya Meheux, le capitaine de vaisseau Bolitho est officier du roi et je vous conseille de vous en souvenir !

– Ah bon, *capitaine de vaisseau* ? – elle se mit à sourire d'un air moqueur. Nous en sommes vraiment très honorés.

Allday s'avança comme pour l'attraper, mais Bolitho lui fit signe de s'arrêter.

– Je suis désolé que vous ayez subi tous ces désagréments, señora Pareja. Je m'assurerai que vous pourrez rentrer à Málaga dès que possible.

Elle avait les mains sur les hanches, son corps souple tremblait de colère.

– Vous savez bien que c'est presque impossible, capitaine. Il est plus vraisemblable que nous serons passés d'un navire à l'autre, que nous devrons souffrir mille indignités entre les mains de vos marins, jusqu'à ce qu'on nous abandonne dans quelque port. J'ai déjà entendu parler de choses semblables, croyez-moi !

Elle avait la voix forte, aussi vigoureuse que ses membres, et donnait le sentiment d'une personne parfaitement capable de régler elle-même ses affaires. Pourtant, plantée là dans cette chambre démolie, avec sa robe qui portait les traces de la tempête et des soins qu'elle avait apportés aux blessés, sa voix donnait à Bolitho une impression mal définie. Du désespoir plus que de la colère, dépit et non horreur, comme il avait pu le croire au début.

– Je veillerai à ce que l'on vous attribue une chambre d'officier, à vous-même et à votre mari. Je crois comprendre que la vôtre a été détruite ?

– Oui, avec toutes mes malles ! – elle jeta un regard furibond à son mari. Mais les siennes sont intactes, bien entendu !

– Mais, ma colombe… – Pareja se jeta presque à ses pieds – … tu sais bien que je vais prendre soin de toi !

Bolitho détourna les yeux, gêné et vaguement mal à son aise. Il dit à Meheux :

– Faites-les conduire à leur nouvelle chambre. Il faut que je trouve le moyen…

Mais il s'arrêta net en entendant un coup de feu.

Tirant son sabre du fourreau, il poussa Pareja sur le côté pour se ruer dehors, Meheux et Allday sur les talons.

Le soleil, aveuglant, l'empêcha de rien discerner de particulier durant de longues secondes. Plusieurs passagers se tenaient toujours près du grand panneau où on leur avait dit d'attendre la distribution du repas. D'autres étaient immobilisés dans des attitudes de saisissement ou de terreur, les yeux rivés sur le gaillard d'avant, où deux hommes se tenaient derrière un pierrier qu'ils pointaient sur la dunette. Accessoirement, l'un des hommes de Meheux gémissait doucement, du sang s'échappait de la blessure qu'une balle de pistolet lui avait faite à l'épaule.

– C'est cet homme ! cria Pareja d'une voix inquiète. C'est Witrand !

Bolitho restait rigoureusement immobile : une simple traction sur le tire-feu, et une volée de mitraille pouvait balayer le pont d'un bout à l'autre. Ce n'était pas seulement sa propre vie qui était en jeu, mais aussi celle de tous ces gens qui se trouvaient là.

– Éloignez-vous de cette pièce, cria-t-il ! Vous ne pouvez rien faire !

– Ne dites pas de choses aussi stupides, commandant – l'homme avait une voix douce mais étrangement forte en même temps. Quelques-uns de vos hommes ont essuyé, comment dire, un petit contretemps – il souriait. Ils ont eu le malheur de dénicher un fameux brandy en bas. J'ai peur qu'ils ne vous soient pas d'un grand secours.

La bouche de la pièce se déplaça légèrement.

– Jetez vos armes, les matelots espagnols vont reprendre leurs postes. Je suis sûr qu'ils sont capables de manœuvrer convenablement ce navire, si nécessaire – il arborait un large sourire qui faisait se détacher des dents éclatantes au milieu de ses traits bronzés. Votre propre bâtiment est loin, cela n'a aucun sens de vous sacrifier vous-même… – il durcit le ton – … ou de sacrifier d'autres existences, pour le plaisir de préserver votre amour-propre !

Bolitho examinait fébrilement la situation. Même si lui et ceux qui l'entouraient sans être ivres tenaient l'arrière, ils seraient incapables de conduire le navire. Le pierrier de Witrand lui donnait la possibilité de garder le contrôle du pont supérieur, ainsi que de l'eau douce et des vivres. Il n'y avait sans doute plus un seul officier espagnol de vivant, mais Witrand avait raison : l'équipage pouvait remettre en route et il risquait d'attendre longtemps l'arrivée d'un bâtiment ennemi qui viendrait vérifier ce qui se passait.

– Si nous parvenons à retourner dans la chambre, murmura Allday, nous pourrons les menacer avec des mousquets, monsieur.

– J'attends, capitaine ! reprit la voix. Jetez *immédiatement* vos armes !

– Vous le croyez capable de tirer ? demanda Meheux. Il pourrait tuer la moitié des femmes et des enfants qui se trouvent ici.

Bolitho commença de déboucler son ceinturon.

– Morts, nous ne servirons à rien. Faites ce qu'il dit.

Les passagers poussèrent un gros soupir de soulagement en voyant Bolitho et ses compagnons déposer leurs armes sur le pont.

Deux Espagnols en armes arrivèrent en courant par le passavant tribord, pistolets pointés et grimpèrent l'échelle de dunette derrière Bolitho à une distance telle qu'ils ne pouvaient pas le manquer.

Witrand passa le tire-feu à son compagnon, s'avança lentement sur le passavant et s'inclina en arrivant sur la dunette.

– Paul Witrand, capitaine. A votre service.

C'était un homme de taille moyenne, la mâchoire carrée, l'allure d'un soldat. On sentait de la détermination chez lui, et Bolitho aurait pu s'en rendre compte plus tôt sans l'irruption de la femme de Pareja. Peut-être l'avait-elle fait de manière délibérée.

– Je me suis rendu pour préserver des vies, répondit-il calmement. Mais nous retomberons fatalement sur mon bâtiment. Même si vous me gardez en otage, cela ne vous servira à rien.

– *Un seul bâtiment*, capitaine ? Intéressant. Et quelle peut bien être sa mission dans des eaux contrôlées par la France ? je me le demande – il hocha la tête. Vous vous êtes conduit courageusement, et j'ai du respect pour vous. Mais il vous faut accepter votre destin, comme je l'ai fait lorsque vous êtes arrivé à bord. Mieux eût valu pour nous deux ne jamais nous rencontrer – il haussa les épaules d'un air entendu. La guerre est la guerre.

Il examina Bolitho une poignée de secondes, les yeux presque jaunes dans la lumière.

– Je suis sûr que vous refuseriez de manœuvrer ce bâtiment pour mon compte – aimable sourire. Vous allez cependant me donner votre parole, votre parole d'officier du roi, de ne pas tenter de le reprendre – il se saisit du sabre de Bolitho. Dans ce cas, vous pouvez le garder ; ce sera, comment dire, le garant de ce que je fais confiance à votre parole.

Bolitho hocha négativement la tête :

– Je ne peux pas vous garantir pareille chose.

– Ni moi non plus, ajouta sèchement Meheux.

– Ah, je vois, on fait preuve de loyauté – il reprit un air plus réservé. Vous serez conduits en bas et mis aux fers. J'en suis naturellement navré, mais je n'ai pas le choix. Il y a ici trois autres Français. Les autres… – il haussa les épaules sans dissimuler son dégoût – … de la racaille d'Espagnols, j'aurai du mal à les tenir à distance des passagers.

Il fit signe aux deux marins en armes et demanda à Bolitho :

– Votre navire, dites-moi, ne serait-il pas d'origine française ?

– C'est l'ancienne *Tornade*.

Bolitho essayait de répondre d'une voix égale, mais il cherchait fébrilement dans sa tête une idée, quelque chose, un moyen de reprendre le dessus. Mais, non, rien ne lui venait.

Witrand écarquilla les yeux.

– La *Tornade* ? Le vaisseau de l'amiral Lequiller ? – il se frappa le front du plat de la main. Mais ce que j'ai été bête ! Mais oui, vous avec votre nom impossible, l'homme qui a pris la *Tornade* au bout de soixante-dix heures de combat !

Il hocha la tête et recouvra son sérieux.

– Mais vous feriez vous-même un prisonnier de grande valeur, si jamais nous revoyions la France.

Les marins leur mirent leurs pistolets dans les côtes, et Witrand se contenta d'ordonner :

– Emmenez-les !

Il s'attarda sur Allday, qui le regardait fixement, serrant et desserrant les poings, visiblement encore sous le coup de ce qui venait d'arriver.

– Est-ce l'un de vos officiers ?

Bolitho se tourna vers lui ; c'était là un de ces moments où l'on avait l'impression que la vie s'arrêtait. Si on les séparait, il pouvait ne plus jamais revoir Allday.

– C'est un *ami*, m'sieur, répondit-il doucement.

– Et c'est une denrée rare, soupira Witrand – il sourit. Qu'il reste avec vous, mais à la moindre entourloupette, je vous ferai abattre.

Et jetant à Pareja un coup d'œil assassin :

– C'est comme pour les traîtres : il n'y a pas d'autre solution.

En se tournant vers l'échelle de dunette, Bolitho vit les visages des passagers les plus proches, ainsi que la femme de Pareja tout à l'arrière. Elle se tenait parfaitement immobile ; seul le rapide battement de sa gorge laissait deviner une certaine émotion. Il entendit un grincement et, lorsqu'il tourna la tête, il vit que le pavillon blanc descendait du grand mât au bout de sa drisse.

Tout comme la remise de son sabre, voilà qui soulignait assez bien à quel point sa défaite était complète.

Le dos appuyé contre un énorme baril de bœuf salé, Bolitho écoutait les bruits étouffés qui lui parvenaient à travers la porte. Ses compagnons restaient silencieux. Éclairé par un trou minuscule percé dans l'huis et qui laissait passer la faible lueur d'un fanal, l'endroit était obscur, et il aimait mieux qu'il en fût ainsi. Il n'avait vraiment pas envie que les autres pussent voir son visage ni son désespoir.

Il entendit un bruit de chaîne, sentit les fers qui entouraient ses chevilles bouger un peu : sans doute Meheux ou l'un des autres qui changeait de position. Allday était assis juste à côté de lui et s'appuyait au même baril. Grindle était à l'autre bout de cette soute exiguë, enchaîné avec Ashton. Tous restaient perdus dans leurs pensées, à ruminer cette malice du destin à laquelle ils devaient d'être là.

Il était impossible de deviner ce qui se passait à bord. Les pompes ne s'étaient pas arrêtées, mais on entendait par intermittence d'autres bruits, des cris, des jurons, une femme qui sanglotait ou poussait des hurlements. Il y avait même eu un coup de feu, et Bolitho se dit que Witrand avait peut-être quelque difficulté à tenir en main son équipage espagnol. Lorsque l'on avait subi le feu dévastateur d'un *Euryale*, la tempête, l'humiliation de s'être fait prendre, l'atmosphère n'était plus la même dans l'entrepont. Privés de leurs officiers, sans objectif précis, les hommes avaient dû abandonner tout sens de la discipline et sombrer dans un chaos d'ivrognes.

Le vent ne s'était toujours pas rétabli, il s'en rendait compte aux mouvements ralentis du bâtiment, aux claquements des apparaux qui pendaient sans vie.

– Si je vis jamais assez longtemps pour mettre la main sur ces poivrots, fit rageusement Meheux, je vous promets que je les ferai fouetter à les mettre en lambeaux, cette bande d'incapables !

– Il faut dire que cette idée de brandy était une ruse assez fine de la part de Witrand, lui répondit Bolitho – et il ajouta, envahi par une soudaine amertume : J'aurais dû fouiller plus à fond.

– Mais non, fit Grindle de sa voix traînante, z'étiez trop occupé à leur sauver la vie pendant c' temps-là, m'sieur, z' avez pas de raison de vous en vouloir.

– Je suis parfaitement d'accord, renchérit Allday, qui s'agitait sans cesse ; on aurait bien dû les laisser dans leur pourriture !

– Vous sentez-vous mieux, monsieur Ashton ? demanda Bolitho.

Il se faisait du souci pour l'aspirant. Lorsqu'on l'avait jeté dans la soute, Bolitho avait aperçu le pansement ensanglanté qu'il portait autour de la tête et trouvé sa pâleur impressionnante. Apparemment, Ashton avait tenté de résister à leurs assaillants, appelé ses hommes à la rescousse, mais ils étaient déjà trop soûls pour seulement s'aider eux-mêmes. Quelqu'un lui avait porté un violent coup de mousquet et il n'avait plus dit grand-chose depuis.

– Je vais bien, monsieur, répondit-il d'une voix pleine d'allant, cela va passer.

– Vous vous êtes fort bien conduit.

Bolitho se dit qu'Ashton pensait sans doute un peu trop à son avenir. Il n'avait que dix-sept ans, mais avait déjà montré de grandes capacités. A présent, tous ses beaux projets risquaient de tomber à l'eau. Ce qui l'attendait, c'était la prison, peut-être même la fièvre puis la mort dans quelque garnison perdue chez l'ennemi. Il était trop jeune, de trop peu d'importance pour espérer être échangé, à supposer déjà que sa personne pût seulement intéresser les autorités.

Bolitho essayait d'imaginer son propre bâtiment, sa position, ce que Broughton pouvait bien être en train de faire. L'amiral les avait sans doute tous chassés de ses pensées. La tempête, la forte probabilité que le *Navarra* fût allé par le fond, tout cela ne devait laisser subsister chez lui qu'une vague pensée pour leurs mémoires, rien de plus.

Il s'étira un peu contre son baril, ces fers étaient décidément insupportables. Ce n'était pas la première fois qu'on le faisait prisonnier, mais c'était une bien maigre consolation. Dans le temps, il avait toujours eu une chance, même infime, d'échapper à ses ravisseurs et de renverser le jeu. La possibilité de voir arriver un bâtiment anglais existait toujours et, où il y a une chance, il y a de l'espoir. Mais à présent les choses étaient totalement différentes. L'*Euryale* ne reviendrait pas les chercher. Comment aurait-il pu le faire, alors qu'il n'avait même pas esquissé un début d'exécution de sa mission ?

Il sentit son estomac se nouer et prit soudain conscience qu'il n'avait rien avalé depuis la veille. Le souvenir de son bâtiment bien en ordre, la sensation d'exister, d'appartenir à quelque chose, cela lui paraissait remonter à une bonne semaine.

Il songea à la femme de Pareja, qui était sans doute en train d'expliquer à Witrand comme elle n'avait eu aucun mal à lui mettre des bâtons dans les roues quand il voulait fouiller parmi les passagers pour le retrouver. Ou peut-être était-elle en train de pleurer, en regardant son vieux mari finir de gargouiller en gigotant au bout d'une corde à la grand-vergue. D'où sortait-elle donc ? Qu'est-ce qui pouvait bien amener à l'autre bout du monde une femme comme elle ? Cela ne faisait jamais qu'une énigme de plus…

Ils entendirent des pas derrière la porte et Allday déclara d'une voix hargneuse :

– Ils viennent savourer le spectacle, ces salopards !

Quelqu'un tira le verrou : Bolitho vit Witrand scruter l'obscurité de la soute, deux hommes en armes sur les talons.

– J'aimerais que vous montiez sur le pont, capitaine, fit le Français.

Il avait l'air très calme, mais un je-ne-sais-quoi réveilla l'intérêt de Bolitho. Peut-être que le vent revenait et que Witrand ne jouissait pas auprès de l'équipage de la confiance dont il se targuait. Pourtant, le pont était apparemment toujours aussi calme, on entendait seulement le claquement des pompes.

– Et pourquoi devrais-je venir ? rétorqua-t-il. Je me trouve très bien ici.

Witrand appela l'un de ses hommes qui s'approcha avec une clé.

– Les prisonniers n'ont pas le choix ! aboya-t-il. Vous ferez ce que je vous ordonne de faire !

Bolitho regarda l'homme lui enlever ses fers en se demandant ce qui pouvait bien justifier ce changement d'attitude de Witrand. Pas de doute, l'homme avait des soucis.

Meheux l'aida à se mettre debout et lui dit :

– Méfiez-vous, monsieur.

Il avait l'air un rien remonté, comme le remarqua Bolitho : il s'imaginait sans doute qu'on allait soumettre son capitaine à un interrogatoire ou pis encore.

Il suivit Witrand dans la coursive, où le silence régnait de manière saisissante. En dehors des pompes, des craquements du bois, pas un seul bruit de voix. Et cela à bord d'un navire bourré à craquer de passagers apeurés.

C'était la fin de l'après-midi, le soleil était encore aveuglant sur le pont et les souliers de Bolitho collaient au plancher. Il suivit Witrand dans l'échelle puis à l'arrière. La mer bleue était si éblouissante qu'il manqua de trébucher sur une planche éclatée et que Witrand dut lui tendre la main pour le soutenir.

– Eh bien, qu'y a-t-il ? demanda Bolitho en s'abritant les yeux. Je n'ai pas changé d'avis, sur rien.

Witrand semblait ne pas entendre. Il prit Bolitho par le bras et le força à s'approcher de la lisse.

– Regardez donc en bas, fit-il d'une voix pressante, vous y comprenez quelque chose ?

Bolitho s'aperçut soudain que le pont principal et le gaillard étaient couverts de silhouettes qui l'observaient en silence. Des hommes étaient même montés dans les enfléchures et leurs visages graves se détachaient sur les voiles pendantes. Ils regardaient quelque chose, à l'horizon.

Witrand lui tendit une lunette :

– S'il vous plaît, capitaine, dites-moi ce que vous en pensez.

Bolitho posa l'instrument sur son avant-bras et le pointa par-dessus la lisse. La plupart des hommes présents sur le pont s'étaient tournés vers lui ; Witrand lui-même le fixait attentivement, non sans anxiété.

Bolitho déplaça lentement la lunette et retint son souffle en apercevant de petites voiles latines qui dansaient dans les lentilles. Trois, quatre, cinq peut-être, qui se réfléchissaient sur l'eau de façon plaisante, comme les ailes colorées de papillons.

Il baissa sa lunette et se tourna vers Witrand.

– Ce sont des chébecs – Witrand attendait avidement la suite. Il y en a peut-être cinq.

Witrand le regarda en lui montrant les voiles inanimées du *Navarra* :

– Mais pourtant ils avancent, et ils approchent même vite ! Comment font-ils donc ?

– Comme les galères, m'sieur, ils avancent à la rame aussi bien qu'à la voile – et il ajouta très posément : A mon avis, il s'agit de pirates barbaresques.

Witrand recula d'un pas :

– *Mon Dieu, des corsaires !*

Il arracha la lunette des mains de Bolitho et observa les petites voiles pendant plusieurs secondes avant d'ajouter, plus calmement :

– Voilà qui est fâcheux ; que savez-vous de ce genre d'hommes ?

Bolitho détourna les yeux.

– Ce sont des sauvages, des combattants barbares. Quand ils parviennent à monter à bord, ils ne laissent pas un seul survivant, puis s'emparent de la cargaison… – une pause – … et des femmes.

Witrand en avait le souffle coupé.

– Mais nos canons sont en état, non ? Mon Dieu, ils ont assez bien répondu aux vôtres. Nous pourrons sûrement réduire en purée des bâtiments aussi minuscules avant qu'ils aient pu approcher…

Bolitho se tourna vers lui, l'air grave.

– Vous ne comprenez rien. Les chébecs sont des bâtiments très manœuvrants, alors que nous sommes encalminés. C'est la raison pour laquelle ils se sont maintenus jusqu'à nos jours, et avec beaucoup de succès. Dès qu'ils sont à portée, ils font force de rames pour arriver jusque sous votre étrave et ils vous matraquent jusqu'à ce que vous vous rendiez à raison. Chacun d'entre eux porte une grosse pièce de chasse entre les bossoirs, c'est leur manière.

Il le laissa méditer ce qu'il venait de dire avant de poursuivre :

– La méthode s'est révélée très efficace : j'ai entendu parler de navires de guerre encalminés, incapables de rien faire sinon de regarder ces galères massacrer des bâtiments marchands l'un après l'autre au beau milieu d'un convoi.

Il se tourna une fois encore vers l'horizon. Les voiles s'étaient encore rapprochées, il apercevait les longues lignes de rames qui se levaient et retombaient dans un rythme parfait. Au-dessus des rames, les voiles latines étincelaient comme une menace supplémentaire. Il imaginait fort bien l'excitation des équipages à la vue d'une proie aussi facile.

– Que faire ? demanda Witrand en tendant les mains. Ils

vous tueront vous aussi, capitaine, il nous faut donc travailler ensemble.

Bolitho haussa les épaules.

– En principe, je ferais mettre les canots à la mer et j'essaierais de nous remorquer. Au moins, nous pourrions lui offrir notre bordée. Mais nous n'avons pas de canots, en dehors du doris qui m'a conduit à bord – il se frotta le menton. De toute manière, il en faudrait beaucoup.

– Au nom de Dieu, monsieur ! Vous allez rester planté là à ne rien faire ?

Il lui indiqua les gens qui regardaient en silence, qui commençaient à comprendre la menace au fur et à mesure que les petits bâtiments se rapprochaient.

– Et eux, alors ? Vous allez les laisser périr ? Souffrir la torture ou le viol ? Je suis certain que vous pouvez faire quelque chose.

Bolitho sourit tristement.

– Le souci que vous avez de leur survie est touchant. Vous avez beaucoup changé depuis que nous nous connaissons – et avant que le Français prît le temps de répondre, il ajouta sur un ton tranchant : Faites relâcher immédiatement mes officiers et rendez-leur leurs armes.

Il vit dans ses yeux que Witrand était atteint, mais ajouta :

– Vous n'avez pas le choix, m'sieur. Et si nous devons mourir en ce jour, je préférerais que ce soit le sabre à la main.

Witrand fit signe qu'il obtempérait et lui adressa un bref sourire :

– Faisons ainsi, j'en suis d'accord.

Il appela un homme pour porter un message et ajouta :

– Le vent va-t-il se lever ?

– Peut-être dans la soirée, lorsqu'il fera plus frais – il le regarda froidement. Mais cela ne nous avancera guère si nous échouons.

Quelques minutes plus tard, Meheux et les autres venaient le rejoindre à l'arrière. Ashton avançait avec peine en s'appuyant au bras du lieutenant.

Bolitho aperçut sur le pont supérieur l'officier marinier qu'ils avaient relâché, McEwen, ainsi que six hommes que l'on avait également autorisés à gagner l'arrière. Les autres étaient probablement encore trop soûls pour qu'on parvînt à les remuer. Ils mourront sans s'être rendu compte de rien, songea-t-il amèrement, cela vaut mieux.

– Avez-vous besoin de moi, capitaine ?

C'était Pareja, l'air terrifié et timide à la fois.

Bolitho lui fit un sourire. Pareja était resté sous bonne garde, ce qui montrait qu'il ne s'était pas entendu à sa façon avec le Français.

– Je souhaite que vous disiez à tout le monde ce dont j'ai besoin – il le vit jeter un coup d'œil craintif par-dessus la lisse. Beaucoup de choses vont dépendre de vous, señor, de votre façon de parler, de vous comporter – nouveau sourire. Descendons sur la dunette, voulez-vous ?

Pareja le regardait en cillant :

– Tous les deux, capitaine ?

Il finit par hocher la tête. Sa détermination toute neuve était touchante.

– Comment pourrions-nous réussir à les repousser ? demanda Meheux.

– Rassemblez vos hommes, faites-en une seule équipe de pièce. Je veux que vous fassiez porter notre meilleure pièce dans la chambre de poupe. Vous allez devoir faire vite pour frapper les palans qui vont bien, mais nous n'avons pas le choix. Ces gens-là vont être à portée d'ici à une heure, peut-être avant.

Il posa la main sur le manteau tout froissé du lieutenant et ajouta :

– Et envoyez les couleurs, monsieur Meheux !

Il vit Witrand qui ouvrait la bouche pour protester, mais se détourna vers la lisse.

– Si je dois me battre, ce sera sous *notre* pavillon !

Allday regardait les couleurs monter à la drisse et fit remarquer, tout réjoui :

– Je parierais gros que ces satanés pirates n'ont encore jamais vu un vaisseau du roi de cette beauté !

Bolitho se tourna vers Pareja :

– Et maintenant, señor, venez avec moi. Nous allons essayer d'écrire ensemble une nouvelle page de l'histoire maritime, hein ?

Pourtant, en voyant tous ces visages en dessous d'eux, les femmes qui serraient leurs enfants contre leurs jupes, ces gens sans défense, de plus en plus effrayés, c'était le plus qu'il pouvait dire pour essayer de leur cacher ses véritables sentiments.

X

SURVIVRE

– Il n'y en a plus pour longtemps, monsieur.

Grindle avait passé les deux pouces dans sa ceinture et observait les arrivants sans émotion notable.

Au cours des trente dernières minutes, les chébecs s'étaient formés en ligne, manœuvre qu'ils avaient exécutée sans hâte ni effort particuliers, comme s'ils avaient l'éternité devant eux.

A présent, dans une large courbe qui les conduisait par le travers bâbord du *Navarra*, ils faisaient penser à quelque procession antique ou à des galères, impression encore accrue par le sinistre battement des tambours, essentiel pour maintenir dans le rythme les hommes qui maniaient les longues rames.

Le chébec de tête était à un mille environ, mais Bolitho distinguait déjà une grappe de silhouettes à la peau sombre rassemblées au-dessus de la longue guibre, et il devina qu'ils préparaient la pièce de chasse pour la première attaque. Ses voiles, comme celles des autres, avaient été ferlées et il voyait au mât de misaine le pennon bleu frappé du croissant de lune.

Il s'arracha à la contemplation des assaillants qui ne cessaient d'approcher, lentement mais avec détermination, et dit à Grindle :

– Je descends un moment. Ouvrez l'œil jusqu'à mon retour.

Tout en se hâtant vers l'arrière, il essayait de se concentrer sur ce qu'il avait fait jusqu'ici, pour essayer de trouver une faille dans son pauvre plan de défense. Lorsque Pareja avait traduit ses ordres, il avait observé le visage des hommes d'équipage et des passagers. Pour eux, n'importe quel plan valait mieux que de rester là comme des bêtes d'abattoir. Mais maintenant, alors qu'ils se tenaient couchés dans tout le bord à écouter ce battement de tambour régulier, leur espoir pouvait rapidement laisser place à la panique.

Si seulement ils avaient eu davantage de temps !... Mais la bordée de l'*Euryale* avait laissé le bâtiment dans un état si lamentable qu'ils n'avaient même pas eu le temps d'effectuer quelques réparations. Il était à bout de bord et, à supposer que le vent se levât, ils auraient du mal à naviguer convenablement sans leur artimon. Il avait fallu se débarrasser des pièces de retraite afin d'alléger l'arrière, qui avait subi les pires dommages. Mais la pensée de tous ces canons posés au fond alors qu'ils en auraient eu tant besoin n'était pas faite pour l'apaiser.

Il trouva dans la chambre arrière Meheux et ses marins qui travaillaient fiévreusement à la réalisation de leur plan. Le *Navarra* possédait deux puissantes pièces de retraite, dont l'une avait été détruite par un boulet de l'*Euryale*. L'autre avait été déhalée de son emplacement à tribord et reposait maintenant au centre de la chambre, gueule pointée vers la fenêtre. Non qu'il restât encore quoi que ce fût qui ressemblât à une fenêtre, car Meheux en avait détruit les vestiges, ce qui laissait à la pièce un champ de battage assez large d'un bord à l'autre. Les palans confectionnés à la hâte avaient été vérifiés par McEwen, tandis que les autres s'activaient à stocker de la poudre et des boulets le long de la cloison.

Meheux essuya son visage ruisselant et se força à sourire.

– Elle peut faire du dégât, monsieur – il flatta de la main la lourde volée. Fabrication anglaise, trente-deux livres. Je me demande où ces salopards ont bien pu la trouver...

Bolitho acquiesça et se dirigea vers les fenêtres pendantes. En se penchant par-dessus le tableau, il apercevait le bâtiment de tête dont les rames brillaient comme or au soleil. La plupart des pièces du *Navarra* étaient vieilles et de peu d'usage. Elles étaient plutôt destinées à dissuader quelque pirate de rencontre qu'à causer de réels dégâts. Le navire comptait plus sur son agilité que sur sa capacité à combattre, comme la plupart des bâtiments marchands de par le monde.

Ce canon était sans conteste la seule découverte de valeur qu'ils eussent faite. Semblable à ceux qui constituaient la batterie basse de l'*Euryale*, il était connu pour être une arme puissante et dévastatrice lorsqu'il était bien servi. Surnommé le « grand 9 » par les marins, car il faisait neuf pieds de volée, il pouvait envoyer avec une bonne précision son boulet à plus d'un mille et demi, distance à laquelle il perçait encore une bonne épaisseur de chêne.

Et, pour l'heure, la précision était plus importante que tout.

Bolitho tourna le dos à la mer et annonça :

– Nous ouvrirons le feu dès que le chébec de tête fera cap sur nous.

McEwen, chef de pièce à bord de son bâtiment, demanda :

– Double charge, monsieur ?

– Non, répondit-il. C'est parfait pour un corps à corps entre vaisseaux, lorsque l'on ne fait face qu'à la bordée de l'adversaire. Mais aujourd'hui nous ne pouvons pas nous permettre de tirer dans le tas – il eut un large sourire en voyant leurs mines déconfites. Soignez vos charges et assurez-vous que chaque boulet est un bon boulet.

Il prit Meheux à part et baissa le ton :

– Je pense qu'ils vont attaquer simultanément par l'avant et par l'arrière. Cela va diviser nos ressources et donner à l'adversaire quelque idée de nos moyens.

Le lieutenant approuva de la tête :

– J'aurais préféré que nous ne rencontrions jamais ce foutu bateau, monsieur – sourire sardonique. Ou plutôt que nous l'ayons envoyé par le fond à la première bordée.

Bolitho sourit à son tour en se souvenant des premiers mots de Witrand : *Mieux eût valu pour nous deux ne jamais nous rencontrer*. Enfin, il était trop tard pour avoir des regrets.

Il s'arrêta dans l'embrasure, se tourna vers les marins à l'ouvrage, examina l'état abominable de la chambre après ce qu'ils avaient dû en faire.

– Si je tombe aujourd'hui, monsieur Meheux... – il vit une inquiétude soudaine emplir les yeux du lieutenant mais continua tout de même – ... vous poursuivrez le combat. L'ennemi ne nous fera pas quartier, souvenez-vous-en bien.

Il se força à sourire :

– Hier, c'est vous qui vouliez vous battre. Vous allez être servi !

Il remonta lentement vers la lumière, passa près de la roue abandonnée à côté de laquelle se tenait Grindle, qui observait toujours les arrivants, comme s'il n'avait jamais bougé de là.

Les marins espagnols se tenaient sur le pont, le long des deux pavois, debout ou accroupis près de leurs pièces dont les plus grosses étaient des douze-livres. Çà et là, quand ils pouvaient se mettre à l'abri, se tenaient quelques-uns des passagers auxquels on avait en hâte donné des mousquets sortis du magasin, tandis que d'autres arboraient des armes de chasse qui leur appartenaient afin d'apporter leur contribution aux moyens de défense.

Il ferma ses oreilles aux tambours qui battaient toujours dans le lointain et essaya de s'imaginer sa puissance de feu telle qu'elle allait se manifester dans les prochaines minutes. Plusieurs des pièces bâbord étaient hors de combat, elles avaient été balayées et écrasées par la brève attaque de l'*Euryale*. Tout dépendait de ce que l'ennemi ferait pour commencer.

Les pompes marchaient toujours aussi régulièrement : il se demanda si la traduction de Pareja avait convaincu ceux qui luttaient contre les entrées d'eau que cela valait la peine, ou bien si, au premier échange de coups, ils n'allaient pas tout planter là et donner à la mer sa victoire.

Il y avait plusieurs paysannes parmi les passagères, des femmes rudes, brûlées par le soleil, qui n'avaient manifesté ni mauvaise volonté ni crainte lorsqu'il avait émis l'idée qu'elles pourraient aider aux pompes. En effet, avait-il essayé de leur expliquer, il n'y avait plus de passagers à bord du *Navarra*, mais seulement un équipage dont la survie dépendait de sa propre détermination et de son énergie.

– Monsieur, ils se séparent ! cria Grindle.

Les deux bâtiments le plus en arrière quittaient la ligne et venaient en route parallèle avec le *Navarra*. Les étraves élancées fendaient l'eau comme des faux en se dirigeant sans faiblir vers la leur.

En inspectant le pont supérieur, Bolitho aperçut Witrand près du mât de misaine, un pistolet dans la ceinture et un autre posé sur un panneau de descente. Ashton était avec lui, le visage tout pâle, marqué par la souffrance mais plein de détermination, attendant les ordres à venir de l'arrière.

– Monsieur Ashton, vous pouvez mettre en batterie ! lui cria Bolitho.

Il se mordit la lèvre en entendant les affûts gémir et protester tandis qu'on les roulait vers les sabords grands ouverts. A présent, les trous béants de leur défense n'étaient que trop visibles, surtout à bâbord, à l'arrière et par le travers, là où les avaries étaient les plus importantes.

Il fit signe à Pareja, qui restait tétanisé sous l'échelle de dunette.

– Dites-leur de ne pas faire feu sans ordre. Pas de coup au hasard, je ne veux pas qu'ils gaspillent leur temps et leur énergie à envoyer des coups dans l'eau.

Plissant les yeux pour lutter contre la lumière aveuglante, il examinait les deux bateaux pleins de grâce qui convergeaient doucement comme pour leur couper l'avant. Ils n'étaient plus qu'à deux encablures, mais prenaient tout leur temps.

A l'arrière, la situation était inchangée, les trois bâtiments avançaient de conserve vers bâbord arrière et se trouvaient à la même distance.

Il entendit Meheux qui lançait une succession d'ordres et se demanda s'il croyait vraiment en ses chances de repousser les assaillants.

Il se raidit soudain en voyant qu'une des rangées de rames avait cessé de battre. Rames immobiles au-dessus de l'eau, la coque devint de plus en plus étroite au fur et à mesure qu'elle pointait vers lui. Elles reprirent alors leur mouvement, plus lentement cependant. L'eau écumait autour de l'étrave, comme une pointe de flèche.

Il y eut tout à coup une bouffée de fumée brunâtre sur le bossoir, suivie immédiatement par une explosion sourde. L'eau frissonna comme le boulet invisible passait à quelques pieds de hauteur avant de frapper de plein fouet le *Navarra*, juste sous ses pieds. Il entendit des cris en bas, le bruit des pompes s'interrompit un instant. Sur le gaillard de l'ennemi, des silhouettes sautaient d'excitation.

Nouvelle explosion, sur l'avant cette fois : il aperçut une grande gerbe qui s'élevait vers le ciel à peut-être trois encablures par le travers. L'autre chébec avait tiré en manquant sa cible, mais la gerbe d'embruns donnait une bonne idée du calibre de la pièce.

Les marins espagnols attendaient, impuissants, près des sabords et regardaient les carrés d'eau vide découpés devant eux, dans l'attente du boulet suivant.

Ils n'eurent pas à attendre longtemps. Le chébec le plus proche de bâbord arrière ouvrit le feu et le boulet vint s'écraser sur leur poupe, envoyant une volée d'éclis de bois dans la mer et faisant vibrer violemment le pont.

– Je vais à l'arrière, monsieur Grindle, cria Bolitho.

Il se fiait plus à Meheux pour exécuter ses ordres qu'à lui-même, s'il restait sans rien faire pendant ce bombardement aussi précis qu'impitoyable. Pourtant c'était ainsi que les choses devaient se passer s'ils voulaient conserver une petite lueur d'espoir.

Il trouva Meheux penché contre sa pièce, les yeux rivés sur la coque et les rames qui progressaient sans peine vers l'arrière, à une encablure maintenant.

Bolitho se raidit lorsque la pièce de chasse du chébec cracha feu et flammes ; il sentit le boulet se ficher dans la barre d'arcasse juste en dessous de lui, sans doute assez près de l'avarie déjà aggravée par la tempête.

– Par Dieu, fit Meheux entre ses dents, il va partir en morceaux si on lui en sert d'autres comme celui-là, monsieur !

Bolitho se tourna vers la volée de la pièce. Les marins étaient tendus ; épaules courbées, ils s'attendaient comme Meheux à voir le prochain coup tomber au milieu d'eux.

Boum. Une explosion étouffée, suivie d'un tremblement colossal : le coup avait atteint le *Navarra* en plein à l'avant. Mais il ne pouvait pas être partout à la fois, ici et en haut, et cet endroit était pour le moment le poste le plus vital et le plus important.

Le coup suivant tiré sur leur arrière passa à travers un sabord ouvert sur la barre d'arcasse et Bolitho serra les dents en l'entendant pénétrer profondément dans la coque. Des cris, des hurlements, ce boulet-ci avait trouvé plus que du bois devant lui.

– Mais qu'attend-il donc, cet abruti ? hurla Meheux.

Bolitho se dit soudain que l'ennemi n'avait pas fait feu, alors que l'intervalle entre les tirs avait été jusqu'ici régulier et très rapide. Il regardait, osant à peine espérer, lorsque soudain le chébec commença à venir travers à la poupe du *Navarra*. Il se tortura l'esprit encore quelques secondes en se disant que ce n'était peut-être qu'une illusion, que c'était le *Navarra* qui avait dévié.

– Il vient se faire massacrer, monsieur ! fit Meheux sans reprendre son souffle, en jetant un rapide coup d'œil à Bolitho, les yeux remplis d'admiration. Par Dieu, il croit vraiment que nous sommes sans défense, par ici !

Bolitho hocha tristement la tête. Le capitaine du chébec, ayant testé leur habileté à le maintenir à distance, s'approchait maintenant, souhaitant sans aucun doute envoyer un dernier coup dans la poupe du *Navarra*. En constatant les avaries, en voyant les deux sabords vides sous la barre d'arcasse, il pouvait très bien croire qu'il avait affaire à un ennemi sans défense.

– Maintenant, les gars ! fit brutalement Meheux – les hommes s'animèrent autour de la pièce. On va voir ce qu'on va voir !

Il s'accroupit derrière la brèche pour aller observer les mâts inclinés de l'ennemi alignés droit sur leur arrière. Ses yeux brillaient au soleil comme deux pierres.

– En plein par le travers !

Il trépignait d'impatience, les hommes se jetèrent sur les anspects.

– Parfait !

Il ruisselait de sueur, était obligé de se passer la manche sur le visage.

– Pointez !

McEwen se jeta en arrière, tira sur le tire-feu jusqu'à ce qu'il fût correctement tendu.

– Paré !

Meheux cracha un juron obscène en voyant le chébec s'éloigner momentanément de la ligne, mais un battement de tambour le ramena à son poste. Dans le silence qui se fit soudain, l'ordre de Bolitho claqua comme un coup de pistolet :

– Allez-y, monsieur Meheux !

– Bien, monsieur.

Les secondes leur paraissaient des heures; Meheux restait accroupi derrière la pièce comme une sculpture.

Puis, avec une violence qui surprit Bolitho, alors même qu'il s'y attendait, Meheux sauta de côté en criant :

– Feu !

Dans le confinement de la chambre, le bruit leur fit l'effet d'un craquement de tonnerre. Les hommes toussaient dans la fumée épaisse, Bolitho vit le canon reculer violemment dans ses palans, sentit le pont s'ébranler sous ses pieds, au point qu'il eut le temps de se demander si la pièce n'allait pas venir s'écraser contre les cloisons et le réduire en charpie. Mais les palans tinrent bon, la fumée commença à se dissiper par les fenêtres et il entendit Meheux qui criait comme un dément :

– Regardez-moi ce salopard ! Regardez-le bien, les gars !

Bolitho se précipita vers les fenêtres pour découvrir avec étonnement ce qui, quelques secondes plus tôt, était encore un objet plein de grâce et d'efficacité. L'énorme boulet de trente-deux s'était fiché droit entre les bancs de nage, car il en manquait un certain nombre. Sous le léger nuage de fumée, il aperçut l'étroite coque qui venait en travers, quelques rangées de rames en désordre qui tentaient encore désespérément de ramener le chébec en ligne.

– Nettoyez les lumières ! Écouvillonnez ! – et il cria à l'intention de Bolitho : Double charge ce coup-ci, monsieur ?

– Si vous le faites assez vite, monsieur Meheux.

Les oreilles de Bolitho étaient encore remplies du fracas de l'explosion, mais il devenait involontairement aussi excité que son lieutenant, si bien qu'il ajouta :

– Et mettez donc de la mitraille pour faire bonne mesure, si vous en avez sous la main !

Pour les marins qui s'activaient dans cette chambre dévastée, un canon était un être aussi familier que tous ceux qui partageaient leur vie quotidienne. La tension, l'attente, le fait de voir l'ennemi tirer de plein fouet dans cette coque déjà mal en point sans pouvoir répliquer, tout cela était terminé. Criant, poussant des hurlements, ils enfournaient les charges sous l'œil attentif de McEwen qui était lui-même, en tant que chef de pièce, trop expérimenté pour abandonner toute vigilance. Il se donnait même la peine de soupeser chaque boulet avant d'autoriser qu'on le mît dans la gueule, essayant de s'assurer qu'il était suffisamment parfait pour un objet appartenant à un bâtiment espagnol.

Bolitho vit le chébec blessé commencer à dériver doucement vers tribord arrière et réussit à ne pas regarder ses marins qui essayaient frénétiquement de recharger avant qu'il fût sorti de leur ligne de visée. Mais, si un grand 9 était normalement servi par une équipe de quinze hommes, Meheux n'en avait guère que la moitié à disposition.

– En batterie !

Le tout ne leur avait pas pris deux minutes.

Les deux autres chébecs commençaient à scier pour essayer d'échapper à la menace inattendue que représentait désormais le *Navarra*. L'un des deux ouvrit le feu, mais le boulet passa sans doute très loin au-dessus, car personne ne vit à quel endroit il tombait.

– Pointez gauche ! hurla Meheux.

Et il se jeta sur le côté de la chambre en plissant les yeux pour essayer d'estimer la vitesse de l'ennemi.

Bolitho entendit des craquements et des cris venus du pont supérieur.

– Je dois vous laisser, décida-t-il.

Meheux ne l'entendit même pas.

– A gauche, à gauche, *plus à gauche* !

Il finit par s'emparer d'un anspect et se jeta de tout son poids sur la pièce. Il était encore occupé à jauger la situation par la brèche quand Bolitho s'arracha à l'endroit et partit en courant rejoindre le pont.

Il atteignait tout juste la lumière que Meheux tirait. En courant vers tribord, il aperçut la charge double qui s'écrasait contre la coque du chébec et resta là à regarder, fasciné, le pont étroit basculer et une foule d'hommes se précipiter vers le bordé comme à l'escalade d'une colline escarpée. Les deux énormes boulets avaient dû percuter la coque tout près de la ligne de flottaison, l'élan imprimé par les rames avait fait le reste. La coque s'enfonçait, les hommes d'équipage passaient par-dessus les pavois ou couraient dans la confusion la plus totale vers l'avant. Pas un seul des autres chébecs ne faisait le moindre effort pour venir à leur secours ou pour poursuivre l'attaque, si bien qu'il se demanda un instant si le chébec touché n'avait pas embarqué leur chef.

Il sentit Grindle qui le tirait par la manche :

– Y en a un qu'est en train de virer, m'sieur, il se dirige droit sur l'étrave !

Bolitho se tourna vers l'avant pour voir les mâts étroits du chébec défiler à toute allure. Ses voiles ferlées faisaient l'effet de n'être plus qu'à quelques pieds de son boute-hors. Il changea de route au dernier moment et se dirigea vers bâbord avant. Les rames se replièrent contre la coque comme les ailes d'un grand oiseau de mer qui fait sa dernière glissade.

– Batterie bâbord, cria Bolitho, feu !

Tandis qu'Ashton parcourait la ligne de ses canons, les pièces partirent au recul et la fumée envahit les structures de l'ennemi. Les boulets n'y causèrent pas grand dégât, mais coupèrent en deux le mât de misaine comme un jeune sapin qui tombe sous la hache.

Bolitho sentit un grand grincement, vit les grappins jaillir au-dessus du passavant et dégaina son sabre.

– A repousser l'abordage !

Il aperçut le Français qui faisait feu de ses deux pistolets et poussait quelques marins hébétés vers le pavois.

– Monsieur Ashton ! Le pierrier !

Il aperçut Allday qui se précipitait vers lui, coutelas en avant, sa lame brillant au soleil malgré la fumée.

– Je vous ai dit de rester avec Mr. Ashton ! lui cria-t-il.

Mais il savait que cela ne servait à rien : Allday n'accepterait jamais de ne pas être près de lui au combat, quoi qu'il dise.

Des têtes commençaient à surgir au-dessus du pavois. Faute de filets d'abordage, ils n'étaient protégés que par les passavants. Les marins taillaient et coupaient, du couteau, de la pique. Les hurlements, les cris montaient dans un crescendo assourdissant, des assaillants bronzés, de plus en plus nombreux, escaladaient le flanc. Quelques-uns avaient déjà atteint le gaillard d'avant pour s'évanouir aussitôt comme feuille au vent quand le pierrier ouvrit le feu et les balaya dans une gerbe de mitraille.

– Mon Dieu, faites attention derrière, commandant !

Allday balança son couteau pour hacher une silhouette enturbannée. Il lui coupa en deux la mâchoire et l'homme n'eut même pas le temps de pousser un cri.

Bolitho aperçut un géant barbu qui, faisant tournoyer sa hache, tua deux marins espagnols avant de courir comme un fou vers l'un des panneaux. Il pensa aux femmes et aux enfants, aux blessés qui gisaient là, terrifiés. Si ce géant arrivait jusqu'à eux, la petite étincelle d'espoir pouvait se changer en défaite. Allday n'avait pas encore eu le temps d'intervenir que lui-même se retrouvait près du panneau, un pied sur l'hiloire, alors que l'homme s'arrêtait, hache brandie au-dessus de sa tête, encore couvert du sang de ses premières victimes.

La hache commença de tomber, Bolitho sauta de côté, le sabre pointé sous l'avant-bras massif de l'homme. Celui-ci fit le tour du panneau, puis ses dents se serrèrent dans les soubresauts de l'agonie comme la lame aussi effilée qu'un rasoir lui pénétrait entre les côtes. Se débattant, grognant tel un fauve blessé, il continua tout de même à avancer, et la hache décrivit un arc d'argent en s'abattant vers Bolitho, l'obligeant à reculer encore et encore vers la poupe. Un marin chargea avec une pique d'abordage, mais le géant le frappa au côté et abattit sa hache sur son cou avec la plus grande précision. Il envoya le marin valser en travers du pont et sa tête se sépara presque du tronc.

Bolitho savait pertinemment que, si l'homme parvenait à l'acculer à l'extrême arrière, il le massacrerait tout aussi facilement.

Il se ramassa et, lorsque l'autre leva sa hache au-dessus de sa tête, sans se soucier apparemment de la terrible blessure faite par le sabre, il fonça devant lui, lame pointée sur sa gorge poilue. Mais sa chaussure glissa sur du sang et, sans avoir eu le temps de reprendre son équilibre, il chuta lourdement contre l'une des pièces et son sabre lui échappa des mains pour tomber hors de portée.

Pendant ces quelques secondes, il revit tout, en une espèce de vaste tableau. Les visages, les expressions se détachaient clairement devant lui, comme représentés par un artiste. Allday était trop loin pour l'aider, et il affrontait lui-même un pirate qui portait un turban écarlate. Grindle, avec quelques marins, se battait farouchement sous le passavant bâbord; on entendait le cliquetis des lames qui jetaient des éclairs, les yeux élargis par la férocité et la terreur.

Il aperçut aussi l'homme à la hache qui s'arrêtait, prenait soigneusement son équilibre sur la pointe de ses pieds nus, comme pour mieux calculer le coup final. Il souriait largement, savourant le dernier assaut.

Bolitho n'entendit pas le coup de feu qui se perdit parmi tant d'autres bruits terrifiants, mais il vit son adversaire vaciller puis basculer en avant. Son expression changea lentement, trahit un vague étonnement, laissant place aux marques de l'agonie, et il tomba enfin comme une masse à ses pieds.

Le pistolet de Witrand fumait encore lorsqu'il laissa tomber son bras en criant :

– Êtes-vous blessé, capitaine ?

Bolitho ramassa son sabre puis se leva en secouant la tête.

– Non, mais je vous remercie – il lui fit un sourire. Je pense que nous sommes en train de l'emporter.

Et c'était exact. Les assaillants reculaient déjà sur le passavant, abandonnant leurs morts et leurs blessés qui allaient se faire piétiner au gré des combats toujours en cours au-dessus du pont.

Bolitho passa derrière plusieurs Espagnols qui hurlaient, et vint rejoindre Allday. De son sabre, il para un cimeterre, laissant à son propriétaire une longue estafilade rouge. Allday vit l'homme reculer en abord et le faucha de son grand coutelas en criant :

– Voilà qui va le faire aller plus vite, par Dieu !

Bolitho essuya son visage, qui ruisselait, et se pencha afin de voir ce qui se passait sur le bateau rangé le long du bord. Ils étaient en train de se dégager, et il apercevait quelques-uns des assaillants qui sautaient sur son pont étroit, tandis que les nageurs essayaient de dégager leurs rames coincées contre le flanc du *Navarra*.

Des mousquets tiraient depuis le contrebas : il sentit une balle toucher la lisse tout près de ses doigts et vit une silhouette vêtue d'une robe rouge le désigner à quelques tireurs d'élite postés à la poupe du chébec.

Mais les rames sortaient, le battement de tambour reprit au-dessus des cris des marins espagnols, des blessés et de ses propres hommes qui se débattaient dans l'eau. Et le chébec commença à se dégager de leur flanc.

Bolitho remarqua que sa conserve se trouvait à un mille de là et qu'elle était restée hors de portée pendant toute la durée du combat.

Il pensa soudain à Meheux, toujours dans la chambre, et cria :

– Il faut que je lui dise d'utiliser ce canon !

Il fit demi-tour, courut à l'arrière, manqua tomber en butant contre un cadavre qui fixait de ses yeux vides les voiles inertes et tenait encore d'une main crispée son sabre couvert de sang. C'était Grindle, le quartier-maître pilote, dont les mèches grises donnaient l'impression de vouloir rester en vie sans lui.

– Emmenez-le, Allday, ordonna Bolitho.

Allday essuya la lame de son coutelas et regarda Bolitho s'en aller. Puis il dit d'une voix lasse au pilote défunt :

– T'étais trop vieux pour ce genre de boulot, camarade.

Là-dessus il le tira doucement à l'ombre du pavois en laissant une traînée de sang derrière lui.

Meheux réussit encore à placer un coup au but chez l'ennemi avant que la force des rames l'eût emmené en sécurité, hors de portée. Le chébec qui avait abordé le *Navarra* de façon si insolente avait dérivé presque trois encablures sur leur arrière lorsque Meheux jugea le moment venu de tirer. Le boulet le frappa de plein fouet à l'arrière, emportant la petite voile latine et ricochant sur les sculptures du tableau avant de s'écraser à l'eau dans une gerbe d'embruns.

Le chébec de tête avait coulé, ne laissant derrière lui que du bois d'épave et quelques cadavres. Les autres s'enfuirent vers le sud aussi vite que leurs rames le leur permettaient, tandis que les défenseurs du *Navarra*, hébétés, saignant de partout, les regardaient, ne pouvant croire qu'ils avaient survécu.

Bolitho retourna à la poupe, les jambes lourdes, le bras droit douloureux comme s'il avait reçu une blessure.

Les marins espagnols étaient déjà en train de passer les cadavres ennemis par-dessus bord. Les corps restaient ensuite à bouchonner le long de la muraille dans une danse macabre, avant de dériver comme des poupées désarticulées. Il n'y avait pas de prisonniers : les Espagnols, enragés, n'étaient pas d'humeur à faire quartier.

– Je pense qu'ils ne reviendront pas à l'attaque aujourd'hui, déclara Bolitho à Meheux. Il faut descendre les blessés. J'irai ensuite vérifier l'état de la coque avant la nuit.

Il détourna les yeux pour essayer de se dégager l'esprit des à-côtés désagréables de la bataille.

– Où est Pareja ?

– Il a pris une balle de mousquet en pleine poitrine, répondit Allday. J'avais essayé de l'empêcher de trop se montrer – il soupira. Mais il disait que vous aviez besoin de son aide, pour maintenir l'ardeur de l'équipage – il eut un petit sourire triste. C'est ce qu'il a fait. Curieux petit bonhomme.

– Est-il mort ?

Bolitho revoyait l'énergie de Pareja, sa soumission pathétique lorsque sa femme était là.

– Si ce n'est pas déjà le cas, capitaine, ce le sera bientôt – Allday se passa la main dans les cheveux. Je l'ai fait porter en bas avec les autres.

Witrand traversa le pont maculé de sang et demanda doucement :

– Ces pirates vont-ils revenir, capitaine ?

Il jeta un regard autour de lui, aux survivants étendus là, épuisés.

– Et si c'est le cas ?

– Eh bien, m'sieur, nous nous battrons.

Witrand le regardait intensément.

– Vous avez sauvé ce ponton, capitaine. Je suis heureux d'avoir assisté à ce spectacle – il gonfla un peu ses lèvres. Et demain, qui sait ? Quel bâtiment va arriver et nous retrouver, je me le demande.

Bolitho hésita avant de répondre prudemment :

– Si c'est l'une de vos frégates qui nous retrouve, m'sieur, je me rendrai avec ce bâtiment. Il n'y a pas de raison de faire souffrir davantage tous ces gens-là – et il ajouta lentement : Mais, jusqu'à présent, m'sieur, ce bâtiment, tout comme le pavillon qu'il porte, est le mien.

Witrand le regarda s'éloigner en hochant la tête. Il ne trouva qu'une seule chose à dire : « Stupéfiant ! »

Bolitho courba la tête sous les barrots de pont et se pencha, l'air grave, sur les rangées éparses de blessés. La plupart d'entre eux étaient allongés, calmes, mais lorsque le bâtiment tanguait un peu et que les fanaux pendus au plafond se mettaient à osciller, les silhouettes prenaient soudain l'apparence d'êtres torturés par l'agonie qui l'accusaient de leurs souffrances.

L'air était pestilentiel, mélange d'odeurs d'huile à frire et de sang, de remugles de cale et de vomissure, et il dut se reprendre pour poursuivre. Allday tenait un fanal devant lui, si bien que les visages des blessés lui sautaient à la figure lorsqu'il arrivait devant eux avant de disparaître dans l'ombre, ce qui, Dieu merci, faisait aussi disparaître leurs souffrances et leur désespoir.

Bolitho ne savait plus combien de fois il avait assisté à ce spectacle. Des hommes qui pleuraient, gémissaient pour implorer un peu de clémence. D'autres, qui réclamaient l'assurance qu'ils n'étaient pas en train de mourir, que, quelque miracle aidant, ils reverraient la lumière du jour. Ici, la langue et les intonations étaient différentes, mais c'était tout. Il se souvenait de l'époque où, aspirant effrayé à bord du *Manxman*, vaisseau de ligne de quatre-vingts canons, il avait vu pour la première fois de sa vie des hommes tomber et mourir, où il avait assisté à leur agonie après le combat. Il se souvenait d'avoir ressenti honte et dégoût envers lui-même à n'éprouver que ce soulagement irrépressible de survivre personnellement, en étant passé à côté des affres de la scie et du scalpel.

Pourtant, il n'avait jamais pu maîtriser totalement ses émois. Comme maintenant, la compassion, ce sentiment d'impuissance étaient des choses qu'il n'arrivait pas à surmonter, exactement comme sa phobie de grimper dans la mâture.

Il entendit Allday qui annonçait :

– Voilà, il est ici, capitaine, couché près de la lampe.

Il enjamba deux formes inertes dont on avait déjà recouvert le visage avec de la toile à voile et se mit sur les talons d'Allday au plus près. Tout autour des fanaux et au-delà, il entendait des voix, des gémissements, des plaintes et aussi le murmure apaisant des femmes. En tournant la tête, il aperçut plusieurs paysannes espagnoles qui se reposaient momentanément de leur travail aux pompes. Elles étaient nues jusqu'à la taille, les seins, les bras luisant de sueur et de l'eau de la cale, les cheveux pleins de saletés, souillés à la suite des efforts qu'elles avaient faits en travaillant. Elles n'essayaient pas de voiler leurs corps et ne baissaient pas non plus les yeux à son passage. L'une d'elles lui fit même quelque chose qui ressemblait à un sourire.

Bolitho s'arrêta, s'agenouilla près de Pareja. On lui avait ôté ses habits de prix et il reposait là, comme un bébé grassouillet. Il fixait de ses yeux immobiles, gouffres insondables de douleur, les lanternes qui tournoyaient doucement. Le gros bandage qui entourait sa poitrine était souillé de sang et une tache plus rouge, plus brillante, faisait comme un gros œil par lequel la vie continuait de s'écouler.

– Je suis venu dès que j'ai pu, señor Pareja, fit doucement Bolitho.

Le visage bouffi se tourna lentement vers lui. Ce qu'il avait pris pour un oreiller était en fait un tablier souillé étalé sur les genoux de quelqu'un, ce qui lui évitait de reposer directement sur le pont. Comme le fanal atteignait le haut de sa courbe, il reconnut la femme de Pareja dont les yeux noirs ne regardaient pas son mari, mais contemplaient on ne sait quoi, plus loin, dans l'ombre. Ses cheveux sales et défaits coulaient en cascade sur son visage et ses épaules. Pourtant, elle respirait très régulièrement, comme si elle essayait de se maîtriser. Ou peut-être était-elle encore hébétée par ce qui était arrivé.

– Vous avez sauvé tous ces gens, capitaine, fit Pareja d'une voix pâteuse, vous les avez sauvés de ces Sarrasins assoiffés de meurtre.

Il essaya de saisir la main de sa femme, mais l'effort était trop grand et son poing retomba sur la couverture ensanglantée comme un oiseau mort.

– Ma Catherine est en sûreté désormais, vous vous en assurerez.

Voyant que Bolitho ne répondait rien, il essaya désespérément de se lever sur un coude avant de répéter d'une voix étonnamment forte :

– N'est-ce pas, capitaine ? Vous me donnez votre parole, hein ?

– Vous avez ma parole, señor, répondit lentement Bolitho.

Il regarda subrepticement son visage, à moitié caché dans l'ombre. Elle s'appelait donc Catherine, mais elle était toujours aussi lointaine, irréelle presque. Lorsque Pareja avait prononcé son nom, il s'était attendu à la voir réagir, perdre de sa réserve, mais non. Elle était restée là, le regard ne quittant pas un horizon imaginaire, derrière les lanternes. Ses lèvres luisaient légèrement à travers la fumée.

Ashton émergea de l'obscurité et lui annonça :

– Vous d'mande pardon, monsieur, mais nous avons enfin réussi à réveiller la bande d'ivrognes. Dois-je les faire rassembler à l'arrière au rapport ?

– Non, décida Bolitho, mettez-les plutôt aux pompes !

Il avait répondu si brutalement que l'aspirant recula, mais il poursuivit sur le même ton :

– Et si les femmes les voient ainsi, tant mieux. Ils n'ont pas été capables de se battre, ils pomperont jusqu'à épuisement, je m'en moque !

Dans son dos, Allday jeta à l'aspirant un regard qui en disait long et le jeune homme se retira sans demander son reste.

– Sans votre assistance, reprit Bolitho en s'adressant à Pareja, je n'aurais rien pu faire.

Mais il leva les yeux en entendant sa femme dire d'une voix égale :

– Vous pouvez vous dispenser de parler, capitaine – elle se pencha pour fermer les paupières de son mari. Il nous a quittés.

La flamme du fanal d'Allday vacilla et se coucha contre la vitre, Bolitho sentit le pont trembler sous ses genoux avant d'entendre le claquement d'apparaux, comme si le bâtiment se réveillait d'un long sommeil.

– Le vent, capitaine, murmura Allday, nous avons enfin du vent !

Mais Bolitho restait immobile près du mort. Il essayait de trouver les mots justes, tout en sachant qu'il n'y en avait pas, qu'il n'y en aurait jamais.

Il finit par reprendre d'une voix douce :

– Señora Pareja, si je peux faire quoi que ce soit pour vous venir en aide, je vous prie de me le dire. Votre mari était un brave, vraiment.

Il se tut en entendant Meheux crier des ordres à l'arrière. Il y avait tant de choses à faire : établir les voiles, calculer une route convenable pour essayer de rallier l'escadre, à supposer que ce fût encore possible. Il regarda les mains de la femme, qu'elle tenait posées sur ses genoux, tout à côté du visage figé de Pareja.

– Je vais envoyer quelqu'un vous aider dès que je serai remonté sur le pont.

Elle répondit d'une voix qui semblait venir de très loin :

– Vous ne pouvez pas m'aider, mon mari est mort et je suis une étrangère pour son peuple, une fois de plus. Je ne possède plus que ce que j'ai ici sur moi et quelques bijoux. Cela ne fait pas grand-chose, quand on pense à tout ce que j'ai enduré.

Elle prit la tête de Pareja et la posa délicatement sur le pont.

– Et tout cela grâce à vous, capitaine.

Elle leva les yeux, la lueur du fanal se réfléchissait dans sa prunelle.

– Alors, retournez à vos devoirs et laissez-moi en paix.

Bolitho se redressa et rebroussa chemin vers la descente sans ajouter un seul mot.

Une fois sur le pont, il se força à rester absolument immobile pendant plusieurs minutes, à respirer l'air frais du soir, à observer les rougeurs mélancoliques du soleil couchant.

– Faut pas faire attention à ce qu'elle dit, celle-ci, fit Allday, c'était pas votre faute. Y en a d'autres qui sont morts, et y en aura encore un paquet avant que cette guerre soit finie – il conclut par une grimace : Et elle a bien de la chance d'être encore vivante ce soir, tout comme nous.

Meheux arriva à l'arrière :

– Permission de mettre les Espagnols au travail, monsieur ? Je me disais qu'ils pourraient envoyer les huniers et la grand-voile de misaine, pour voir ce que cela donne. Si ça tire trop, on pourra toujours prendre un ris ou rester sous focs et grands huniers – il se frotta vigoureusement les mains. Que nous arrivions encore à bouger, cela tient du miracle !

– Faites comme cela, monsieur Meheux – Bolitho s'approcha de la lisse pour contempler les premières étoiles, encore toute pâles. Nous mettrons bâbord amures, cap est-sudet.

Il jeta un coup d'œil aux timoniers, s'attendant presque à apercevoir Grindle, les yeux fixés sur lui.

– Mais, au premier signe de fatigue, rappelez tout le monde et réduisez immédiatement la toile !

Tandis que le lieutenant se hâtait d'aller réveiller les marins épuisés, Allday lui demanda :

– Dois-je aller chercher le coq, capitaine ? M'est avis qu'un bon repas chaud fait des miracles quand tout le reste a échoué – il se raidit soudain en voyant apparaître la silhouette de Witrand à l'arrière. Et lui, je le mets aux fers comme il le mérite ?

Bolitho le regardait, impassible.

– Il ne nous ennuiera plus, Allday, et, tant qu'il y aura un risque de rencontrer des pirates dans les parages, je pense que nous arriverons à faire respecter notre autorité – il se détourna. Oui, mettez donc le coq à l'ouvrage.

Et comme Allday se dirigeait vers la descente, il ajouta :

– Et merci.

Allday se figea, un pied levé :

– Capitaine ?

Mais Bolitho ne répondit rien et, après avoir hésité une seconde, Allday descendit l'échelle quatre à quatre, l'esprit préoccupé par cette nouvelle humeur assez insolite et un peu inquiétante.

A minuit, le *Navarra* naviguait à faible allure, sous une nuit de plus en plus noire. Bolitho se tenait près du passavant, les cheveux ébouriffés par un vent frais, tandis que l'on immergeait de nouveaux morts. Il n'avait pas de livre de prières sous la main, il n'y avait pas non plus de prêtre espagnol parmi les passagers pour réciter quelques oraisons à l'intention de ceux qui avaient péri pendant le combat ou juste après.

Tant mieux, se disait-il : ce silence était plus émouvant, plus sincère. Il percevait tous les bruits : ceux de la mer et de la toile, des haubans et le grincement du safran. Et ces bruits faisaient une épitaphe plus convenable pour des hommes qui avaient toujours vécu loin de la mer avant qu'elle les reçût pour jamais dans son sein.

Grindle et Pareja avaient été immergés ensemble, Bolitho avait vu Ashton en train de s'essuyer les yeux lorsque le quartier-maître pilote avait plongé le long du bord.

– C'est terminé, monsieur, cria Meheux.

Il avait la voix un peu voilée, Bolitho était content de l'avoir avec lui. Meheux comprenait sans qu'on eût besoin de rien lui dire qu'immerger les morts de nuit rendait les choses plus faciles à supporter pour les vivants. Il n'y avait vraiment aucune raison d'ajouter encore à leur douleur, et le nombre des cadavres s'alourdirait le lendemain, il en était sûr.

– Très bien, répondit-il, je vous suggère de brasser la grand-vergue, puis vous pourrez renvoyer la bordée de repos. Nous ferons le quart par bordée, vous et moi, et je doute que quelqu'un nous dispute ce privilège douteux.

– Je suis fier de le partager avec vous, monsieur.

Bolitho remonta le pont incliné jusqu'au tableau. A l'ouest, l'horizon était extrêmement sombre, et le sillage lui-même presque invisible.

Il entendait sous ses pieds, dans la chambre étroite, McEwen qui sifflotait en bichonnant son trente-deux-livres. « Comme ils ont l'air calme, tous, songea-t-il, c'est étrange ! »

Il se tourna en entendant les matelots espagnols qui terminaient bruyamment de brasser la grand-vergue et tournaient les écoutes sur leurs cabillots. Eux aussi semblaient heureux de se retrouver sous ses ordres, eux à qui la fantaisie d'une plume de monarque ou d'homme politique quelconque avait donné le statut d'ennemis.

Il sourit soudain tristement de ces idées grotesques. Son cerveau divaguait. Il se mit en devoir d'arpenter la poupe d'un bord à l'autre. Comme son regard tombait par hasard sur le panneau le plus proche, il revit soudain le géant barbu avec sa hache et se demanda ce qui serait arrivé sans l'intervention de Witrand. De son autre pistolet, il aurait très bien pu l'abattre lui aussi, personne n'aurait remarqué un coup de feu supplémentaire au moment où ils tentaient de refouler leurs agresseurs. Peut-être Witrand se sentait-il plus en sûreté lui vivant.

Bolitho se secoua, irrité : la fatigue lui jouait des tours. Demain peut-être, ils auraient une fois de plus permuté leurs rôles, il se retrouverait prisonnier, et Witrand irait vaquer à ses mystérieuses affaires. Tout ceci n'aurait été qu'un bref interlude, une petite pièce du grand puzzle.

C'était bien ainsi qu'il fallait considérer la guerre ; donner un visage à l'ennemi était beaucoup trop dangereux, lui permettre de partager vos espoirs et vos craintes s'apparentait à un véritable suicide.

Il se demanda ce que Broughton aurait fait dans les mêmes circonstances et réfléchissait toujours lorsque Meheux vint le relever.

Et le *Navarra* continua ainsi son voyage par faible brise, sous les quelques voiles qu'il portait. Pour tous bruits, on entendait le claquement des pompes, le cri brutal d'un blessé dans l'entrepont. Aux yeux de Bolitho, allongé sans pouvoir trouver le sommeil sur sa couchette de fortune, ils résumaient parfaitement ce qu'ils avaient vécu ensemble.

Il était en train de se raser dans la chambre arrière devant un miroir cassé posé contre une étagère branlante lorsque Meheux se présenta pour lui annoncer que l'on avait vu une voile plein sur leur arrière défilant rapidement.

Bolitho contempla un instant sa chemise déchirée et noircie et l'enfila par-dessus sa tête en rechignant. Se raser était peut-être une perte de temps, mais il se sentait mieux, même pour ressembler, s'il se fiait à ce qu'il en voyait dans la glace, à un épouvantail en haillons.

Meheux le regardait sans rien dire, fasciné. Bolitho devinait ses yeux fixés sur le rasoir qu'il essuyait à un vieux lambeau de vêtement avant de le remettre à sa place dans l'équipet.

– Eh bien, monsieur Meheux, fit-il enfin sans se presser, nous n'y pouvons pas grand-chose pour l'instant.

Il ramassa son sabre, boucla son ceinturon avant de suivre Meheux à l'arrière. L'heure était matinale, et l'air encore frais avant la chaleur qui allait leur tomber dessus. Il remarqua du linge qui séchait, accroché dans les haubans, surtout des vêtements de femme. Meheux bredouilla, un peu gêné :

– Ils m'ont demandé la permission de faire une lessive, monsieur. Mais je vais les faire dégager, maintenant que vous êtes sur le pont.

– Mais non !

Bolitho prit la lunette et essaya de la pointer, avant de la rendre à un marin en disant :

– L'optique est en miettes, attendons de voir la suite.

Il se dirigea vers le tableau, s'abrita les yeux pour essayer de distinguer l'autre bâtiment. Il aperçut alors presque immédiatement une grande pyramide de toile très claire qui brillait sur l'horizon. Il entendit un bruit de pas sur le pont et se retourna : c'était Witrand qui l'observait.

– Vous êtes bien matinal, m'sieur.

Witrand haussa les épaules :

– Et vous bien calme, capitaine… – il se tourna pour regarder la mer – … alors même que vos jours de liberté sont peut-être comptés.

– Dites-moi, Witrand, lui répondit Bolitho en souriant, que faisiez-vous donc à bord de ce bâtiment ? Où alliez-vous ?

Le Français arbora un large sourire :

– J'ai perdu la mémoire !

– Monsieur, cria la vigie, c'est une frégate !

– Qu'en pensez-vous, monsieur ? demanda calmement Meheux. Devons-nous changer de route et essayer de prendre la fuite ?

Et il se mit à rire d'un rire tout penaud lorsque Bolitho lui montra du doigt le hunier sous ris et le pont à la gîte.

– Je suis d'accord, monsieur, il n'y a rien à faire.

Bolitho mit les mains dans son dos, essayant de cacher son dépit. *Frégate* ne pouvait signifier qu'une seule et unique chose : l'ennemi.

– Je comprends vos sentiments, capitaine, fit doucement Witrand. Puis-je faire quelque chose pour vous aider ? Peut-être une lettre pour un être cher ? Sinon, cela peut prendre des mois… – ses yeux tombèrent sur le sabre que Bolitho tripotait et il ajouta gentiment : Je peux faire envoyer votre sabre en Angleterre, cela vaudra toujours mieux que de le voir tomber entre les pattes d'un forban sur le quai.

Bolitho se détourna pour examiner le bâtiment qui remontait si rapidement cette épave de *Navarra* qu'il donnait l'impression de se rapprocher en routes convergentes. Il distinguait maintenant les huniers et cacatois bien gonflés, la langue brillante de la flamme de la frégate qui plongeait et dansait sur l'eau.

Une bouffée de fumée brunâtre, emportée instantanément par le vent. Quelques secondes après, le boulet tomba dans une grande gerbe à cinquante pieds par bâbord arrière.

Des cris étouffés montaient par les panneaux grands ouverts ; Bolitho ordonna tristement :

– Mettez en panne, monsieur Meheux – puis, jetant un coup d'œil à la tête de mât : Où est le pavillon ?

– Je suis désolé, monsieur – Meheux avait l'air hébété. Nous l'avons utilisé pour envelopper Mr. Grindle avant de l'immerger.

– Oui, je vois.

Bolitho tourna la tête pour leur cacher son expression.

– Eh bien, renvoyez les couleurs, je vous prie.

Meheux se hâta d'aller exécuter l'ordre et rappela les marins qui se trouvaient sur les passavants ou perchés dans les enfléchures, d'où ils observaient le nouveau venu.

Quelques minutes plus tard, son pavillon blanc se détachant sur le fond clair du ciel, le *Navarra* vint dans le vent, toutes voiles faseyantes. Le pont était encombré de monde : on était remonté en foule voir ce qui se passait.

Bolitho se cala pour résister aux mouvements de la coque puis s'approcha lentement de Witrand.

– A propos de votre offre, monsieur, étiez-vous sincère ? – il faisait remuer ses doigts autour de la boucle de son ceinturon et regardait ailleurs. Il y a quelqu'un. Je…

Mais il se tut et se retourna en entendant des clameurs monter jusqu'à eux.

La frégate arrivait lentement à mourir par leur travers. Elle vira brusquement dans le lit du vent et il aperçut alors le pavillon qu'elle portait. C'était le même que le sien, il dut regarder une fois encore, incapable de dissimuler son émotion.

Ashton dansait comme un fou en criant :

– C'est la *Coquette*, monsieur !

Le visage de Meheux était coupé en deux par un large sourire, il tapa sur l'épaule d'Allday en criant :

– Ça alors ! – une autre grande claque. Ça alors, pas vrai, hein ?

C'est tout ce qu'il trouvait à dire.

Bolitho se tourna vers le Français et compléta :

– Ce ne sera pas nécessaire, m'sieur.

Un éclair passa dans les yeux vairons de son interlocuteur et il conclut :

– Mais je vous remercie.

Witrand se tourna vers la frégate et répondit lentement :

– On dirait que les Anglais sont de retour.

XI

UNE SI LONGUE ATTENTE

Il leur fallut encore deux jours pour retrouver l'escadre et, durant tout ce temps, Bolitho se demanda souvent ce qui se serait passé si la *Coquette* n'avait pas paru à point nommé. La montre du *Navarra* était en miettes, il n'avait pas de sextant, le compas était douteux. Même si une nouvelle tempête lui avait été épargnée, Bolitho savait pertinemment qu'il lui eût été infiniment difficile d'estimer sa position, sans parler de rallier la zone de rendez-vous avec l'escadre.

Gillmore, le capitaine dégingandé de la *Coquette*, lui avait dit qu'il avait une veine de cocu, et tout laissait croire qu'il avait raison. En effet, s'il avait gardé le poste qui lui avait été assigné pour patrouiller dans le sillage de l'escadre, il n'aurait jamais retrouvé ce malheureux *Navarra* à moitié désemparé et presque réduit à l'état d'épave. Au lieu de cela, il avait aperçu une voile et changé de route pour y regarder de plus près, avant de la perdre lors de cette nuit de tempête. Il l'avait retrouvée le lendemain pour s'apercevoir qu'il s'agissait d'une corvette en provenance de Gibraltar et qu'en outre ladite corvette était à sa recherche. Elle était arrivée au Rocher, vingt-quatre heures après l'appareillage de l'escadre, avec une dépêche destinée à Broughton, dépêche qu'elle avait remise à Gillmore avant de rebrousser chemin précipitamment, inquiète à juste titre de se retrouver si vulnérable dans des eaux hostiles.

Gillmore ignorait tout du contenu de ce pli scellé ; il n'en revenait pas, de voir l'état du *Navarra* et de ce qui se trouvait sous son pavillon. Son étonnement s'accrut encore bien davantage lorsqu'il identifia l'être dégoûtant, vêtu de haillons, qui l'accueillit à bord et qui n'était autre que son propre capitaine de pavillon.

Avec toutes ces femmes qui traînaient un peu partout sur le pont, comment Bolitho eût-il été surpris de voir autant d'hommes de la *Coquette* se porter volontaires lorsqu'il fut question de lui envoyer des renforts pour effectuer quelques réparations ? Le second de la frégate lui-même, homme bien connu pour garder un œil jaloux sur ses réserves de gréement ou de cordage, leur fit parvenir un mât de fortune destiné à remplacer l'artimon.

Bolitho avait surpris à mainte reprise pendant les heures de travail des éclats de rire, de petits cris discrets en provenance de l'entrepont. Il en déduisit aisément que l'arrivée de marins de la *Coquette* n'était pas passée inaperçue.

Au matin du second jour, alors qu'il se tenait près de la lisse, il ressentit une certaine fierté en découvrant, illuminées par le soleil, les voiles si familières de l'escadre et la forme plus élancée de la corvette la *Sans-Repos*, qui s'élançait pour les reconnaître.

– Ils ont fière allure, monsieur, fit observer Meheux, qui paraissait lui aussi assez ému par l'événement. Je ne serai pas trop triste de quitter cette ruine flottante.

Puis, tandis que la *Coquette* envoyait de la toile pour se porter en avant de sa conserve, les vergues fourmillant de signaux, Bolitho découvrit son propre bâtiment, tout éclairé, dont les voiles fauves tremblaient doucement dans la brume. Il avançait lentement, tribord amures et, comme les autres vaisseaux de ligne, semblait posé, immobile, sur son reflet. Seule une légère moustache blanche permettait de deviner qu'il avait un peu d'erre.

– Il va sûrement envoyer un canot, fit Bolitho. Monsieur Meheux, vous prendrez le commandement jusqu'à ce que nous ayons décidé du sort du *Navarra*. Mais je doute fort que vous attendiez longtemps.

– Je suis bien heureux de vous l'entendre dire, répondit Meheux en souriant.

Il accompagnait ces mots de grands signes en direction d'un panneau ouvert d'où s'échappait le bruit sempiternel des pompes.

– Et que dois-je faire de nos hommes qui sont toujours en bas ? Dois-je les faire transférer sous escorte, monsieur ?

Bolitho hocha négativement la tête :

– Ils ont travaillé dur et je crois qu'ils réfléchiront dorénavant à deux fois avant de s'emparer d'un stock de brandy.

– L'amiral signale à l'escadre de mettre en panne ! cria Ashton.

Il semblait avoir repris des forces, mais fronçait les yeux comme s'il avait encore mal au crâne.

Bolitho entendit Allday qui grommelait :

– Mon Dieu, capitaine, v'là votre canot qui arrive ! Je tuerais ce patron : z' avez vu comment qu'il le mène !

– Faites monter Witrand, lui ordonna-t-il, nous allons l'emmener avec nous à bord de l'*Euryale*.

Ce qui suivit devait lui paraître ensuite totalement irréel et l'émut au-delà du possible. Tandis que le canot accostait, avirons soigneusement rangés, comme deux alignements d'os polis, et que Meheux le suivait à la coupée, il comprit soudain que la plupart des passagers du *Navarra* s'étaient rassemblés sur le bord pour assister à son départ. Certains d'entre eux lui adressaient de grands gestes, plusieurs femmes riaient et pleuraient à la fois.

Il crut un instant apercevoir la veuve de Pareja, sur la poupe, mais il n'en était pas vraiment sûr. Que pourrait-il bien faire pour lui venir en aide ?

Witrand, qui se tenait à côté de lui, hocha la tête :

– Ils sont désolés de vous perdre, capitaine. Les souffrances que nous avons subies en commun au cours des derniers jours nous ont unis, non ? – puis il ajouta seulement, avec un regard à l'*Euryale* : Tout cela, c'était hier. Demain est un nouveau jour.

Bolitho embarqua après Ashton et le Français dans son canot, où Allday morigénait à voix basse le marin tétanisé qui se tenait à la barre. Un peu plus tard, Bolitho leva les yeux pour contempler tous ces visages, les trous laissés par les boulets, les nombreuses cicatrices qui marquaient les endroits où leurs assaillants à la peau sombre avaient lancé leurs grappins avant d'envahir le bâtiment telle une horde hurlante. Comme disait Witrand, c'était hier.

Le retour à son bord ne fut pas moins poignant. Les marins grimpés dans les enfléchures ou alignés le long des vergues souriaient de toutes leurs dents et commencèrent à pousser des vivats. Lorsqu'il passa la coupée, assourdi par les fifres et les tambours de la clique, il trouva le temps de remarquer que les fusiliers de la garde, d'ordinaire raides comme des soldats de plomb, avaient une attitude nettement moins rigide.

Keverne s'avança en essayant de regarder le moins possible les vêtements en loques de Bolitho.

– Bienvenue, monsieur – il se mit à sourire. J'ai gagné mon pari contre le pilote.

Bolitho luttait pour ne pas laisser sa bouche trembler. Il aperçut Partridge qui se précipitait vers lui entre les deux rangées de fusiliers et lui cria :

– Alors, vous avez cru que je ne reviendrais jamais ?

– Non, monsieur, répondit vivement Keverne, il prétendait que vous seriez là hier.

D'un coup d'œil circulaire, Bolitho examina tous ces visages massés autour de lui. Ils avaient tant bourlingué ensemble ! Un jour, au cours de l'affaire de l'*Aurige*, il s'était imaginé sentir chez eux une certaine hostilité, une sorte de dépit pour ce qu'il avait fait ou plutôt essayé de faire. Mais qu'ils le connussent peut-être mieux qu'il ne se connaissait lui-même, voilà qui le troublait profondément.

– Je dois aller rendre compte à l'amiral, fit-il enfin.

Il avait beau scruter le visage dur de Keverne, son second avait l'air sincèrement heureux de le voir revenu à bord de son bâtiment. Il n'aurait pas pu le blâmer de laisser paraître d'autres sentiments, surtout après les déceptions successives qu'il avait subies.

– Sir Lucius m'a ordonné de vous dire qu'il lisait les dépêches apportées par la *Coquette*, lui dit Keverne – il grimaça un sourire. Et il a même laissé entendre que vous pourriez souhaiter consacrer une heure à… comment dire, à vous rafraîchir.

Ce disant, il laissait tomber son regard sur la vareuse déchirée de Bolitho.

– Il a assisté du balcon de poupe à votre retour.

On aidait Witrand à passer la coupée, et Bolitho intervint :

– Voici m'sieur Paul Witrand. Il est prisonnier, mais je désire qu'on le traite avec la plus grande humanité.

Keverne observa l'individu d'un regard soupçonneux avant de déclarer :

– J'y veillerai, monsieur.

Witrand s'inclina cérémonieusement.

– Merci, capitaine – il leva les yeux vers les immenses vergues et les voiles qui pendaient mollement. Prisonnier peut-être, mais ce bâtiment restera toujours pour moi comme un petit coin de France.

Le lieutenant fusilier Cox, jeune homme mielleux dont l'uniforme immaculé était si ajusté que Bolitho jugeait impossible de remuer dedans, s'avança et posa la main sur le bras de Witrand. Ils se dirigèrent ensemble vers l'échelle de descente.

– Venez à l'arrière, monsieur Keverne, vous me raconterez les nouvelles pendant que je me change.

Keverne le suivit derrière les marins et les fusiliers qui observaient le spectacle.

– Je croyais que vous étiez au courant de tout, commandant. Sir Hugo Draffen a rallié l'escadre, mais on ne m'a pas dit grand-chose, si ce n'est qu'il avait retrouvé son agent et rassemblé quelques renseignements sur les défenses de Djafou.

Il faisait frais dans la chambre lorsque l'on arrivait de la dunette et de la chaleur du jour qui montait. Il regarda avec surprise plusieurs meubles qu'il n'y avait encore jamais vus.

– Le capitaine de vaisseau Furneaux est venu à bord pendant votre absence, monsieur. Il avait été nommé capitaine de pavillon par intérim, mais il est rentré à bord du *Valeureux* lorsque nous avons vu les signaux de la *Coquette*.

Bolitho lui jeta un coup d'œil, mais Keverne ne se moquait pas. Furneaux avait évidemment espéré que sa nouvelle fonction, si convoitée, allait devenir permanente.

– Faites-lui rendre tout cela dès que possible.

Keverne s'appuya contre les fenêtres de poupe et resta là à observer Bolitho qui, déshabillé, aspergeait d'eau fraîche son corps fatigué. Trute, son garçon, ramassa la chemise souillée et, après avoir à peine hésité, la jeta par la fenêtre. L'apparence de Bolitho lorsqu'il était entré lui avait fait l'impression la plus vive, et il avait du mal à en arracher son regard.

Bolitho enfila une chemise propre et alla s'asseoir sur une chaise tandis que Trute essayait vaille que vaille de lui confectionner un court catogan.

– Comme cela, rien n'a changé depuis mon débarquement ?

Keverne haussa les épaules.

– Nous avons aperçu quelques voiles, monsieur. Mais la *Sans-Repos* n'a pas réussi à s'en approcher. Il est donc peu probable que nous ayons été vus – et il ajouta : J'ai causé avec le capitaine de la corvette, mais il n'a pas réussi à apercevoir l'agent de Sir Hugo. Il est arrivé à bord d'un bateau de pêche arabe, et Sir Hugo y est allé seul ; il a même insisté pour cela.

Bolitho commençait à s'impatienter, Trute n'en finissait pas de faire sa natte. Il se leva ; cette toilette et ce changement de vêtements avaient chassé sa fatigue. Ces visages et ces voix familiers autour de lui avaient fait le reste.

Toutefois, les informations rapportées par Keverne, ou plutôt le manque d'informations, étaient très préoccupantes. S'ils n'arrivaient pas à agir rapidement, ils allaient se trouver en fâcheuse posture. La nouvelle de leur présence était sûrement parvenue jusqu'en Espagne et en France. Une force puissante était peut-être déjà lancée à leur poursuite, en ce moment même.

Allday entra dans la chambre, le sabre de Bolitho à la main. Il jeta un regard sans aménité à Trute et annonça :

– J'ai huilé le fourreau, commandant – il tira la garde de quelques pouces, remit la lame en place. Il est comme neuf.

Bolitho sourit quand il lui passa son ceinturon autour de la taille. Le sourcil froncé, Allday ajusta un peu la boucle et Bolitho savait bien que, si Keverne n'avait pas été présent, il aurait grommelé que c'était la seconde fois qu'il devait se livrer à cette opération en un mois. Il y aurait ajouté quelques suggestions bien senties, l'invitant à se nourrir davantage. Comme la plupart des marins, Allday considérait comme essentiel de manger et boire autant que possible chaque fois que l'occasion s'en présentait.

La cloche piquait l'heure ; Bolitho se dirigea vers la porte.

– Je suis désolé de ne pas avoir pu contribuer à votre promotion, monsieur Keverne, mais je suis sûr qu'une occasion va se présenter sans tarder.

Keverne sourit tristement :

– Merci pour votre peine, monsieur.

Bolitho descendit vivement l'échelle qui menait au pont milieu. Cette réserve de Keverne, le besoin qu'il avait en permanence de cacher ses sentiments profonds ! Mais il pouvait faire un bon capitaine, surtout s'il parvenait à maîtriser son caractère.

Les fusiliers de faction se mirent au garde-à-vous et un caporal ouvrit devant lui la porte à double battant.

Longtemps avant d'avoir atteint la grand-chambre, il entendait déjà la voix de Broughton, et se mit en conséquence dans les conditions voulues.

– Allez au diable, Calvert ! C'est incroyable ! Vous feriez mieux d'aller voir l'un des aspirants et de lui demander comment cela s'écrit !

Lorsque Bolitho entra, Broughton se détachait en ombre chinoise devant les grandes fenêtres. Il jeta une feuille roulée en boule à son aide de camp assis à l'autre extrémité du bureau en criant comme un fou :

– Mon secrétaire serait capable d'en faire deux fois plus en deux fois moins de temps !

Bolitho regardait ailleurs, gêné pour Calvert de se trouver là et d'assister à cette séance d'humiliation. Calvert tremblait de nervosité et de colère, le secrétaire souriait béatement, visiblement ravi de ce qui se passait.

– Ah, vous voilà ! fit Broughton en apercevant Bolitho. Parfait, je n'en ai plus pour longtemps.

Il arracha la feuille posée sous les mains de Calvert, la mit sous la fenêtre pour parcourir à une vitesse incroyable ce qui y était écrit. Il avait des cernes sous les yeux et semblait être dans une colère noire.

– Mon Dieu, mais pourquoi donc êtes-vous né si bête ? demanda-t-il à Calvert en se tournant vers lui.

Calvert fit mine de se lever dans un raclement de pieds.

– Je n'ai jamais demandé à naître, amiral !

Il était sur le point de fondre en larmes.

Bolitho regardait l'amiral, persuadé qu'il allait exploser après cette sortie inattendue de l'enseigne. Il se contenta pourtant de répliquer :

– Et si vous l'aviez fait, on vous l'aurait refusé ! – il lui montra la porte : Allez travailler à ces ordres et débrouillez-vous pour les soumettre à ma signature d'ici une heure.

Se tournant vers son secrétaire :

– Quant à vous, cessez de ricaner comme une vieille femme et allez donc l'aider... – il continua jusqu'à ce qu'il eût atteint la porte – ... sans quoi je vous ferai fouetter, histoire de faire bonne mesure, allez au diable !

La porte se referma, la chambre retomba dans un silence pesant.

Mais Broughton dit d'un ton las :

– Asseyez-vous – il s'approcha de la table, prit un verre : Un peu de bordeaux, j'imagine ?

Puis, se parlant sans doute à lui-même :

– Si je revois encore un de mes subordonnés larmoyer chez moi, je sens que je vais devenir fou !

Il s'approcha de la chaise de Bolitho et tendit le verre :

– A votre santé, commandant. Je suis assez étonné de vous revoir. D'après ce que m'a vaguement expliqué Gillmore, j'imagine que vous êtes soulagé de vous en être tiré.

Il s'approcha de la fenêtre et contempla un moment le *Navarra* :

– On me dit aussi que vous avez fait un prisonnier ?

– C'est exact, amiral, je pense qu'il s'agit d'un messager. Il n'avait pas de lettres sur lui, mais il semble qu'il devait passer à bord d'un autre bâtiment en mer. Le *Navarra* était loin hors de sa route normale et je crois qu'il avait l'intention de se faire débarquer en Afrique du Nord.

– Il pourrait nous raconter quelques petites choses, grommela Broughton ; ces fonctionnaires français connaissent parfaitement leur métier. Il est vrai que cela vaut mieux pour eux, quand on voit que leurs prédécesseurs se sont fait couper la tête sous la Terreur. Mais si on lui fait miroiter l'espoir d'un échange contre un prisonnier anglais, cela pourrait bien lui délier un peu la langue.

– Mon maître d'hôtel a un peu cuisiné son domestique, amiral. La dose de vin généreuse qu'il lui a servie a passablement aidé à l'affaire. Malheureusement, cet homme ne sait pas grand-chose de la mission ni de la destination de son maître ; il a simplement lâché qu'il était officier d'artillerie et je crois que nous devrions garder l'information pour nous jusqu'à ce que nous puissions en faire bon usage.

– De toute façon, répondit Broughton en le fixant froidement, ce sera trop tard – il reprit son verre, le visage renfrogné. Draffen a réussi à obtenir un plan détaillé de Djafou et de ses défenses, il faut qu'il ait des amis assez remarquables dans ce trou perdu. Mais la *Coquette* m'a apporté de mauvaises nouvelles, continua-t-il lentement. Il semblerait qu'il y ait un regain d'activité chez les Espagnols, en particulier à Algésiras. On craint que les deux galiotes ne puissent pas naviguer sans escorte. Et, avec la menace d'une nouvelle tentative franco-espagnole de briser notre blocus, il n'y a pas moyen de nous donner de frégates.

Il joignit les mains, serra ses doigts, avant de lâcher :

– On dirait qu'ils me blâment pour le passage de l'*Aurige* à l'ennemi, qu'ils aillent au diable !

Bolitho ne disait rien, certain que ce n'était pas tout. Les nouvelles étaient certes fort mauvaises, car, sans galiotes, on devait renoncer à ce type d'assaut. Mais il pouvait comprendre que l'on eût décidé de ne pas les laisser partir sans escorte. Ces bâtiments-là étaient médiocres par n'importe quelle mer et faisaient une proie facile pour une frégate en patrouille. L'*Aurige* aurait pu certes se voir confier cette tâche, et le commandant en chef s'abritait sans doute derrière l'incapacité de Broughton à l'avoir conservé pour ne pas prélever une seule frégate sur la flotte qui assurait le blocus de Cadix et du détroit de Gibraltar.

Autre possibilité, il n'y avait tout simplement aucun bâtiment immédiatement disponible ou que l'on pût rappeler rapidement. Étrangement, il n'avait jamais repensé à la mutinerie depuis qu'ils avaient quitté le Rocher, alors que cette pensée obnubilait visiblement Broughton. Et, en ce moment même, alors qu'il était tranquillement installé à boire du bordeaux, à regarder le soleil danser sur les meubles et sur le pont, les Français débarquaient peut-être en Angleterre, campaient autour de Falmouth. Tout était possible dès lors que la flotte était dans son trente-sixième dessous. Mais il chassa immédiatement ces pensées en se reprochant intérieurement de tomber dans les mêmes travers que Broughton.

– Nous devons agir vite, reprit l'amiral, sans quoi nous nous retrouverons en face d'une escadre française avant d'avoir compris ce qui nous arrive. Privés de base, sans aucun endroit où réparer, nous aurions encore du mal à rentrer à Gibraltar et je ne parle même pas de Djafou.

– Puis-je vous demander ce que suggère Sir Hugo ?

Broughton se tourna vers lui.

– Sa mission consiste à mettre en place pour notre compte une administration à Djafou, une fois que nous nous en serons emparés. Il connaît l'endroit pour y avoir déjà séjourné et il est en cheville avec les chefs locaux – la colère lui rosissait les pommettes. Tous des bandits, cette bande de brigands !

Bolitho hocha la tête. Ainsi, Draffen avait monté tout ce projet et devait ensuite assurer la direction des opérations pour le compte du gouvernement britannique, jusqu'au jour où la marine reviendrait en force en Méditerranée. Cela, c'était avant et après. Dans l'intervalle, ce qui allait se passer était de la responsabilité de Broughton et la décision qu'il allait devoir prendre risquait non seulement de remettre en cause tout ce montage, mais sa carrière elle-même.

– L'Espagne de ces dernières années a dû consacrer trop de ressources à maintenir ses colonies des Amériques pour dépenser de l'argent ou autre chose à défendre un endroit comme Djafou, amiral. Elle a dû faire face à des guerres locales aux Antilles et dans les environs, contre des pirates ou des corsaires autant que contre des États, en fonction de leurs changements d'alliance – et, se penchant : Supposez que les Français soient également intéressés par Djafou, amiral, l'Espagne pourrait changer de bord à l'avenir et se retourner contre eux. Avoir une base solide de plus en Afrique, voilà qui serait exactement dans leur style. Cela conférerait à Djafou une valeur supplémentaire.

Il observait Broughton qui sirotait son bordeaux, comme pour gagner du temps avant de devoir fournir une réponse. Ses yeux étaient cernés de petites rides qui traduisaient son inquiétude, comme cette façon qu'il avait de tapoter sur le bras de son fauteuil.

A bord et au sein de l'escadre, le grade de Broughton et l'autorité qui allait avec le mettaient en quelque sorte dans l'Olympe. Un lieutenant était déjà pour un matelot un être impossible à atteindre, comment donc espérer comprendre quelqu'un comme Broughton ? En cet instant, le voir hésiter et peser les suggestions qu'il venait de faire lui-même donnait à Bolitho la vision rare de ce que l'autorité signifie vraiment pour celui qui en porte le poids.

– Ce Witrand, reprit Broughton, croyez-vous qu'il soit un élément clé de l'affaire ?

– En partie, amiral.

Bolitho lui était reconnaissant de réagir avec autant de vivacité. Thelwall n'était plus qu'un vieillard malade quand il avait mis sa marque à bord de l'*Euryale*. Quand au supérieur précédent de Bolitho, un commodore indécis, assez dilettante, il avait failli lui coûter la vie et son bâtiment. Broughton, au moins, était jeune et assez vif pour comprendre qu'un mouvement limité de l'ennemi pouvait cacher quelque chose de beaucoup plus important dans le futur.

– Mon maître d'hôtel, ajouta-t-il, a découvert en faisant parler son domestique qu'il avait par le passé réalisé des travaux comme l'établissement de quartiers pour les troupes, la recherche de sites d'artillerie et ainsi de suite. Je pense que c'est un homme d'une certaine importance.

– Le jumeau de Sir Hugo dans l'autre camp, en quelque sorte ? fit Broughton en esquissant un sourire.

– Oui, amiral.

– Dans ce cas, le temps presse encore plus que je ne pensais.

– Nous avons entendu parler de bâtiments qui se rassembleraient à Carthagène, répondit Bolitho en acquiesçant. Ce n'est qu'à cent vingt milles de Djafou, amiral.

L'amiral se leva.

– Vous me conseillez d'attaquer sans attendre les galiotes ?

– Je ne vois pas d'autre choix, amiral.

– Il y a toujours un choix possible – Broughton le toisait. En l'occurrence, je pourrais décider de rentrer à Gibraltar. Dans cette hypothèse, il faudrait trouver une raison imparable. Mais si je décide de monter cette attaque, elle doit *absolument* réussir.

– Je sais, amiral.

Broughton s'approcha des fenêtres.

– Le *Navarra* accompagnera l'escadre ; l'abandonner reviendrait à signaler notre présence et notre force aussi clairement que si j'envoyais une invitation personnelle à Bonaparte. Le couler et répartir son équipage avec les passagers entre les bâtiments de l'escadre serait tout aussi stupide, à un moment où nous sommes sur le point de livrer bataille – il se retourna et regarda Bolitho d'un œil inquisiteur. Mais comment avez-vous donc fait pour repousser les chébecs ?

– J'ai recruté les passagers et l'équipage au service du roi, amiral.

Broughton avala ses lèvres.

– Furneaux n'aurait jamais fait une chose pareille, pardi. Il se serait courageusement battu, mais sa tête ornerait maintenant quelque mosquée, voilà qui est sûr. Pour l'instant, ajouta-t-il brusquement, je vais convoquer les capitaines en conférence d'ici à une heure. Faites les signaux appropriés. Nous mettrons ensuite à la voile et consacrerons le reste de la journée à faire un peu d'ordre dans l'escadre. Je ne m'inquiète pas du vent, s'il reste stable du noroît. Cela devrait suffire. Je compte sur vous pour analyser le plan de Draffen et vous familiariser avec tous les détails.

– Ainsi, vous venez de décider, amiral, fit Bolitho avec un sourire grave.

– Nous risquons de le regretter tous deux plus tard – Broughton, lui, ne souriait pas. Attaquer un port ou une place bien défendue est toujours une affaire hasardeuse. Donnez-moi un plan de bataille bien conçu, des bâtiments ennemis, et je vous décrirai le caractère de leur chef. Mais ceci ! – il haussa les épaules, plein de dédain. C'est comme envoyer un furet dans un terrier. On ne sait jamais comment le lapin va courir, ni dans quelle direction.

Bolitho ramassa sa coiffure.

– J'ai placé Witrand aux arrêts, amiral. C'est un homme habile, il n'hésiterait pas un instant à s'évader et à tirer parti de ce qu'il a appris s'il en avait l'occasion. Il m'a sauvé la vie à bord du *Navarra*, mais je n'en sous-estime pas ses talents pour autant.

L'amiral semblait ne pas l'entendre. Il jouait avec son gousset en regardant d'un air absent par la fenêtre. Pourtant, lorsque Bolitho s'apprêta à partir, il lui dit sèchement :

– Si je tombe au combat… – il hésita, Bolitho s'était immobilisé, attendant la suite – … et ce sont des choses qui arrivent, vous prendrez bien entendu le commandement jusqu'à nouvel ordre. Il existe certains documents…

Mais il parut soudain s'en vouloir à lui-même et ajouta :

– Vous continuerez de seconder Sir Hugo.

– Je suis sûr que vous êtes trop pessimiste, amiral.

– Non, simplement prévoyant. Je ne fais pas confiance au sentiment. Et le fait est que je ne fais pas totalement confiance à Sir Hugo – il leva la main. C'est tout ce que je puis vous dire, tout ce que j'accepte de vous dire.

– Mais, amiral, ses lettres de mission sont certainement irréprochables.

– Naturellement, repartit violemment Broughton. Son statut au regard du gouvernement est plus que clair. Non, ce sont ses motivations qui me troublent. Méfiez-vous donc et rappelez-vous envers qui vous avez le devoir d'être loyal.

– Je crois que je sais où est mon devoir, amiral.

L'amiral le fixa très froidement.

– Ne prenez pas ce ton offensant avec moi, *capitaine*. J'ai cru moi aussi que mon dernier vaisseau amiral était loyal, jusqu'à cette mutinerie. A l'avenir, je ne considérerai jamais plus rien comme certain. Lorsque l'on se trouve au pied du mur, le devoir devient secondaire pour les faibles. Dans ces moments, seule la loyauté compte.

Et il se détourna, l'heure des confidences était close.

La conférence se tint dans la chambre de jour de Bolitho. Tous les participants semblaient bien conscients de l'importance qu'elle revêtait. Pour Bolitho, il était évident que la nouvelle d'un assaut imminent contre Djafou, de l'absence des galiotes, était déjà connue de tous ceux qu'il avait en face de lui. C'était certes étrange, inexplicable, mais les choses se passaient toujours ainsi dans n'importe quel groupe de bâtiments. Les nouvelles se répandaient à la vitesse de l'éclair presque au moment où le commandant en chef avait décidé ce qu'il convenait de faire.

En essayant de se dépêtrer au milieu du monceau de notes et de plans annotés que Broughton lui avait fait porter, il s'était demandé si l'amiral n'était pas en train de le mettre à l'épreuve. Après tout, c'était la première fois qu'ils allaient combattre ensemble, en escadre. Le fait que Broughton lui eût plus que suggéré de convoquer cette réunion dans ses appartements à lui ajoutait encore à sa conviction qu'il le tenait désormais à l'œil, tout autant que ses autres subordonnés.

Depuis son retour, il n'avait croisé Draffen qu'une seule fois. Il s'était montré chaleureux, mais avait disparu sans rien dire de l'opération en cours de préparation. Peut-être, tout comme Broughton, avait-il envie de voir le capitaine de pavillon à l'œuvre par ses propres moyens, sans l'aide d'aucun de ses supérieurs.

Il était à présent assis près de Broughton à la table de la chambre et suivait alternativement des yeux un visage après l'autre. Bolitho souligna ce qu'ils devaient accepter, quelle que fût l'opposition qu'ils rencontreraient.

Le pont se balançait assez considérablement. Bolitho entendait au-dessus des bruits de pieds nus à l'arrière, le murmure sinistre de la toile et des espars. Ils faisaient route à faible allure, bâbord amures. Sur l'arrière, il apercevait le *Valeureux*, dont les huniers travaillaient bien, et devina que le vent de noroît fraîchissait déjà. Il lui fallait faire bref, les capitaines devant retourner à leur bord le plus tôt possible pour expliquer leur propre interprétation du plan à leurs officiers. Et les armements des canots allaient suffisamment peiner à revenir du vaisseau amiral sans les obliger à se battre en plus contre le vent.

– Comme vous le savez, messieurs, la baie de Djafou ressemble à une poche assez profonde. La côte est protégée par cette pointe – il tapota sur la carte avec ses pointes sèches. Elle forme comme un bec recourbé et offre une bonne protection aux bâtiments qui y mouillent.

Comme ils se penchaient tous pour voir la carte de plus près, il observa leurs visages : les expressions étaient aussi diverses que les caractères. Furneaux, pinçant le nez avec un peu de dédain, comme s'il connaissait déjà toutes les réponses ; Falcon, de la *Tanaïs*, dont les yeux cachés sous de lourdes paupières étaient pensifs, mais qui ne montrait pas grand-chose ; Rattray, avec sa tête de bouledogue, les traits plissés à force de se concentrer. D'eux tous, c'est lui qui semblait avoir le plus de peine à visualiser le plan de bataille sur le papier. Une fois jeté dans l'action, il se fierait à son incroyable entêtement pour foncer vers ce qu'il considérerait comme sa propre victoire, ou terminerait sous forme de cadavre.

Les deux capitaines les moins anciens, Gillmore et Poate, capitaine de la corvette *Sans-Repos*, se montraient moins réservés et Bolitho les avait vus prendre des notes depuis le début de la réunion. Ils étaient les seuls à ne pas être prisonniers de la ligne de bataille, ils pourraient patrouiller, foncer là où le moment et leur sens de l'initiative le leur dicteraient. Ils disposaient d'une indépendance totale, celle que Bolitho leur enviait tellement et qui lui manquait tant.

– Là, au centre, se trouve le château.

Il le voyait dans sa tête comme s'il l'avait construit lui-même à partir des souvenirs de Draffen et des derniers rapports.

– Il a été construit voici bien longtemps par les Maures ; il est cependant extrêmement solide et bien protégé par de l'artillerie. A l'origine, il s'élevait sur un îlot rocheux, mais il a été ensuite relié à la côte ouest de la baie par une chaussée.

Draffen lui avait indiqué brièvement que le travail avait été effectué par des esclaves. Il s'était alors demandé, et il se demandait toujours, combien d'entre eux avaient péri de souffrance et d'épuisement avant de voir l'ouvrage terminé.

– On dit qu'il y a une garnison espagnole d'environ deux cents hommes, ainsi que quelques éclaireurs indigènes. Cela ne fait pas une force considérable, mais elle doit être capable de soutenir un assaut de front.

Rattray s'éclaircit la gorge à grand bruit.

– Nous pourrions certainement entrer directement dans la baie. Nous risquerions quelques dommages causés par la batterie du fort mais, avec ce vent dominant de nord-noroît, nous serions dedans avant que les Espagnols aient pu faire autre chose que nous viser.

Bolitho le regarda, l'air impassible.

– Il n'y a qu'un unique chenal en eaux profondes et il passe tout près du fort, à moins d'une encablure en un certain point. Si un bâtiment se trouvait mis hors de combat par la batterie lors de la première attaque, les autres ne pourraient plus entrer. Et si c'était le dernier, plus personne ne ressortirait de là.

– Ça semble une drôle de façon de créer un port fortifié, si vous voulez mon avis, monsieur, fit Rattray en le regardant de travers.

Le capitaine de vaisseau Falcon lui sourit doucement :

– J'imagine qu'ils n'ont pas eu tellement l'occasion d'accueillir des vaisseaux de haut bord par le passé, Rattray.

Pour la première fois, Draffen prit la parole.

– C'est exact. Avant que les Espagnols s'emparent du port, il changeait constamment de mains entre les roitelets locaux. Il était utilisé par leurs petits bâtiments côtiers… – il se tourna vers Bolitho – … et par les chébecs.

– Il existe un autre accès au fort, continua Bolitho. Par voie de mer. Autrefois, il arrivait aux occupants du fort assiégé de recevoir des secours par mer. De petits bâtiments peuvent passer derrière le mur nord-est, mais, même dans ce cas, ils restent visibles des remparts extérieurs et intérieurs.

Il y eut un silence ; il sentait leur excitation du début tourner au pessimisme. La chose paraissait impossible. Avec les deux galiotes mouillées derrière la pointe, ils auraient pu bombarder tranquillement le fort. Le haut de l'ouvrage n'était pas en état de supporter pareil traitement ; les artilleurs espagnols seraient mis par cette pointe dans l'impossibilité de répliquer. Il était donc inutile de chercher pourquoi Draffen paraissait si abattu. Il avait monté tout un plan dans le moindre détail. Mais, à cause de ce retard des galiotes et indirectement à cause de la perte de l'*Aurige*, il voyait tous ses projets s'effondrer.

– La baie, poursuivit-il, fait environ trois milles de large sur deux de profondeur. La ville est de taille modeste et à peine défendue. En conséquence, nous allons devoir monter un débarquement simultané par l'est et par l'ouest. La moitié des fusiliers de l'escadre débarquera à cet endroit-ci, sous la pointe. Les autres progresseront vers l'intérieur après avoir débarqué à cet endroit-ci.

Les deux extrémités de ses pointes sèches grattaient la carte ; Falcon se mordait la lèvre, sans doute conscient des difficultés qu'allaient affronter les fusiliers aux deux endroits. Toute la zone côtière était sévère et inhospitalière, pour ne pas dire plus. Quelques plages escarpées dominées par de grosses collines dont quelques-unes s'étaient éboulées pour former des falaises et des gorges étroites, idéales pour monter une embuscade.

Il n'était donc guère surprenant que le fort eût réussi à survivre, et il n'était tombé aux mains des Espagnols que grâce à quelque alliance avec un chef de tribu de l'endroit. A la mort de ce dernier, ses fidèles s'étaient dispersés au-delà des montagnes que l'on apercevait très souvent de la mer.

Mais, une fois pris par les Français, avec leurs talents militaires et leurs ambitions territoriales, Djafou constituerait une menace considérable, un abri pour leurs vaisseaux qui pourraient y attendre les occasions de se jeter sur toute escadre britannique de passage.

Il ne pouvait pas faire mieux pour cacher son inquiétude aux autres. Pourquoi manquaient-ils toujours de quelque chose au moment même où ils en avaient le plus grand besoin ? Avec une vingtaine de bâtiments de ligne et quelques transports emportant des soldats endurcis ainsi que de l'artillerie montée, ils auraient pu réussir ce que les Français préparaient depuis des mois.

Witrand connaissait probablement la réponse. Voilà qui était tout aussi surprenant. Lorsque Bolitho avait mentionné son nom à Draffen, il avait à peine haussé les épaules avant de laisser tomber :

– Vous n'en tirerez rien. Sa présence ici est un indice, rien de plus.

Il jeta un œil par les fenêtres arrière. La mer était déjà parsemée de moutons, la flamme du *Valeureux* était raide dans le vent. Encore du souci.

– C'est tout pour l'instant, messieurs. Calvert vous remettra vos ordres écrits et nous, nous allons faire route sur Djafou sans plus tarder. Nous devrions être devant la baie demain matin.

Broughton se leva et se tourna vers eux.

– Vous avez entendu ce que je compte faire, messieurs. Vous connaissez mes méthodes. Je veux que les échanges de signaux soient réduits au minimum. L'escadre attaquera de l'est vers l'ouest pour tirer avantage du fait que l'ennemi aura le soleil en face. Un bombardement mené de la mer et un débarquement combinés devraient suffire – il se tut avant de reprendre : Dans le cas contraire, nous attaquerons sans discontinuer jusqu'à ce que nous ayons réussi. C'est tout.

Et il quitta la chambre sans un mot de plus.

Tandis que les autres capitaines prenaient congé et remontaient appeler leurs canots, Bolitho vit Draffen se pencher sur la carte, le visage soucieux.

Comme la porte se refermait derrière le dernier capitaine, Draffen finit par lâcher d'un ton las :

– Je prie le ciel que ce vent tombe, cela pourrait au moins empêcher Sir Lucius de déclencher cette attaque.

Bolitho le regarda, étonné :

– Moi qui croyais que vous étiez plus désireux que quiconque de voir tomber Djafou, monsieur ?

– Les choses ont changé, répondit-il en faisant une grimace. Nous avons besoin de trouver des alliés, Bolitho. Et, en temps de guerre, il ne faut pas être trop regardant sur le choix de ses amis.

La porte s'ouvrit : Keverne était là, attendant des ordres ou ayant de nouvelles requêtes à faire pour le bâtiment et pour l'escadre.

– Et vous pensez que l'on peut trouver de tels alliés ? demanda-t-il lentement.

– J'en suis certain, répondit Draffen en croisant les bras. J'ai encore une certaine influence dans le coin. Mais ils ne respectent qu'une seule chose, la force. Si cette escadre est vaincue sous les yeux de la garnison espagnole, cela ne fera rien pour améliorer notre prestige – il balaya la carte de la main. Ces gens vivent par le sabre, la force est le seul facteur d'unité entre eux, leur seul vrai dieu. Nous avons besoin de Djafou, mais temporairement, seulement pour renforcer notre cause en attendant notre vrai retour en Méditerranée avec des moyens puissants. Lorsque ce jour arrivera, on oubliera tout le reste et Djafou redeviendra un trou perdu comme avant, sauf pour ceux qui vivent ici. Djafou est leur passé et leur avenir, ils n'ont rien d'autre.

Il finit par sourire et se dirigea vers la porte.

– Je vous reverrai demain, j'ai du travail.

Bolitho se détourna. Il était étrange de constater à quel point ces deux hommes, Broughton et Draffen, voyaient Djafou de façon différente. Pour l'amiral, c'était un obstacle, une entrave à sa stratégie globale. Pour Draffen, il s'agissait de tout autre chose, d'une part de sa vie ou peut-être bien de lui-même.

– Tous les capitaines ont rejoint leur bord, commandant, annonça Keverne.

S'il était inquiet, il n'en montrait rien. Un jour, ce serait peut-être son tour de se faire autant de souci que Broughton. Pour l'instant, il n'avait qu'à se préoccuper d'accomplir son devoir, rien de plus. Et c'était sans doute mieux ainsi.

– Merci, monsieur Keverne. Je vais monter tout de suite, mais vous pouvez demander à Mr. Tothill d'envoyer les signaux, formation comme prévu – il se tut, il en avait assez de tous ces retards, de cette incertitude. Nous attaquerons demain si le vent se maintient.

Keverne sourit de toutes ses dents :

– La fin d'une longue attente, monsieur.

Bolitho le regarda disparaître avant de retourner près des fenêtres. Oui, la fin, se dit-il, et avec un peu de chance, un nouveau commencement.

XII

LA FORTERESSE

– Réveillez-vous, commandant !

Bolitho ouvrit les yeux, comprit qu'il avait dû s'endormir sur son bureau. Allday était penché sur lui, le visage éclairé par la lueur jaunâtre de la seule lanterne encore allumée. Les deux bougies du bureau étaient consumées, il se sentait la gorge sèche et âcre. Allday posa une tasse en étain et y versa du café.

– C'est bientôt l'aube, commandant.

– Merci.

Bolitho avala une gorgée de café bouillant en attendant de sortir des dernières vapeurs du sommeil. Il était monté à plusieurs reprises sur le pont au cours de la nuit afin de vérifier les derniers détails avant le jour, d'étudier le vent, d'estimer la route et la vitesse de l'escadre. Il avait fini par s'écrouler de sommeil en relisant les notes de Draffen, mais n'en avait guère tiré de repos dans l'atmosphère confinée de sa chambre.

Il se leva, assez irrité contre lui-même. Ils étaient tous impliqués dans l'aventure de cette journée, il ne servait à rien de se livrer au petit jeu des hypothèses, à ce stade.

– Vous allez me donner un petit coup de rasoir, Allday – il posa son café : Et versez-m'en encore un peu.

Il entendit du bruit dans la chambre du dessous : le maître d'hôtel de Broughton réveillait ce dernier. Avait-il réussi à dormir ou bien était-il resté allongé dans sa couchette à penser au combat à venir et à ses conséquences éventuelles ?

Allday revint avec un fanal et un pot d'eau chaude.

– Le vent se maintient au noroît, commandant.

Puis il se mit en devoir de préparer rasoir et serviette tandis que Bolitho se débarrassait de sa chemise, qu'il posa sur le banc avant de se rasseoir.

– Mr. Keverne a fait monter tout le monde voici une heure.

Bolitho se détendit un peu tandis qu'il lui passait le rasoir sur le menton. Il n'avait pas entendu le moindre bruit alors que les quelques centaines d'hommes de l'*Euryale* s'étaient levés à l'appel des sifflets. Pendant qu'il était là, écroulé sur son bureau, ils s'étaient nourris, avaient lavé les ponts malgré l'obscurité. Quoi qu'il pût arriver ensuite, il ne fallait surtout pas les laisser flancher. Quand il leur faudrait combattre, le bâtiment devait avoir l'air aussi normal que possible. Ce n'était pas seulement leur manière de vivre, c'était leur maison. Ces visages devant eux aux tables de repas, ces visages qui allaient bientôt regarder ce qui se passait par les sabords, tout leur était aussi familier que le bruit des voiles et les glouglous de l'eau contre la coque.

Tandis qu'Allday finissait de le raser à peu près avec sa dextérité habituelle, Bolitho laissa son esprit errer sur les préparatifs épuisants de la veille. Les fusiliers de toute l'escadre avaient été scindés en deux moitiés égales, l'une transférée à bord du *Zeus* de Rattray en tête de la ligne, le reste à bord du *Valeureux*, qui se trouvait en queue. La plupart des embarcations disponibles avaient été réparties de la même manière, et Bolitho plaignait ces deux bâtiments qui avaient dû accueillir tous ces hommes en surnombre.

Il se leva, s'essuya le visage tout en essayant de voir ce qui se passait par les fenêtres arrière. Mais l'obscurité était encore trop épaisse, il ne distinguait rien que des embruns autour du safran. Les bâtiments faisaient route pratiquement plein est, la côte se trouvait cinq milles par le travers tribord. Broughton avait eu raison de poursuivre ainsi tranquillement au largue, sans tenter l'approche directe vers la terre. Les vaisseaux se seraient éparpillés alors que maintenant, avec un vent favorable et les fanaux de poupe discrets comme d'habitude, ils gagneraient du temps lorsque l'amiral enverrait le signal.

Son visage se reflétait dans la vitre de verre épais, Allday faisait comme une ombre par-derrière. Il portait sa chemise grande ouverte, et il aperçut sa boucle noire, rebelle comme toujours au-dessus de l'œil. Il leva involontairement la main et frôla du doigt la profonde cicatrice qui se trouvait au-dessous. Ce geste lui était devenu instinctif et il s'attendait pourtant chaque fois à ressentir de la chaleur ou une douleur, mémoire inscrite dans sa chair depuis ce jour où il avait été blessé puis laissé pour mort.

Allday sourit ; il se détendait. Ce geste si familier, la surprise feinte de Bolitho lorsqu'il touchait sa cicatrice, cela le rassurait toujours autant. Il le regarda attacher n'importe comment sa cravate et s'avança avec la vareuse et le sabre.

– Paré, commandant ?

Bolitho s'immobilisa, la main déjà passée dans une manche, et se tourna vers lui pour le dévisager de son regard gris.

– Paré comme toujours – il lui sourit. J'espère que Dieu sera avec nous aujourd'hui.

– Amen, fit Allday, le visage éclairé.

Il éteignit le fanal et ils sortirent tous deux dans la froidure.

– Ohé, du pont ! Terre en vue !

La voix de la vigie résonnait dans l'air limpide.

– Tribord droit devant !

Bolitho s'arrêta et tenta de distinguer quelque chose à travers les lignes noires du gréement. Au-delà du boute-hors qui oscillait doucement et des focs qui claquaient, il aperçut les premières lueurs rosées de l'aube à l'horizon. Un peu sur tribord, il crut distinguer ce qui ressemblait à une mince bande nuageuse, mais il savait qu'il s'agissait de la crête d'une quelconque chaîne lointaine colorée par le soleil encore caché.

Il sortit sa montre et l'approcha. Il faisait déjà plus clair et, avec un peu de chance, le *Valeureux* mettait en panne pour transférer sa cargaison de fusiliers dans les embarcations qui les conduiraient ensuite à terre. Le capitaine Giffard, de l'*Euryale*, commandait la compagnie de débarquement, et Bolitho eut pitié de lui. C'était déjà bien assez de se retrouver avec deux cents fusiliers lourdement chaussés, armés de pied en cap, mais le soleil allait vite transformer l'expédition en torture. Disciplinés comme des soldats et subissant le même entraînement qu'eux, les fusiliers étaient pourtant différents. Ils étaient habitués à leur étrange existence sur mer. Pourtant, empêchés par la vie confinée qu'ils menaient de prendre beaucoup d'exercice, ils étaient peu entraînés à exécuter des marches forcées.

– Je vois la *Tanaïs*, monsieur, lui annonça Keverne.

Bolitho répondit d'un signe. La lueur rosée du jour levant soulignait la grand-vergue du soixante-quatorze comme un feu follet dans une forêt de Cornouailles, songea-t-il. Le fanal de poupe ne se voyait pratiquement plus, et il s'aperçut, en levant les yeux pour regarder la flamme de grand mât, que le grand hunier prenait lui aussi des couleurs changeantes.

Un bruit de pas ; Keverne murmura :

– L'amiral, monsieur.

Broughton s'avança sur la dunette et commença par examiner les montagnes au loin, tandis que Bolitho lui rendait brièvement compte :

– Parés aux postes de combat, amiral, chaînes de suspente de vergues et filets à poste.

Comme si Broughton ne pouvait pas le deviner tout seul, avec ce tintamarre : les paravents démontés, les pièces délivrées de leurs palans de retenue, les bruits de pieds des marins qui se préparaient et préparaient leur bâtiment au combat. Mais enfin, il fallait tout de même le dire.

– Sommes-nous encore en vue de l'escadre ? marmonna Broughton.

– De la *Tanaïs*, amiral. Les autres sont joignables par signaux.

L'amiral s'approcha du bord sous le vent pour examiner la terre. Ce n'était qu'une ombre un peu plus sombre, au-dessus de laquelle la ligne de crête semblait suspendue dans le vide.

– Je ne serai pas tranquille tant que l'escadre n'aura pas repris le large, je déteste me retrouver au vent d'une côte sans voir où je suis.

Puis il redevint silencieux. Bolitho entendait le claquement régulier des souliers tout au long du passavant, comme si quelqu'un était occupé à taper du marteau sur un arbre.

– Dites à cet officier de se tenir tranquille ! lui ordonna Broughton. Qu'il aille au diable !

Keverne relaya sur-le-champ le coup de gueule et Bolitho entendit Meheux s'expliquer :

– Je vous demande pardon, sir Lucius !

Mais il avait l'air on ne peut plus réjoui. Bolitho l'avait fait rappeler du *Navarra* pour reprendre la responsabilité de sa batterie supérieure de trente-deux et Meheux n'arrêtait pas de sourire depuis son retour.

L'incident était toutefois assez révélateur, Broughton n'était pas à son aise.

– J'ai fait conduire le prisonnier dans l'entrepont, continua Bolitho.

– Ce damné Witrand, fit l'amiral d'un ton irrité, cela lui ferait du bien de rester en haut avec nous !

– Une chose est certaine, répondit Bolitho en souriant, il en sait plus sur cet endroit que ce que j'avais d'abord cru. Quand Mr. Keverne est allé l'accompagner en bas, il était tout habillé, et n'a pas manifesté la moindre surprise, comme on aurait pu s'y attendre de quelqu'un qui ne connaîtrait rien aux affaires militaires.

– Votre Keverne est un homme perspicace, conclut Broughton.

Mais son intérêt retomba tout aussi vite, et Bolitho se dit que son esprit devait être entièrement occupé par ce qui se passait dans l'ombre.

Des bruits de pas sur le pont : Broughton se retourna pour voir arriver Calvert, l'air peureux.

– Mais faites donc attention à vos pieds ! Vous faites autant de bruit qu'un aveugle boiteux !

Calvert répondit on ne sait quoi et Bolitho surprit quelques canonniers qui se mettaient à ricaner. Tout le bord était au courant du conflit chronique entre Calvert et l'amiral.

– Bonjour, messieurs.

Draffen émergea de l'arrière, vêtu d'une chemise blanche tuyautée et d'un pantalon sombre. Il portait un pistolet à la ceinture et était frais comme un charme, à croire qu'il s'éveillait à l'instant d'un sommeil sans rêve.

– Le *Zeus* est en vue, monsieur ! signala l'aspirant Tothill.

Bolitho s'approcha de la lisse de dunette et regarda devant. La *Tanaïs* sortait de l'ombre et, au-delà, légèrement sur bâbord, il distinguait à peine le soixante-quatorze de tête dont les hautes vergues s'illuminaient.

Le soleil émergeait de l'horizon et la lumière commença à sortir du ciel des deux bords, éclairant les crêtes des vagues, puis s'affirmant jusqu'à arracher à Tothill une exclamation :

– Voilà la terre, monsieur !

Ce n'était pas rigoureusement un compte rendu réglementaire, mais personne ne parut y prendre garde, dans l'excitation générale. Et ce n'était pas plus mal, compte tenu de l'humeur de Broughton.

– Je vous remercie, monsieur Tothill, répondit-il froidement, vous avez été rapide.

La lumière du soleil qui montait révéla la rougeur qui se répandait sur son visage tout rond, mais il eut le bon goût de ne pas en rajouter.

Bolitho se tourna pour examiner la terre, dont les détails se précisaient au fur et à mesure qu'elle sortait de l'ombre. On distinguait une succession de collines, grises ou pourpres pour l'instant, mais où l'on devinait déjà des taches plus sombres çà et là, indices des gorges et des falaises qui restaient cachées.

– *Valeureux* en vue, monsieur !

Lucey, son cinquième lieutenant et qui avait également la responsabilité des neuf-livres de la dunette, parlait à voix basse.

– Il a établi ses perroquets.

Bolitho regagna le bord au vent pour voir ce qui se passait à travers les filets de branle. Le soixante-quatorze du bout de la ligne avait belle allure à remonter ainsi ses conserves plus lentes. Perroquets et huniers brillaient comme des coquillages polis, mais la coque demeurait dans l'ombre, comme si elle ne souhaitait pas se montrer. La vigie allait bientôt découvrir la frégate qui se trouvait beaucoup plus au large, puis la petite *Sans-Repos*, qui s'était glissée tout près de la côte, la dernière à sortir des ténèbres. La prise, le *Navarra*, devait rester à distance optique, mais ne pas s'approcher davantage. Cela ne ferait pas de mal de laisser croire aux défenseurs de Djafou que Broughton avait encore au moins un autre bâtiment de guerre à sa disposition. Le quartier-maître pilote envoyé par Bolitho pour relever Meheux avait même reçu le conseil de ne pas se gêner pour faire des signaux : ainsi il donnerait l'impression d'être en contact avec d'autres bâtiments, au-delà de l'horizon.

Tant de choses dépendaient de la première attaque ! L'ennemi, les Espagnols tout particulièrement, pourrait se sentir moins chaud pour prendre l'initiative, en face d'un effectif toujours plus nombreux, si cet assaut à l'aube l'atteignait.

Bolitho se contraignit à marcher plus lentement du bord au vent et laissa l'amiral qui se tenait au pied du grand mât.

L'arrière et les filets semblaient étrangement vides, sans les rangées rouges de fusiliers qui y avaient normalement leur place et qui le rassuraient. Cela mis à part, le bâtiment semblait paré. Il voyait les deux rangées de canons du pont supérieur, les canonniers pratiquement nus jusqu'à la taille portant des mouchoirs colorés sur la tête afin de protéger leurs oreilles du grondement des canons. Il voyait aussi, au-dessus des filets étarqués, les pierriers installés dans les hunes. Les autres marins, momentanément inoccupés, attendaient près des bras et des drisses, les yeux fixés sur la dunette.

Partridge se moucha bruyamment dans un mouchoir vert, mais s'arrêta brusquement en voyant le regard furibond que lui jetait Broughton. L'amiral ne dit pourtant rien et le pilote à la tête blanchie remit précipitamment l'objet du délit dans sa veste en faisant un sourire en coin à Tothill.

Bolitho posa la main sur son sabre. Son bâtiment était comme un être vivant, un instrument de guerre animé, confus. Il se rappelait son dernier combat à bord du *Navarra*, le contraste saisissant entre cet univers d'ordre, de discipline et les défenses assez rustiques de l'autre bâtiment. Il revoyait les marins espagnols, d'abord effrayés puis virant à la férocité la plus sanglante, coupant et taillant dans leurs adversaires jusqu'au dernier. Et les femmes à demi nues qui se reposaient de leur travail aux pompes, luisantes de sueur, Meheux jurant en glissant dans le sang du capitaine espagnol ; il entendait la voix juvénile d'Ashton qui parvenait à dominer le vacarme quand il avait houspillé dans un espagnol assez approximatif ses canonniers afin d'obtenir d'eux un rythme plus soutenu pour tirer et recharger.

Et le petit Pareja, qui voulait tant lui faire plaisir, qui sentait que l'on avait vraiment besoin de lui, peut-être pour la première fois de sa vie. Il repensa à sa veuve, se demanda ce qu'elle faisait en ce moment. Le haïssait-elle de lui avoir enlevé son mari ? Ou regrettait-elle cette succession d'événements qui l'avait conduite en Espagne ? C'était difficile à dire. Quelle étrange femme, songea-t-il, il n'en avait encore jamais rencontré de semblable. Elle était vêtue comme une grande dame et affichait pourtant l'arrogance crue et sauvage de quelqu'un habitué à une vie plus rude, celle que Pareja lui avait offerte.

Tothill le sortit de ses pensées :

– Signal du *Zeus*, monsieur, répété par la *Tanaïs* – il écrivait fébrilement sur son ardoise. « Ennemi en vue, monsieur ! »

– Par l'enfer ! fit Broughton entre ses dents.

Le gréement et les huniers de la *Tanaïs* avaient caché au vaisseau amiral les signaux de Rattray et ils avaient donc perdu du temps en le répercutant le long de la ligne. Bolitho fronça le sourcil : voilà qui plaidait encore plus pour placer l'*Euryale* en tête. Il imaginait Rattray passant l'ordre à un aspirant comme Tothill. Conscient de sa position en tête, il souhaitait sans doute voir son signal hissé le plus vite possible. Il n'y avait rien de prévu dans le livre de signaux pour dire « Djafou ». Pour faire vite et éviter de l'épeler, il avait fait un signal plus familier. Falcon aurait inventé quelque chose de nettement moins imaginatif, ou n'aurait rien dit du tout. Comme il était facile de comprendre ce que faisait un bâtiment lorsque l'on connaissait son capitaine !

Le soleil montait toujours et la terre avait changé de couleur. Les pourpres cédaient la place à un vert cru, les contours des rochers gris et des gorges se précisaient, comme si un dessinateur de *La Gazette* était en train de les représenter.

Mais la vue d'ensemble était restée la même : un paysage sans arbres, sans traces de vie, au-dessus duquel l'air était troublé par la brume, à moins que ce ne fût la poussière soulevée par la brise de mer.

Il y avait la pointe ouest et, la débordant, son bord le plus proche encore plongé dans l'ombre, celui qui se présentait comme un grand bec. Exactement par le travers, une colline arrondie, dont un flanc avait cédé et s'était effondré dans la mer. Le tout se trouvait bien à quatre milles, mais Bolitho distinguait les brisants blanchis au milieu des récifs et les rangées de vagues poussées par le vent vers la côte sans charme, comme pour y chercher une entrée.

Le *Zeus* devait maintenant se trouver à la hauteur de la pointe la plus proche et la visibilité devait lui permettre d'apercevoir le fort. Rattray pouvait maintenant juger par lui-même de ce qui les attendait au cours des prochaines heures.

– Dites au *Zeus* d'envoyer davantage de toile, ordonna sèchement Broughton, il peut mettre ses fusiliers à terre – et, s'adressant à Calvert : Occupez-vous des signaux et essayez donc de vous rendre utile à quelque chose.

Il ajouta plus calmement à l'intention de Bolitho :

– Une fois que Rattray aura largué ses canots, signalez de virer par la contremarche. Nous verrons alors les défenses extérieures et nous pourrons affiner l'approche.

Bolitho acquiesça : la méthode avait du sens. Virer de bord vent devant et revenir en route inverse était moins risqué que d'attaquer à tour de rôle en passant devant l'entrée de la baie. Si leur première impression du fort se révélait différente de ce qui figurait sur le plan et leurs notes, ils auraient encore le temps de s'éloigner de la terre. Néanmoins, lorsque le *Zeus* aurait viré pour remonter la ligne comme prévu, il fallait espérer que Rattray garderait l'œil sur la distance à la terre et l'état du vent ! Si le vent forcissait soudainement ou tournait, ils auraient beaucoup de mal à parer les rochers, sans parler de livrer bataille.

Il regarda les pavillons monter aux drisses avant de flotter au vent et, quelques instants plus tard, l'activité fébrile au-dessus des ponts du *Zeus*, la toile qui se gonflait lui montrèrent qu'il exécutait l'ordre de Broughton.

Jusque-là, tous faisaient exactement ce que Broughton avait prescrit. Il faudrait peut-être une heure à Rattray pour mettre ses embarcations à la mer, ce qui laisserait aux autres le temps de se retrouver à poste au-delà de l'entrée de la baie.

Bolitho leva les yeux en entendant quelqu'un crier :

– Voilà la *Coquette*, monsieur ! Deux quarts sur l'arrière du travers !

Bolitho tira sur sa chemise, il était déjà humide de transpiration et il savait qu'il allait bientôt faire encore plus chaud. Et il sourit malgré lui… plus chaud, de plusieurs manières.

Le voyant sourire, Partridge donna un coup dans les côtes du cinquième lieutenant et lui murmura :

– Z' avez vu ça ? Ça reste frais comme un baiser de soubrette !

Le lieutenant Lucey, homme d'ordinaire facile et agréable, redoutait passablement ce jour et ce qu'il risquait de lui apporter. Maintenant qu'il voyait son capitaine sourire tout seul, il se sentait un peu mieux.

D'un seul coup, ils se retrouvèrent à la hauteur de la première pointe. La chose les prit tous par surprise après cette longue et lente approche. Comme le bord de la terre défilait sur l'arrière, Bolitho vit le grand fort, gris-bleu dans la lumière du matin, et il en fut étrangement soulagé. Il était exactement comme il l'avait imaginé : une grosse construction circulaire et une petite tour arrondie à l'intérieur. Un mât de pavillon nu se dressait au centre de la tour et brillait comme un cheveu blanc. Mais il ne portait pas le moindre pavillon pour l'instant, rien ne manifestait la moindre alerte. Tout semblait si calme que l'endroit lui évoquait quelque grand tombeau isolé.

Au fur et à mesure que le bâtiment avançait dans un léger clapot, il voyait mieux le fond de la baie. Il y avait un petit bâtiment à l'ancre, un brick sans doute, ainsi que quelques dhows, des barcasses de pêche. Il se demandait si Giffard et ses hommes avaient réussi à progresser et s'ils seraient capables d'atteindre la chaussée.

La *Sans-Repos* s'éloignait prudemment de la pointe et il fut rasséréné en voyant que Poate, son jeune commandant, avait eu la présence d'esprit de mettre deux hommes de sonde dans les bossoirs. Le fond diminuait de manière abrupte, mais il était toujours possible que l'on eût manqué de relever un banc de roche où un récif en levant la carte.

La seconde pointe, qui recouvrait partiellement la première, passa plus près et, lorsqu'elle commença à cacher la forteresse, Keverne s'exclama :

– Regardez, monsieur ! Quelqu'un se réveille !

Bolitho prit une lunette qu'il pointa vers le bord en pente de la pointe. Deux cavaliers se tenaient là, parfaitement immobiles et rien ne bougeait, si ce n'est de temps à autre le coin du grand burnous blanc que chacun portait. Ils regardaient les bâtiments qui avançaient lentement, très loin à leurs pieds. Puis, comme à un signal, ils fouettèrent leurs montures et disparurent derrière la pointe sans se presser ni manifester trop d'excitation. Quelqu'un dit à côté de Bolitho :

– Ils sont allés donner le mot, les gars !

Il regarda Broughton, mais l'amiral observait l'horizon vide, comme si les cavaliers étaient encore là à faire le guet.

Hormis les bruits habituels de la mer et du vent, tout était trop calme, ce qui rendait l'attente plus lassante, plus agaçante. Giffard avait même amené sa clique et Bolitho eut un moment l'idée de faire appeler le violoneux pour lui demander d'accompagner quelque chant de marin. Mais Broughton ne semblait pas d'humeur et il abandonna son projet.

Il détourna les yeux de Broughton, toujours raide comme un piquet, pour observer quelques-uns de ses hommes qui se tenaient près des neuf-livres. Ils regardaient par-dessus les filets ce mur fait de roc et de pierres qui défilait lentement. Comme cela devait paraître étrange à la plupart d'entre eux ! Ils ne savaient peut-être même pas où ils étaient ni en quoi un endroit aussi dérisoire justifiait de s'exposer à la mort ou à la mutilation. Et Broughton, qui avait certainement de sérieux doutes sur les raisons qui l'avaient amené ici, ne pouvait cependant partager son appréhension avec quiconque.

Bolitho essaya d'apercevoir Draffen, mais il était déjà descendu, assez heureux apparemment de laisser tout cela aux hommes de l'art. Il regagna lentement le bord au vent : il avait appris en faisant la guerre que les hommes de l'art n'existaient pas. On en apprenait tous les jours. Ou l'on se faisait tuer.

– Le *Zeus* est par le travers de la pointe, monsieur !

– Merci, monsieur Tothill, répondit Bolitho en se dirigeant sous le vent.

C'était là tout ce qu'il pouvait faire pour garder une voix calme et posée. La manœuvre finale, qui consistait à regrouper l'escadre puis à virer par la contremarche parallèlement à la côte, leur avait demandé plus de temps que prévu. Rattray avait mis toutes ses embarcations à la mer sans traîner, mais il était manifeste que les nageurs auraient du mal à conduire les canots surchargés au point de débarquement visé. Il y avait des rochers à demi submergés, des courants inattendus qui vous faisaient valdinguer comme des feuilles prises dans le bief du moulin et mettaient les avirons sens dessus dessous.

Broughton lui-même avait fini par admettre qu'ils auraient dû prévoir plus de temps et, alors que le *Zeus* envoyait davantage de toile pour reprendre son poste en tête de la ligne, il avait du mal à dissimuler son inquiétude.

La corvette était mouillée à peu de distance de la grande pointe incurvée, aussi près de terre qu'elle avait osé. Ses mâts oscillaient sous l'effet de la houle, sa coque semblait minuscule près de l'énorme masse de roc qui la dominait.

Mais, maintenant qu'ils revenaient vers la baie, le *Zeus* passa si près de la *Sans-Repos* qu'il parut courir droit au désastre. Tous les bâtiments naviguaient au près serré, tribord amures, vergues brassées au maximum pour tirer le meilleur parti du vent. Les deux vaisseaux de tête avaient déjà mis en batterie et, en pointant sa lunette par-dessus les filets, Bolitho constata que la batterie basse du *Zeus* pointait à la hausse maximale. La double ligne de gueules noires donnait l'impression de vouloir escalader la pointe. Ce n'était bien entendu qu'une illusion due à la distance. Il avait deux bonnes encablures d'eau, et il espérait que Rattray avait choisi des timoniers capables de réagir sans traîner en cas de besoin.

– Signal de la *Sans-Repos*, monsieur ! cria Tothill : « Les fusiliers ont atteint le sommet du cap ! »

En se retournant, Bolitho aperçut le grand pavillon bleu qui flottait à la grand-vergue de la corvette. Un peu de côté, un certain nombre de fusiliers couraient sur le flanc de la colline comme une horde d'insectes rouges.

– Très bien, déclara Broughton ; s'ils tiennent cette colline, personne ne pourra nous tirer dessus de là-haut.

Il s'approcha de la lisse de dunette pour voir Meheux qui arpentait lentement la ligne des canons.

– Vous pouvez mettre en batterie, à présent, ordonna Bolitho à Keverne. Faites dire à Mr. Bickford de pointer soigneusement chaque coup de la batterie basse, c'est lui qui possède nos plus grosses pièces.

Keverne salua avant de faire signe par-dessus la lisse aux trois aspirants chargés de transmettre les ordres entre le pont et les batteries et de leur donner ses instructions à voix basse. Bolitho les regarda : Ashton, toujours aussi pâle avec son bandage autour de la tête. Le jeune Drury, toujours barbouillé et Lelean, chargé de la batterie basse, dont l'extrême jeunesse expliquait sans doute la plus horrible éruption d'acné que Bolitho eût jamais vue.

Ils disparurent tous trois en courant et Keverne cria :

– En batterie !

Dans les trilles des sifflets qui se répercutaient d'un pont à l'autre, la coque commença à s'incliner lentement dans le grondement des affûts. Les chefs de pièce criaient sur le dos de leurs hommes pour mettre la main à l'ouvrage, les énormes pièces roulèrent jusqu'à leurs emplacements de tir dans les sabords grands ouverts.

L'air trembla soudain sous l'effet d'un bombardement lent, régulier. Le grondement roula jusqu'à la pointe, où il se répercuta comme si tous les vaisseaux avaient ouvert le feu. Devant, le *Zeus* disparaissait dans la fumée de ses propres départs, on ne voyait plus les volées sombres que ses hommes s'employaient déjà à écouvillonner pour préparer la bordée suivante.

La fumée dérivait lentement vers le rivage, quelque tourbillon local faisait de curieuses volutes. Si la garnison espagnole avait encore eu un doute, elle savait à présent de quoi il retournait, se dit tristement Bolitho.

Nouvelle bordée dans un ordre parfait, les canons crachèrent de longues flammes orangées, le grand hunier se souleva brutalement sous la poussée de l'air chaud.

Toutes leurs lunettes étaient braquées sur les moutons qui environnaient le soixante-quatorze de tête. Mais pas de gerbe, aucun signe que l'ennemi eût répliqué.

– Joli, fit Broughton, très joli.

Bolitho lui jeta un coup d'œil. Peut-être Broughton continuait-il de mettre à l'épreuve son capitaine de pavillon, formulant des suggestions dont il attendait soit l'approbation, soit le rejet dédaigneux. Pourtant, il ne pouvait encore faire aucun commentaire qui fût le cas échéant utile à Broughton, c'était trop tôt.

Il levait sa lunette lorsque quelqu'un cria :

– Un boulet, là ! Sous le vent du *Zeus* !

Tout en comptant les secondes, Bolitho observa les ricochets du coup, de crête en crête ; le boulet finit par plonger dans une grande gerbe un bon mille au-delà du *Zeus*.

Lucey murmura à Partridge :

– Par Dieu, le coup était sacrément long !

Il y en eut un second, exactement sur la même ligne et non moins puissant.

– Un seul canon, Bolitho, lui fit remarquer Broughton. Si c'est là tout ce qu'ils possèdent, nous n'allons pas devoir attendre longtemps.

– Signal du *Zeus*, monsieur, annonça Tothill qui avait escaladé les enfléchures sous le vent pour mieux voir les signaux : « Je romps l'engagement. »

– Combien de temps ? demanda Bolitho à Partridge.

– Dix minutes, répondit le pilote après avoir consulté son ardoise.

Dix minutes pour traverser le champ de battage du fort, pendant lesquelles ils avaient eu le temps de tirer deux fois.

– La *Tanaïs* se rapproche, monsieur, lui dit Keverne qui avait posé sa lunette dans le creux du coude, elle sera parée d'ici à une minute.

Bolitho, muet, retenait son souffle. Le grand pavillon rouge monta en tête du mât de hune, indiquant qu'il était en vue de l'ennemi.

Falcon ne traîna pas aussi longtemps que Rattray : ses pièces se mirent à cracher presque aussitôt. Exécution parfaite, les pièces d'avant tirèrent leur second coup juste après que celles de l'arrière eurent commencé de recharger.

Broughton se frottait les mains :

– Cette volée de métal va peut-être donner aux Espagnols matière à penser, non ?

Mais l'ennemi restait toujours aussi silencieux, et Bolitho finit par dire :

– Je pense qu'ils utilisent une pièce fixe, amiral. Ils avaient pris leurs repères sur les coups tirés contre le *Zeus*, mais cette fois-ci…

Il fut interrompu par un roulement en écho dans toute la baie, suivi immédiatement par un épouvantable fracas de bois cassé.

Se précipitant à la poupe, il vit alors de la fumée s'échapper à l'arrière de la *Tanaïs*, un amas noirâtre de gréement emporté qui tombait à la mer. La *Tanaïs* venait d'encaisser deux coups au but, peut-être davantage, un boulet l'avait manquée et rebondissait de crête en crête comme un dauphin enragé.

Un murmure désolé parcourait les rangs des spectateurs, d'autres coups tombaient sur la *Tanaïs*, du bois volait de partout avant de retomber à l'eau en abord.

Les hommes de Falcon tiraient toujours, mais le rythme n'y était plus. Bolitho aperçut une pièce désemparée en travers du retour de muraille, un sabord vide qui en disait long.

– Quatre pièces simultanément cette fois-ci, monsieur, fit Keverne, mais d'une voix froide, comme distante, la voix d'un spectateur distrait.

– Et de grosses pièces, à voir le résultat, compléta Lucey.

Bolitho lui jeta un coup d'œil : Lucey n'avait que vingt ans. Il avait d'abord paru terrifié : les signes ne trompaient pas – déglutition sans résultat, incapacité à s'occuper les mains. Tous les indices qui montraient qu'un homme était sous l'emprise de la terreur. Lucey échangeait maintenant quelques commentaires avec Keverne, comme un vieux briscard, priant le ciel de parvenir à donner le change, cela valait mieux pour lui.

– Je ne vois rien avec cette sacrée fumée ! dit Broughton. Que fait donc Falcon ?

De la fumée s'échappait par les fenêtres de poupe de la *Tanaïs*, mais il était impossible de savoir s'il s'agissait d'un incendie ou de la fumée de ses propres pièces. Il réussissait encore à tirer mais paraissait dans un sale état. Ses voiles brassées en faisait une cible facile à voir et elles étaient constellées de trous qui venaient tant de ses propres éclis de bois que des boulets de l'ennemi. Un amas de gréement débordait par-dessus les passavants, Bolitho voyait des hommes tailler dedans à grands coups de hache et la distance faisait paraître leurs efforts encore plus irréels.

Partridge s'éclaircit la gorge :

– Il a rentré son signal, monsieur – il sortit son gros oignon. Quinze minutes environ ce coup-ci.

– J'espère que vos trente-deux livres vont tenir leurs promesses, hein ? fit Broughton

Il souriait, mais ses lèvres en découvrant ses dents montraient bien que ce sourire n'était que de façade.

Bolitho avait pourtant bien d'autres choses en tête. Quinze minutes, le temps pendant lequel son bâtiment serait soumis à un bombardement sans pitié. Les artilleurs espagnols n'auraient même pas besoin de modifier la hausse, il leur suffirait d'attendre pour tirer pendant que l'escadre, vaisseau après vaisseau, franchissait cette bande de mer. Qu'ils eussent ou non le soleil dans l'œil, cela leur était aussi aisé que de tirer l'oiseau sur la branche.

– Je suggère d'ordonner à l'escadre de rompre l'engagement, amiral.

Il avait gardé un ton très mesuré, mais il vit bien qu'il avait atteint Broughton, comme s'il l'avait proprement injurié. Il ajouta aussitôt :

– Des actions indépendantes en soutien des détachements à terre seraient…

Mais il n'eut pas le loisir de terminer.

– Jamais ! Parce que vous vous imaginez que je vais permettre à quelques enfoirés d'Espagnols de me faire reculer ? – il le fixait, avec quelque chose qui ressemblait à du dégoût. Par Dieu, je croyais que vous étiez fait d'une autre étoffe !

Bolitho répondit sans le regarder :

– Établissez la misaine, monsieur Keverne, et envoyez du monde en haut pour établir les perroquets ! – il croisa le regard du second sans ciller. Et le plus vite possible !

Tandis que les hommes escaladaient les enfléchures pour exécuter ses instructions, il gagna lentement la lisse de dunette. Il savait pertinemment que Broughton avait les yeux rivés sur lui, mais essaya de ne pas y penser. Broughton avait pris sa décision, il lui fallait donc exécuter ses ordres. Cela dit, l'*Euryale* était son bâtiment, il voulait combattre en mettant tous les atouts de son côté et Broughton pouvait bien en penser ce qu'il voulait.

La misaine se gonfla dans un claquement de tonnerre, les marins se battaient pour la border alors que le vent mordait dedans. Bolitho sentit le pont s'incliner davantage quand le perroquet de misaine fut déferlé à son tour et se tendit. Sous cette poussée nouvelle, les embruns commencèrent à jaillir au-dessus de la figure de proue et du boute-hors.

– Comme ça ! cria-t-il à Partridge.

– En route au noroît, monsieur.

Le cap tout sombre se mit à défiler de plus en plus vite, ils finirent d'étarquer convenablement la toile qui luisait au soleil. Loin là-haut, les gabiers se démenaient comme de beaux diables et Bolitho aperçut en baissant sa lunette quelques fusiliers qui dansaient sur la pointe en faisant de grands signes avec leurs mousquets lorsque le vaisseau amiral passa plein travers du cap.

Ils voyaient maintenant l'autre bord de la baie, noyé dans la brume. Ou peut-être était-ce la fumée de la *Tanaïs*. La mer paraissait si bleue sous le cap le plus éloigné, bleue et impossible à atteindre. Il effleura ses lèvres du bout du doigt, elles étaient toutes sèches.

Il entendit Lucey qui murmurait :

– Mon Dieu ! Mon Dieu !

Il croyait sans doute se parler à lui-même, peut-être n'en était-il pas conscient.

A l'avant, un pied posé négligemment sur une caronade, Meheux scrutait la baie. Il avait sorti son sabre et, alors que Bolitho gardait les yeux fixés sur lui, le leva lentement au-dessus de sa tête. Il resta ainsi, immobile sous le soleil. Cela rappela à Bolitho une vieille statue qu'il avait vue autrefois à Exeter.

Le sabre s'agita un peu, il entendit Meheux crier :

– Objectif en vue, monsieur !

Bolitho mit ses mains en porte-voix, parfaitement conscient de la tension insoutenable qui régnait autour de lui.

– Feu dès que possible !

Quelques-uns des marins accroupis près des pièces le regardaient, le visage de marbre. Il se mit à sourire et cria :

– Un hourra, les gars ! Montrez-leur qu'on arrive !

Pendant un moment, rien ne se passa et, alors que le vaisseau taillait sa route et laissait derrière la dernière falaise, Bolitho crut qu'ils étaient trop atteints pour répondre. Un matelot grimpa enfin à côté d'un douze-livres et se mit à crier :

– Un hourra pour l'*Euryale*! Et un autre pour notre Dick !

Bolitho agita sa coiffure au milieu des hurlements qui gagnaient le pont supérieur avant d'être repris par ceux des entreponts. La folie les gagnait tous, rien ne les arrêterait, jusqu'à la prochaine fois, et ainsi de suite.

La voix de Meheux était presque inaudible lorsqu'il ordonna :

– Feu !

Bolitho s'accrocha à la lisse, le premier trio de pièces tira à l'avant, puis l'aboiement rauque des douze-livres du château disparut totalement dans le tonnerre assourdissant des trente-deux. La fumée l'obligea à s'essuyer les yeux, elle envahit le passavant bâbord avant de partir en tourbillons tout autour de lui. Il avait le regard rivé sur le fort, dans le lointain, quelques gerbes dans l'eau. La première salve avait atteint son but. Quelque chose qui ressemblait à de la poudre blanche s'élevait de l'enceinte du fort, seule preuve qu'ils avaient atteint eux aussi.

Il entendit Keverne crier :

– C'est comme essayer d'abattre un chêne avec un cure-dent !

Le tir continuait, trois pièces à la fois, les canons reculaient, les hommes à moitié inconscients les saisissaient, rechargeaient. Ils ne voyaient plus rien, ils savaient seulement qu'il fallait recharger et remettre en batterie, poursuivre le tir sans se préoccuper de ce qui se déroulait à côté.

Meheux passait derrière les pièces, tapait du sabre sur une volée ou indiquait d'un geste le fort à l'un de ses chefs de pièce, le visage plissé par l'effort dû à la concentration.

– Où sont les autres fusiliers ? demanda Broughton. Votre capitaine Giffard devrait être à la chaussée, à l'heure qu'il est.

Bolitho ne répondit pas. Il était entièrement occupé par le bruit des canons, la fumée le faisait pleurer, il ne regardait que le fort et rien d'autre. Il aperçut une grande tache noire sous le mur circulaire, là où se trouvait l'accès par la mer, une rangée double de fenêtres carrées, comme des sabords, et qui semblait faire tout le tour.

Deux de ces sabords s'illuminèrent soudain et il eut même l'impression irréelle de voir de ses yeux la trajectoire du premier boulet qui se précipitait sur lui. Un choc étouffé près de la flottaison, l'autre boulet toucha l'eau dans une gerbe d'embruns loin par le travers.

Coup d'œil derrière : ils avaient franchi à peu près la moitié de la baie, et, avec toute cette toile, ils mettraient encore cinq minutes à atteindre l'autre bord.

De grandes flammes, les deux boulets touchèrent cette fois l'*Euryale* avec la force de marteaux qui s'abattent sur une caisse en bois.

Ils en étaient donc à trois coups encaissés et il ne connaissait toujours pas l'état exact des dommages. Extérieurement, la forteresse ne semblait pas avoir trop souffert, seuls quelques tas de gravats montraient le résultat de leurs efforts.

Derrière lui, il aperçut les huniers du *Valeureux* qui était en train d'arrondir la pointe. Il savait trop bien ce que devait penser Furneaux en voyant le vaisseau amiral se faire massacrer par ces canons.

Il se tourna vers l'amiral qui se tenait là, les poings sur les hanches, les yeux fixés sur le fort, comme hypnotisé.

– Puis-je signaler au *Valeureux* d'attendre, amiral ?

– Attendre ? – Broughton tourna les yeux vers lui, sans bouger la tête. Vous avez dit attendre ?

Sa joue fut prise d'un mouvement nerveux, la batterie basse lâcha une nouvelle bordée, un nuage de fumée suivit aussitôt les langues de feu.

Bolitho laissa passer plusieurs secondes. Peut-être Broughton était-il désarçonné par l'incapacité de l'escadre à atteindre sérieusement le fort, ou était-ce le tonnerre permanent des canons ?

– Les bâtiments subissent des avaries sans raison, amiral, reprit-il brutalement.

Il sursauta en sentant le pont tressaillir violemment, un autre coup sous la dunette.

D'un seul coup, le vent balaya la fumée du pont et il vit enfin le visage de Broughton. A ce moment-là, il comprit qu'il avait tort. Jusque-là, Broughton n'avait donc pas tenté de l'éprouver ni de jauger ses capacités. Cet éclair soudain lui fit l'effet d'une douche glacée. Broughton ne savait tout bonnement pas que faire ! Son plan de bataille était trop rigoureux, il n'avait plus aucune idée pour trouver autre chose.

– Pour l'instant, amiral, c'est la seule chose à faire.

– Huit minutes, monsieur ! annonça Partridge.

– Très bien, fit enfin Broughton. Si c'est votre avis…

– Cessez le feu ! cria Bolitho. Monsieur Tothill, signalez au *Valeureux* de dégager et de suspendre l'action immédiatement !

La forteresse se tut en même temps que l'*Euryale*, et il en déduisit que la garnison devait faire attention à ses réserves de vivres, de poudre et de boulets. Encore, se dit-il amèrement, qu'ils n'eussent pas lieu de trop craindre de se faire battre, presque tous leurs coups avaient fait mouche.

– Le *Valeureux* a fait l'aperçu, monsieur.

Bolitho vit la silhouette du deux-ponts s'allonger ; il virait de bord, ses voiles se mirent à battre violemment lorsqu'il entra dans le lit du vent.

– Rendez-moi compte des blessés et des avaries, monsieur Keverne – et à Broughton : Nous devons apporter notre soutien aux fusiliers, amiral, ils doivent attendre de l'aide.

L'amiral examinait la côte qui défilait avec ce qui ressemblait à de la résignation. En bas, un homme poussait des cris, gémissait, et Bolitho sentit un besoin urgent de se consacrer à ses hommes et à son bâtiment. Il insista cependant :

– Quels sont vos ordres, amiral ?

Broughton eut l'air de se réveiller. Il répondit d'une voix un peu plus ferme, mais qui manquait singulièrement de conviction :

– Signalez à l'escadre de se rapprocher du bâtiment amiral.

Il remuait les lèvres, comme pour ajouter quelque chose, un ordre qui ne vint pas.

– Faites ce signal immédiatement, ordonna Bolitho en se tournant vers Tothill.

– Pour la suite, je pense que nous pourrions mettre à terre un second détachement de marins – Broughton fit la moue. Quelques canons, également, si nous arrivons à trouver une plage de débarquement favorable.

– Bien, amiral, répondit Bolitho en regardant ailleurs.

Il imaginait déjà l'effort énorme qu'il leur faudrait fournir pour débarquer ne serait ce qu'un seul trente-deux livres avant de le hisser au sommet de la colline. Et seule une pièce de ce calibre pouvait tenter quelque chose contre la forteresse. Il faudrait des centaines d'hommes, peut-être davantage, sans compter les éléments de protection pour parer une attaque de francs-tireurs. Un Grand 9 vous pesait bien ses trois tonnes, un seul n'y suffirait sans doute pas.

Mais enfin, tout cela valait encore mieux que voir l'escadre réduite en pièces en continuant de passer et de repasser follement devant l'entrée de la baie.

Il se retourna, soudain inquiet, en entendant Tothill :

– Monsieur !

– Qu'y a-t-il ? Ont-ils fait l'aperçu ?

– Ce n'est pas cela, monsieur – l'aspirant lui indiqua quelque chose à tribord. La *Coquette* a quitté son poste et elle fait voile, monsieur.

Bolitho leva sa lunette, discernant une volée de pavillons de toutes les couleurs qui montaient à ses vergues. Et il comprit ce qui se passait.

– Un signal, monsieur, compléta Tothill : « Voile non identifiée dans le noroît. »

Bolitho laissa tomber sa lunette, se tourna vers Broughton.

– Dois-je donner l'ordre à la *Coquette* de le prendre en chasse, amiral ?

Mais Tothill répondit en même temps que l'amiral :

– La *Coquette* fait un autre signal.

Une pause ; Bolitho voyait ce petit muscle qui tressautait toujours, régulièrement, sur la joue de Broughton, puis :

– La voile a disparu, monsieur.

Les bras de Broughton lui en tombèrent.

– Sans doute une frégate ennemie. La *Coquette* aurait pu s'en approcher, si elle avait été autre chose que ce qu'elle est.

Il regarda Bolitho :

– A présent, elle va aller raconter à tout le monde que nous sommes ici.

– Je suggère de faire rappeler les fusiliers, amiral.

Bolitho chassa les réflexions qui lui étaient passées par la tête au sujet du débarquement de pièces, des apparaux et des embarcations que cela aurait demandés. Ils n'en avaient plus le temps, à présent, et ils pourraient se trouver bien d'avoir récupéré les fusiliers si quelque escadre ennemie se trouvait dans les parages.

– Non – les yeux de Broughton étaient de glace. Je ne me retirerai pas. J'ai reçu des ordres, vous aussi – il lui montra la ligne de collines dénudées. Il faut prendre Djafou avant que des vaisseaux ennemis aient eu le temps d'arriver ! Il faut, m'avez-vous entendu ?

Il criait presque, plusieurs marins, toujours postés près de leurs pièces, tournèrent la tête.

La voix de Draffen rompit le silence, comme un couteau. Où diable avait-il été se mettre pendant le combat ? Bolitho se le demandait, mais il paraissait très calme, avec ses yeux froids, perçants, qui lui donnaient tout l'air d'un carnassier.

– Permettez-moi de faire une suggestion, sir Lucius – puis, lorsque Broughton se tourna vers lui : Vous conviendrez en effet que nous avons perdu trop de temps en usant de méthodes conventionnelles.

L'espace d'une seconde, Bolitho crut que l'amiral allait manifester sa méfiance usuelle, mais au lieu de cela, il répondit :

– J'accepte de vous écouter, sir Hugo… – il chercha des yeux la descente – … dans mes appartements, je vous prie.

– Je vais signaler à l'escadre de mettre le cap plein ouest, amiral, et à la *Sans-Repos* ainsi qu'à la *Coquette* de rester sur place pour le moment.

Il attendit, Broughton avait du mal à trouver ses mots. Il finit par répondre :

– Oui – il hocha du chef à plusieurs reprises. Vous n'avez qu'à faire ainsi.

Comme ils quittaient la dunette, Keverne lui glissa :

– Nous nous en sortons mieux que la *Tanaïs*, monsieur. Ils ont eu vingt tués. Nous avons perdu sept hommes ; en outre, cinq ont été blessés par des éclis.

Mais Bolitho regardait toujours la poupe en se demandant ce que Draffen pourrait bien suggérer à ce stade.

– Et les avaries ?

– Plus de bruit que de mal, monsieur. Le charpentier est descendu voir.

– Parfait, dites à Mr. Grubb de mettre ses hommes au travail le plus tôt possible.

Il se tut : on montait le premier cadavre par le grand panneau. Les porteurs le posèrent sur le pont, en attendant la cérémonie d'immersion. En quelques minutes, ils avaient perdu sept hommes. Un homme à la minute.

Il croisa ses mains dans le dos et se dirigea lentement vers le bord au vent. Il sentait la colère l'envahir. L'*Euryale* était le bâtiment de guerre le plus moderne que le génie de l'homme eût jamais créé. Et cependant, un vieux fort, quelques soldats avaient suffi à le rendre aussi impuissant qu'un canot de cérémonie.

– Je descends voir l'amiral, monsieur Keverne.

– Monsieur ?

– Moi aussi, j'ai quelques idées et je vais lui en faire part personnellement !

Allday le regarda passer et se mit à sourire. Bolitho était en colère. Pour leur salut à tous, se dit-il, il était grand temps que le capitaine prît les choses en main.

XIII

UNE SECONDE CHANCE

Le vice-amiral Broughton leva les yeux de son bureau, partagé entre la surprise et l'ennui.

– Nous n'en avions pas terminé, Bolitho – il lui indiqua Draffen, appuyé contre la cloison : Sir Hugo était justement en train de m'expliquer quelque chose.

Bolitho était fermement campé au beau milieu de la chambre, une chambre qui semblait presque vide sans ses décorations et ses meubles de valeur. On avait déménagé le tout dans les fonds par mesure de précaution, avant l'attaque infructueuse de la forteresse. Néanmoins, Broughton avait eu de la chance de se voir épargner le désordre qui régnait habituellement à bord d'un trois-ponts de construction anglaise. Pour le coup, il aurait eu ses appartements intégralement vidés comme tout le reste du bord, et les chambres, isolées en temps normal, souillées par la fumée des canons. Mais les pièces les plus proches se trouvaient de l'autre côté de la cloison, si bien que, sortant de l'atmosphère de tension qui régnait sur le pont principal, Bolitho ne s'en sentait que plus frustré et irrité.

– Je voudrais suggérer d'agir rapidement, amiral.

– Je suis conscient de l'urgence, répondit Broughton en levant la main – il eut l'air de sentir soudain la colère de Bolitho et ajouta froidement : Mais donnez-nous votre sentiment, si vous le souhaitez.

– Vous avez vu la forteresse, amiral, et à quel point il est inutile d'essayer de l'emporter de la mer. D'expérience, je crois qu'essayer d'utiliser la marine contre des batteries et des défenses côtières n'a jamais mené à rien.

Broughton l'observait froidement.

– Si vous voulez me faire admettre que vous m'avez mis en garde contre ce type d'assaut, je vous en donne acte. Pourtant, comme nous ne possédons ni les forces ni le soutien nécessaires à une attaque combinée, que nous n'avons pas non plus le temps de réduire la garnison par la famine, je ne vois guère comment faire autrement.

Bolitho respira profondément.

– La seule chose qui ait fait de Djafou une écharde au flanc des nations maritimes dans ces parages, amiral, c'est son fort.

– Eh bien, Bolitho, fit Draffen, ce n'est jamais qu'une évidence !

Bolitho se tourna vers lui :

– J'aurais moi aussi considéré la chose comme évidente si j'avais été à la place de celui qui a échafaudé ce plan, sir Hugo – il se retourna vers l'amiral. Sans le fort, cette baie ne présente aucun intérêt, amiral.

Il attendit sa réaction.

– Et avec le fort, cette baie n'a pratiquement aucun intérêt pour nous.

– Quoi ? – Broughton se raidit comme s'il avait reçu un coup. Vous feriez mieux de vous expliquer !

– Si nous parvenons à nous emparer du fort, nous aurons beaucoup de mal à conserver la baie pour en faire une base, amiral. Si nous lui en laissons le temps, l'ennemi, en particulier l'armée française, fera débarquer de l'artillerie un peu plus loin sur la côte et rendra ce mouillage intenable pour nos bâtiments. Nous nous retrouverons ainsi dans la même situation que ses défenseurs actuels : repoussés à l'intérieur de ce tas de pierres et incapables d'autre chose que d'empêcher quiconque d'utiliser la baie comme abri ou pour n'importe quel usage.

Broughton se leva, s'approcha lentement des fenêtres.

– Mais vous ne nous avez toujours pas exposé d'autre solution.

Le ton s'était pourtant radouci.

– Rentrer à Gibraltar, répondit lentement Bolitho, informer le commandant en chef de la réalité des faits ; je suis sûr qu'il vous accordera alors tout le soutien, tous les bâtiments nécessaires pour effectuer une nouvelle tentative et constituer ici une base.

Il s'attendait à voir Broughton protester, mais, devant son silence, il continua fermement :

– Une base d'où nous serions mieux placés pour étendre le champ d'intervention de nos opérations futures. Plus loin dans l'est, nous avons des amis tout prêts à se dresser contre leur nouvel oppresseur, à condition que nous leur accordions suffisamment d'aide et d'encouragements.

– Mais vous nous avez dit que Djafou ne servait à rien…

Il paraissait incapable de se sortir cette idée de l'esprit.

– Oui, c'est ce que j'ai dit. Je suis certain que, si les chefs de l'Amirauté avaient été convenablement informés des conditions qui règnent ici, ils n'auraient jamais avalisé le plan initial.

– Au cas où vous ne le sauriez pas, Bolitho, intervint sèchement Draffen, ils ont donné leur accord en suivant *mes* suggestions.

Bolitho le regarda dans les yeux. Au moins, après toute cette période où lui avaient manqué un certain nombre de pièces du puzzle, il allait peut-être tirer quelque chose au clair.

– Dans ce cas, monsieur, vous devriez admettre que vous vous êtes trompé – il durcit le ton. Avant que nous n'ayons à déplorer d'autres morts.

– Calmez-vous, Bolitho, fit Broughton ! Je ne supporterai aucune querelle de ce genre à mon bord, que diable !

– Alors, laissez-moi seulement vous dire ceci, amiral…

Bolitho s'efforçait de rester calme, ce qui était loin de refléter les sentiments qu'il éprouvait, mélange de colère et de désespoir.

– … Si vous ne mettez pas votre escadre dans une situation où elle aura suffisamment d'eau pour se battre, vous risquez de vous retrouver acculé au vent d'une côte. Les vents dominants sont de secteur noroît et, sans espace pour reprendre l'avantage, vous aurez à affronter une situation très difficile si l'ennemi survient. Au large, nous pouvons encore lui porter des coups sévères, quelles que soient les conditions.

– Sir Hugo m'a déjà suggéré un autre plan, répondit Broughton.

Draffen quitta son appui contre la cloison. Il souriait, mais ses yeux étaient de glace.

– Vous êtes resté debout trop longtemps, Bolitho, je suis désolé de ne pas m'en être aperçu plus tôt. Voici mon idée : il ne s'agit bien entendu que d'une esquisse, mais je suis pratiquement certain d'obtenir l'aide dont nous avons désespérément besoin.

– Sir Hugo peut prendre contact avec son agent, compléta Broughton d'une voix lasse, quelque part sur la côte.

– Exactement – Draffen se détendait un peu. J'ai des accords avec un puissant chef de tribu, je l'ai rencontré à plusieurs occasions. Habib Messadi a beaucoup d'influence sur ces côtes et il n'aime pas leurs envahisseurs espagnols.

– Mais c'est nous qui deviendrons les envahisseurs si la garnison espagnole s'en va, répliqua doucement Bolitho. Où est la différence ?

– Enfin, Bolitho, au nom du ciel, mais vous n'êtes donc jamais satisfait ? s'exclama Broughton.

Bolitho continuait de fixer Draffen.

– Ce Messadi est, j'imagine, un hors-la-loi quelconque, sans quoi je me demande bien comment il ferait pour avoir quelque autorité sur une côte comme celle-ci.

Le sourire de Draffen s'effaça.

– Ce n'est certes pas le genre d'homme que vous laisseriez en liberté dans l'abbaye de Westminster, je vous l'accorde – il haussa les épaules. Mais pour réussir cette mission, j'accepterais l'aide d'un échappé de Newgate ou de Bedlam si cela pouvait m'être utile.

– *Eh bien*, Bolitho ?

Broughton les regardait tour à tour, avec une impatience de plus en plus perceptible.

C'est Draffen qui répondit le premier.

– Comme je vous l'ai indiqué plus tôt, nous remplacerons un jour Djafou par quelque chose de mieux, comme par exemple ce que vous avez proposé tout à l'heure à Sir Lucius. Messadi contrôle Djafou depuis des années et il n'éprouve aucune amitié particulière ni pour les Français, ni pour les Espagnols. Il vaudrait certainement mieux qu'il reste notre allié, cela ferait toujours une écharde supplémentaire au flanc de l'ennemi…

– Je suis d'accord, approuva Broughton.

Bolitho détourna les yeux. Il revoyait la horde qui s'était abattue sur le pont ensanglanté du *Navarra*, la terreur de l'équipage lorsqu'il avait aperçu les chébecs. Et maintenant, Broughton était sur le point de s'allier à cette engeance, uniquement parce qu'il ne voulait pas considérer l'hypothèse de rentrer les mains vides à Gibraltar.

– Et moi, je suis contre, répondit-il.

– J'ai beaucoup de respect pour vos réalisations passées, Bolitho, fit Broughton d'un ton las. Je sais que vous êtes un officier loyal, mais je sais aussi que vous vous laissez souvent emporter par votre idéalisme. Je ne voudrais avoir personne d'autre comme capitaine de pavillon dans cette escadre… – il durcit le ton – … mais je ne tolérerai pas la moindre insubordination. Et si nécessaire, je vous relèverai de vos fonctions.

Bolitho se sentait accablé, le monde se refermait sur lui comme un étau. Il avait bien envie de prendre Broughton au mot, sans pouvoir cependant supporter l'idée de voir Furneaux diriger cette escadre et ses maigres moyens.

Il s'entendit répondre d'une voix altérée :

– Il est de mon devoir de vous conseiller, amiral, de même qu'il est de mon devoir d'obéir aux ordres.

Le visage de Draffen s'épanouit.

– Eh bien, voilà, messieurs, nous sommes d'accord !

– Que comptez-vous faire ? lui demanda Bolitho sur un ton amer.

– Avec la permission de Sir Lucius, je compte utiliser la corvette une fois de plus. Je suis certain que mon agent attend peu ou prou de mes nouvelles, ce qui rendra la suite plus facile – il regarda d'un air pénétrant Bolitho qui était toujours aussi sombre. Comme vous l'avez souligné vous-même, une escadre est plus adaptée au combat en haute mer qu'aux risques que l'on court près de la terre. J'ai besoin de deux jours, ce qui vous laissera le temps de vous préparer à l'assaut final et définitif, cette fois.

Il sourit, et Bolitho crut percevoir l'espace de quelques secondes une lueur nouvelle dans ses yeux, un éclair de cruauté implacable.

– Nous enverrons un parlementaire aux gens de la garnison et nous leur expliquerons le sort qui les attend si les hommes de

Messadi s'emparent de la forteresse. Leur sort, et celui de leurs femmes…

Mais il n'en dit pas plus.

– Pour l'amour de Dieu, sir Hugo, murmura Broughton, les choses n'en viendront pas là ?

– Bien sûr que non, sir Lucius.

Draffen était redevenu parfaitement affable.

Broughton leur donna soudain le sentiment qu'il avait hâte de mettre fin à cette conférence.

– Faites un signal à la *Sans-Repos*, Bolitho. La *Coquette* prendra sa place pour la surveillance de la baie.

Il quitta la chambre ; Draffen le suivit et lui murmura d'une voix douce :

– Ne prenez pas les choses si tragiquement, capitaine. Je n'ai jamais douté de vos qualités de marin. Ayez donc la même confiance pour mes compétences dans *mon* domaine, vous ne croyez pas ?

Bolitho s'arrêta et le regarda.

– Si vous voulez dire par là que je ne comprends rien à votre politique, sir Hugo, vous avez raison. Je ne veux pas tremper là-dedans, jamais !

Le visage de Draffen se fit dur :

– Ne vous surestimez pas trop, cher ami. Vous pourriez accéder un jour aux plus hautes responsabilités dans la marine, à condition cependant que…

Et il laissa sa phrase en suspens.

– A condition que je tienne ma langue ?

Draffen s'approcha, menaçant :

– Si quelqu'un qui souhaite améliorer son sort ne peut pas se permettre de trop remuer son passé, c'est bien vous ! Ne l'oubliez pas, j'ai connu votre frère. De hauts responsables pourraient reconsidérer les espoirs d'avancement de n'importe quel officier si on leur rappelait la tache qui souille sa famille. Aussi, faites bien attention à ce que vous dites, capitaine !

Bolitho se sentait soudain très calme, aérien pour ainsi dire.

– Merci de me le rappeler, sir Hugo – il ne reconnaissait pas le son de sa voix, celle d'un étranger. Du moins, à compter de maintenant, pourrons-nous laisser tomber tout faux-semblant.

Et, tournant les talons, il se dirigea d'un pas vif vers l'échelle.

Il trouva Keverne qui arpentait la dunette de long en large, plongé dans de profondes réflexions.

– Signalez au *Valeureux* de transmettre l'ordre de l'amiral à la *Sans-Repos*. Elle doit lever l'ancre et nous rejoindre immédiatement. Elle embarquera ensuite Sir Hugo Draffen et suivra ses instructions – il feignit de ne pas remarquer l'air perplexe de Keverne. Vous pourrez ensuite faire saisir les pièces et envoyer les hommes aux rations. Eh bien ?

– Allons-nous nous retirer, monsieur ?

– Occupez-vous donc des signaux, monsieur Keverne – il contemplait d'un air sinistre les collines dans le lointain. Il faut que je réfléchisse.

Le lieutenant Sawle surgissait en bas au même instant, comme il repartait. Witrand l'accompagnait.

– Où emmenez-vous ce prisonnier, monsieur Sawle ?

Le second le regarda, déconcerté.

– Nous allons le transférer à bord de la corvette, monsieur – il était tout confus. L'enseigne de vaisseau Calvert prétend que c'est sur ordre exprès de l'amiral.

– Venez par ici.

Bolitho regarda le Français grimper l'échelle d'un pas léger, ce qui lui fit oublier momentanément sa rage envers Draffen.

– Je viens vous dire adieu, capitaine – Witrand s'étira et flaira un peu l'air marin. Je doute que nous ayons l'occasion de nous revoir.

– Je n'étais pas au courant, Witrand.

– Pour ça, je vous crois – il le regardait d'un air étrange. Il semblerait qu'on me demande d'aider votre cause. C'est une plaisanterie, n'est-ce pas ?

Bolitho savait que Broughton était au désespoir. Il était peut-être convenu avec Draffen de faire passer Witrand sur la corvette dans l'idée qu'il laisserait filtrer quelque chose du secret qui entourait sa mission.

– Une plaisanterie… répondit-il. Peut-être bien.

Il dut s'abriter les yeux pour regarder les signaux de Broughton aux vergues du *Valeureux*. Quelque part, cachée au mouillage derrière la pointe, la corvette allait les lire et se hâter de les exécuter. Witrand resterait probablement à son bord et, plus tard, serait transféré à Gibraltar avec des dépêches.

– Adieu, m'sieur, fit Bolitho en lui tendant la main, et merci pour tout.

Le Français avait la poigne ferme.

– J'espère que nous nous reverrons un jour, capitaine – il haussa les épaules. Mais...

Il se tut en voyant arriver sur la dunette Sawle et deux marins en armes.

– S'il m'arrivait quelque chose, ajouta-t-il vivement, voici une lettre. Pour ma femme, elle habite Bordeaux – il baissa la voix. Je vous en serais très reconnaissant.

– Bien sûr, lui répondit Bolitho – il regarda son escorte le conduire à la coupée pour y attendre un canot. Faites bien attention à vous.

Witrand fit un petit signe insouciant :

– Vous aussi, capitaine !

Une heure plus tard, Bolitho arpentait toujours le bord au vent, insensible à la chaleur qui avait transformé sa chemise en serpillière et à la lumière aveuglante réfléchie par la mer.

Draffen était passé à bord de la corvette, qui avait bientôt disparu derrière un coude formé par la côte. Pourtant, il n'en avait même pas été conscient, il ne se souvenait que de la requête de Witrand.

L'enseigne de vaisseau Weigall était chef de quart et se tenait soigneusement à l'écart de son capitaine. Seul, sourd à tout, il se tenait sous le vent. Son visage de chasseur de prises était renfrogné comme à son habitude et il surveillait les hommes au travail sur le pont supérieur.

Près de l'arrière, Allday était témoin des affres de son capitaine et se demandait comment il se faisait qu'il ne trouvât pas l'art et la manière de les apaiser. Il avait refusé de quitter le pont pour prendre son repas et s'était même montré assez désagréable lorsqu'il avait tenté de le convaincre de descendre prendre un peu de repos.

– Ohé, du pont !

Le cri de la vigie ressemblait à un coassement : elle avait sans doute la gorge sèche comme un parchemin.

– Voile sous le vent !

Allday avait les yeux fixés sur Bolitho, il s'attendait à le voir réagir, mais son visage restait grave, sans expression. Il jeta un regard furtif à Weigall – lui non plus n'avait rien entendu.

Des signaux montaient déjà aux vergues de la *Tanaïs*. Allday alla donner un bon coup dans les côtes d'un aspirant qui somnolait à moitié.

– Remuez-vous, monsieur Sandoe – le garçon sursauta et leva les yeux, tout effrayé. Il y a du boulot !

Il passa de l'autre bord et attendit que Bolitho eût terminé un tour.

– Capitaine ?

Bolitho s'arrêta, resta là à se balancer sur le pont. Le visage d'Allday dansait devant lui, il manqua se mettre en colère en le voyant sourire.

– Voile sous le vent, capitaine, dit fermement Allday.

– Quoi ?

Il leva les yeux en entendant la voix qui tombait de là-haut :

– Voile isolée, monsieur !

Très loin en l'air, ils voyaient la silhouette de l'aspirant qui se hâtait d'aller rejoindre la vigie. Un peu plus tard, tous ceux qui avaient le visage tourné vers la hune l'entendirent :

– C'est une galiote, monsieur !

Lorsque Allday se tourna vers Bolitho, il vit que ses yeux étaient pleins de larmes.

– Dieu soit loué, fit doucement Bolitho – il prit vivement le bras d'Allday. Dans ce cas, nous avons encore le temps.

Il se détourna avant d'ajouter :

– Faites appeler le pilote, dites-lui de calculer une route d'interception pour l'escadre puis… – il passa sa main dans ses cheveux – … puis nous verrons.

Un peu plus tard, l'*Euryale* plongeait lourdement au largue, en route pour se porter à la rencontre de la petite tache de toile. Bolitho se tenait immobile à la lisse de dunette, les officiers restaient à distance respectueuse de l'autre bord en échangeant leurs impressions à mi-voix.

Broughton arriva sur le pont et s'approcha de Bolitho.

– Qui est-ce ? demanda-t-il sur un ton assez détaché.

Les aides de Tothill préparaient une nouvelle brassée de pavillons. Bolitho répondit :

– Un seul bâtiment, amiral, mais il devrait nous suffire.

Broughton le regardait sans comprendre. Tothill cria :

– Signal, monsieur : « D'*Hekla* à l'amiral, demande des ordres. »

Bolitho en avait la gorge serrée. L'*Hekla* arrivait, Inch avait réussi on ne savait comment à les rejoindre sans escorte et sans sa conserve. Il répondit sans attendre que l'amiral eût donné son avis :

– Dites à son capitaine de rallier l'amiral sans tarder.

Il se tourna alors vers son supérieur, très calme :

– Avec votre permission, amiral, nous pourrions revenir à ce que nous étions venus faire – il se tut en le voyant rougir violemment. A moins que vous ne préfériez vous associer avec des pirates ?

Broughton avait du mal à déglutir. Il finit par répondre :

– Prévenez-moi lorsque le capitaine de l'*Hekla* sera à bord.

Et il se dirigea vers la poupe, raide comme la justice.

Bolitho baissa les yeux pour contempler ses mains : elles tremblaient, mais de manière à peine perceptible. Tout le corps agité, il se demanda un instant si ses vieilles fièvres ne l'avaient pas repris.

Mais non, ce n'était pas la fièvre. C'était quelque chose de beaucoup plus profond.

Keverne traversa le pont pour venir le saluer.

– Drôle de bâtiment, monsieur – il hésita en voyant le regard que lui jetait Bolitho. Je veux dire la galiote, monsieur.

Bolitho se mit à sourire, il se détendait enfin.

– Eh bien, c'est le spectacle le plus agréable auquel il m'ait été donné d'assister depuis longtemps, depuis fort longtemps, monsieur Keverne – il décolla sa chemise de sa peau avant d'ajouter : Je descends me changer ; appelez-moi dès que le canot de l'*Hekla* sera à proximité, je veux accueillir moi-même son capitaine.

Et il se retira.

– Vous savez, dit Keverne, je crois que je n'arriverai jamais à comprendre notre capitaine.

Weigall sursauta :

– Comment ? Que dites-vous ?

– Rien – Keverne gagna l'autre bord. Retournez à vos rêves, monsieur Weigall.

Il jeta un coup d'œil à la marque de Broughton qui flottait en tête de misaine et revint à ce qui occupait ses pensées, ce soudain changement d'humeur de Bolitho. Il semblait bien que l'attente fût terminée, et c'était déjà cela.

Après la chaleur torride de la journée, l'air nocturne était presque froid. Bolitho se leva dans la chambre de son canot et fit signe de la main à Allday.

– Lève-rames ! aboya Allday.

Et les avirons se levèrent d'un seul mouvement pour rester immobiles. Du coup, la vague d'étrave parut s'affaisser.

Bolitho se retourna pour scruter l'obscurité. Ils le suivaient, il voyait de l'écume phosphorescente autour des deux chaloupes de tête, comme des algues accrochées aux coques, et les plumetis blancs des avirons entourés de chiffons.

La première chaloupe surgit de la nuit et des mains se tendirent pour rapprocher les plats-bords en évitant tout bruit. C'était l'enseigne de vaisseau Bickford. Il avait sa voix habituelle, comme s'il présentait sa division à une inspection.

– Les autres sont juste derrière moi, monsieur. A quelle distance sommes-nous, d'après vous ?

Bolitho sentait les deux coques monter et descendre dans la grosse houle du rivage. Il se demandait jusqu'où l'escadre avait réussi à aller avant que le vent fût tombé, se réduisant finalement à une petite brise. Toute la journée, alors qu'il travaillait au plan de son attaque, il s'était attendu à le voir mollir, par une espèce d'instinct inné qu'il n'avait jamais pu s'expliquer tout à fait. S'il l'avait fait plus tôt, avant qu'il fût paré, c'est toute l'opération qu'il aurait fallu retarder ou même annuler.

– Encore trois encablures, lui répondit-il. Nous allons continuer, monsieur Bickford, faites bonne veille.

Au commandement, les deux embarcations se séparèrent et, tandis que les avirons reprenaient leur cadence, Bolitho s'assit sur le tableau, tourné un peu à tribord où il s'attendait à repérer la pointe occidentale de la baie, si toutefois il avait correctement estimé la dérive et l'effet de la houle.

Il repensait à cet après-midi, qui avait été fort occupé. Il avait essayé de découvrir s'il n'y avait pas de faille dans son plan. Pourtant, à chaque fois, il revoyait le visage d'Inch, il l'entendait parler, assis dans la chambre de poupe de l'*Euryale*. Il avait la voix si épuisée, si lasse, qu'on lui donnait beaucoup plus que ses trente-six ans.

Il avait du mal à se rappeler Inch tel qu'il avait été, jeune enseigne, dur mais jovial, loyal mais manquant d'expérience, surtout lorsque Bolitho se souvenait de ce qu'il avait fait pour lui. Inch était resté à ronger son frein à Gibraltar dans l'attente d'une escorte, sachant que l'on avait désespérément besoin des deux galiotes et comprenant enfin que cette escorte n'arriverait sans doute jamais. Il avait pris son courage à deux mains et était allé affronter l'amiral pour lui demander d'appareiller sans assistance. De manière assez classique, l'amiral avait fini par le lui accorder, non sans lui avoir fait signer un papier par lequel il reconnaissait que tout ce qui pourrait lui arriver relevait de sa seule responsabilité. L'autre galiote, la *Dévastation*, avait également levé l'ancre sans délai et toutes deux avaient quitté la protection du Rocher. Leurs capitaines s'attendaient à être attaqués aussitôt par les frégates espagnoles qui patrouillaient ouvertement.

Lorsqu'il lui avait raconté son histoire, Bolitho s'était souvenu de ce que lui avait dit Draffen à Gibraltar, à propos de la chance d'Inch. En effet, la bonne fortune s'en était mêlée, sans quoi comment n'auraient-ils pas croisé le moindre bâtiment ? Jusqu'au matin, lorsque la vigie d'Inch avait vu sortir du brouillard une frégate espagnole qui avançait rapidement. Bolitho était presque certain qu'il s'agissait de celle qu'avait aperçue la *Coquette* et qui était rentrée en Espagne pour annoncer l'attaque de Broughton contre Djafou. Son capitaine s'était peut-être imaginé que deux petites galiotes, peu manœuvrantes, constituaient un piège qu'on lui tendait avant qu'il réussît à s'échapper. Sans cela, il est peu probable qu'il les aurait attaquées.

Inch avait rappelé son maigre équipage aux postes de combat

et, avec sa conserve à un demi-mille par le travers, s'était préparé à livrer combat.

Toute sa toile dessus, la frégate de trente-deux avait lofé pour prendre l'avantage du vent. Sa première bordée avait démâté la *Dévastation* et ravagé son pont à coups de boulets à chaîne et de mitraille. Mais cette petite galiote était solidement bâtie, et ses pièces avaient répliqué avec une égale vigueur. Inch avait vu plusieurs de ses coups atteindre la flottaison de l'ennemi, avant qu'une seconde bordée dévastatrice la réduisît au silence.

Inch s'attendait à subir le même traitement mais, placé comme il l'était entre la frégate et l'autre galiote, il avait ouvert le feu. Le capitaine espagnol espérait peut-être qu'il repartirait après avoir constaté la déroute de ses compagnons, ou encore que surgiraient au-dessus de l'horizon les mâts de la *Coquette*. Estimant qu'elle avait couru assez de risques, la frégate avait abattu, laissant Inch mettre ses embarcations à l'eau pour aller repêcher les survivants de l'autre galiote, qui commençait à couler après avoir chaviré.

Il était évident pour Bolitho qu'Inch était partagé entre deux sortes d'émotions. Il ruminait la perte de la *Dévastation* et de la plus grande partie de son équipage. Sans sa détermination, il serait resté au mouillage de Gibraltar, sain et sauf.

Pourtant, lorsque Bolitho lui avait décrit ce qu'il avait l'intention de faire la nuit même, il avait retrouvé son vieil Inch, cette fierté, cette confiance totale qui le rendaient si précieux à ses yeux.

A présent, à bord de l'*Hekla*, son premier et seul commandement, Inch était à l'ancre de l'autre côté de la pointe opposée. Il allait tenter sous peu quelque chose d'absolument inédit dans l'histoire maritime. Lui-même, Bolitho et son propre canonnier avaient grimpé jusqu'au sommet du cap incurvé où les fusiliers gisaient comme des cadavres dans une lumière aveuglante. Arrivés là, ils avaient dressé un plan soigné de la forteresse. Bolitho s'était tu pour ne pas diminuer la concentration d'Inch et il avait pu apprécier l'habileté dont il avait fait preuve. Ils ajoutèrent à la carte les portées, relèvements et autres mesures, tandis que le canonnier marmonnait des histoires de charges, de doses de poudre et d'amorces, autant de propos qui étaient restés de l'hébreu pour lui.

Quoi qu'Inch pût dire ou penser de son étrange bâtiment, il était évident qu'il avait trouvé ce qu'il lui fallait. Il restait à espérer que son zèle correspondrait à sa précision, sans quoi ces chaloupes et les marins qu'elles emportaient seraient pulvérisés.

Si Inch avait pu utiliser ses mortiers en plein jour, il aurait pu s'assurer que ses calculs étaient exacts. Mais Bolitho savait très bien que les défenseurs étaient largement alertés et avaient eu le temps de se préparer. Attendre plus longtemps aurait consisté surtout à perdre du temps, sans parler des vies humaines. L'idée de Bolitho, partisan de mener un assaut de nuit, fut donc acceptée sans discussion, même par Broughton. Bolitho savait d'expérience que contre des défenses côtières les attaques de nuit étaient préférables. Les sentinelles étaient fatiguées, et il y avait tant de bruits bizarres la nuit dans ces contrées lointaines qu'une ombre supplémentaire ou un bruit de plus risquaient peu de soulever l'attention.

Et pourquoi se seraient-ils méfiés ? La forteresse avait soutenu siège après siège. Elle avait obligé l'escadre anglaise à se retirer, en ne laissant derrière elle qu'une poignée de fusiliers assiégés eux-mêmes au milieu des rochers et des broussailles qui dominaient la baie. Ils avaient donc fort peu à craindre.

– Voici la pointe, capitaine, murmura Allday, en plein par tribord avant !

Bolitho fit signe qu'il avait entendu. Il apercevait un vague collier d'écume au pied des rochers, la tache plus sombre de quelques ombres, là où la terre se terminait en falaise. Ils allaient bientôt arriver.

Il essaya de s'imaginer sa petite flottille. Son canot puis la chaloupe de Bickford entreraient les premiers dans la baie. Une autre, commandée par Sawle, emportait un gros sac de poudre à canon. Après qu'on l'eut déposé entre les nageurs plutôt mal à l'aise, le sac ressemblait à un énorme cadavre que l'on eût emporté en vue d'une immersion. Cousu dans du cuir suiffé, équipé d'une amorce amoureusement conçue par Fittock, canonnier de l'*Euryale*, il fallait qu'il fût à poste juste avant que les mortiers d'Inch ouvrissent le feu.

Bolitho aurait bien aimé avoir Keverne avec lui, mais mieux

valait qu'il assurât le commandement en son absence. Meheux était trop précieux comme canonnier, Weigall trop sourd pour un combat de nuit et il ne restait donc que les officiers les plus jeunes. Il fronça les sourcils, qu'avait-il, tout à coup ? Un enseigne, n'importe quel enseigne, devait être capable de remplir les devoirs de son emploi. Il se força à sourire, en dépit de ses nerfs tendus, soulagé à l'idée que la nuit cachait son expression. Voilà qu'il se mettait à raisonner comme Broughton, et cela, jamais.

Il pensa aussi à Lucey, ce jeune officier qui s'était montré terrorisé avant la première attaque du fort. Il était derrière, quelque part à bord d'une autre embarcation, attendant de précéder ses hommes dans la brèche sans trop savoir ce qui l'attendait derrière.

Et Calvert ? Il se demandait comment il se comportait, là-bas, sur le flanc de la colline. Lorsque Bolitho avait expliqué le rôle qu'il voulait confier aux fusiliers de Giffard dans l'assaut final contre la chaussée, Broughton avait déclaré :

– Calvert pourrait porter ses ordres au capitaine Giffard – et, les yeux fixés sur son aide de camp sans la moindre pitié : Qu'il aille donc au diable !

Le malheureux Calvert était terrifié. Accompagné d'un aspirant et de trois marins pour assurer sa protection, il avait été déposé à terre au crépuscule pour entamer une progression dangereuse et difficile à travers les collines, afin de porter leurs ordres aux fusiliers, qui devaient maintenant être parés à se mettre en marche. Giffard serait content, songea Bolitho. Après avoir sué et traîné au soleil toute la journée, seulement munis de leurs rations et d'une gourde, ils ne devaient plus être d'humeur à continuer dans la demi-mesure.

Le safran grinça un peu, il sentit le canot partir en crabe sous l'effet du courant. Ils tournaient la pointe, la baie s'ouvrait devant les nageurs comme un rideau noir.

Il retint son souffle, elle était là. La forteresse, semblable à un rocher clair, sans aucune lumière si ce n'est à une fenêtre haut perchée dans le mur le plus proche et qui paraissait comme menaçante dans l'obscurité ambiante.

– Tout doux, les gars !

Il se mit debout pour essayer de voir quelque chose par-dessus la tête des nageurs, sensible au moindre bruit produit par l'eau ou le canot, à sa respiration rapide, aux battements de son cœur.

Le courant les emportait vers la gauche du fort et il était du moins rassuré de voir que ses calculs étaient corrects. Il aperçut une autre lumière qui brillait par intermittence et devina que ce devait être le feu de mouillage du brick. Avec un peu de chance, Broughton pourrait ajouter ce petit complément à son escadre avant l'aube.

Il posa un genou sur le pont, ouvrit tout doucement le volet de la lanterne, une fraction de pouce. Et pourtant, pendant les quelques secondes où il s'en servit pour consulter sa montre, il eut l'impression qu'il s'agissait d'une balise.

Il se releva. En dépit de la grande houle qui régnait à l'extérieur de la baie, de la longue distance sur laquelle les hommes avaient dû souquer sur le bois mort, et malgré d'autres imprévus, ils allaient arriver dans les temps.

La forteresse était tout près, pas plus d'une encablure. Il crut apercevoir une zone plus sombre sous le coin nord-ouest, là où se trouvait l'accès par la mer, protégé à ce qu'on leur avait dit par une grille rouillée massive. C'est ici que Fittock allait bientôt venir déposer sa charge et leur ouvrir un passage.

Il serra les dents : un bruit métallique à bord de l'un des canots, sur l'arrière. Un marin négligent avait dû donner un coup de pied dans son couteau. Mais il ne se passa rien, pas de cri d'alarme depuis ces murs énormes, imprenables.

Et cela valait aussi bien, songea-t-il sombrement. Les bâtiments de Broughton devaient avoir pris le large, à présent, et, sans le moindre vent pour leur remplir les voiles, ils ne pouvaient lui être d'aucune aide.

Il y eut un éclair blanc dans l'obscurité et il crut un instant que c'était une pelle qui entrait dans l'eau. Mais non, juste un poisson qui sautait et qui retomba dans un flap à quelques pieds du canot.

L'embarcation qui était encore à l'aviron s'immobilisa derrière et il aperçut la silhouette de l'enseigne de vaisseau Sawle, debout dans la chambre, puis une autre forme accroupie à côté de lui, sans doute le canonnier, Mr. Fittock. Ils étaient chargés de la partie réellement vitale de l'assaut et cela constituait une occasion rêvée pour Sawle de se distinguer, tout brutal qu'il était, et de s'assurer un avenir prometteur dans la marine. Il pouvait d'ailleurs aussi bien voler en morceaux si l'amorce n'était pas convenablement mise en œuvre. C'était un officier compétent, mais Bolitho savait aussi que, s'il mourait cette nuit, l'équipage de l'*Euryale* ne le pleurerait guère.

– On a déjà vu ça, pas vrai capitaine ? lui fit observer Allday.

Bolitho ne savait trop s'il parlait du lieutenant ou de l'assaut. Les deux interprétations étaient possibles, mais il avait bien autre chose en tête.

– Nous disposons de cinq minutes environ.

Les avirons continuaient de s'activer, les hommes de Bickford durent même scier pour éviter qu'un tourbillon ne les entraîne de côté.

Il repensa à Inch, il l'imaginait à bord de son *Hekla*, occupé aux derniers préparatifs. Son gros mortier devait tirer par-dessus la pointe incurvée. Il n'avait en tout cas plus de problème de discrétion et pouvait allumer toutes les lampes nécessaires, car les fusiliers qui se trouvaient au-dessus de lui pour lui indiquer le point de chute de son tir étaient également en mesure de le protéger de visiteurs indésirables.

Quel étrange bâtiment ! avait dit Keverne. L'*Hekla* n'était guère plus qu'une batterie flottant avec juste ce qu'il fallait de voilure pour passer d'un théâtre d'opérations au suivant. Une fois à poste, il mouillait devant et derrière. En donnant du mou ou en reprenant les câbles, Inch pouvait faire pivoter son bâtiment et par conséquent orienter très facilement les deux mortiers dans la direction souhaitée.

– Le canot de M. Sawle est sous la muraille, capitaine.

Allday avait l'air tendu.

– Bien.

Il crut Allday sur parole, car rien ne permettait de distinguer le canot du passage dans la zone d'ombre au pied de la forteresse.

Un aspirant, recroquevillé près de ses pieds, bâillait en silence et Bolitho en conclut qu'il essayait de lutter contre la peur. Les bâillements étaient un signe qui ne trompait pas.

– Nous n'en avons plus pour longtemps, monsieur Margery, lui dit-il doucement. Vous garderez le canot lorsque nous aurons lancé l'attaque.

L'aspirant se contenta de hocher la tête; il n'avait pas assez confiance en lui pour oser répondre.

– Regardez, capitaine ! – Allday s'était raidi. Il y a un bateau au tombé de la muraille !

Bolitho aperçut l'écume soulevée par les avirons et comprit que la garnison avait pris la précaution de faire patrouiller un canot de rade dans la baie. L'ennemi voulait sans doute se protéger contre une tentative visant le brick au mouillage, mais c'était aussi efficace qu'une armée de sentinelles.

Les avirons se levaient et s'abaissaient avec une régularité lassante, et la lumière verdâtre, phosphorescente, autour de l'étrave trahissait sa progression mieux qu'en plein jour.

Les mouvements cessèrent; il devina qu'ils devaient se reposer sur les manches en laissant le courant les entraîner avant de reprendre leur patrouille.

– Mr. Sawle a fini de poser sa charge, à l'heure qu'il est, murmura Allday entre ses dents.

Comme pour lui répondre, une brève lueur jaillit, semblable à un œil rougeoyant sous la muraille. Fittock avait allumé la mèche. La lumière était dissimulée au canot de rade par le redent de l'enceinte, mais l'alarme serait donnée dès que les hommes de Sawle se seraient retirés.

Bolitho se mordit la lèvre; il imaginait Sawle et ses marins accrochés contre la grande grille, guettant le canot qui avait repris sa route, avec le sifflement régulier de la mèche allumée.

– Allez, mon gars, murmura-t-il comme pour lui-même, tire-toi !

Mais rien ne vint éclairer la tache sombre au pied de la muraille.

Il y eut soudain un son mat, et il vit la prunelle du nageur le plus proche s'éclairer d'une lueur orangée, comme si le marin avait fixé le soleil levant. Il savait qu'il s'agissait du départ de mortier d'Inch, de l'autre côté de la pointe. Il fit demi-tour, entendit un sifflement aigu qui rappelait le cri d'une poule d'eau poursuivie par un chasseur. L'explosion les assourdit. Il vit le côté opposé du fort s'illuminer violemment, une fumée blanche monter en gros tourbillons avant que revînt l'obscurité. Il en était tout aveuglé.

Mais la lumière avait duré assez longtemps pour lui laisser le temps de voir que ce premier tir d'Inch était presque parfait. Le coup avait atteint la forteresse sur le rempart opposé, peut-être sous la muraille. Il entendait la maçonnerie dégringoler, de gros morceaux choir à l'eau.

Un autre grondement, le second coup tomba pour ainsi dire au même endroit que le premier. De grands craquements, des roulements de tonnerre, un nuage de fumée épaisse qui dérivait au-dessus de la baie comme un nuage de poussière.

La canot de rade était caché par la fumée, mais il entendit des bruits de voix, des cris dans l'obscurité, suivis par une sonnerie de trompette qui venait de la forteresse.

Le troisième tir de l'*Hekla* était trop long : des pierres s'éboulaient dans un grand craquement et il estima que la bombe avait touché la chaussée ou l'îlot sous les murs. Les fusiliers devaient manier leurs lanternes sourdes pour communiquer les résultats à Inch, qui allait procéder aux corrections nécessaires de charge et de hausse avant le prochain essai.

– Mr. Sawle se retire, fit Allday – il semblait soulagé. Il a joué fin, y a pas à dire !

– Monsieur Bickford, faites passer la consigne ! lui cria Bolitho, nous allons attaquer !

Il n'était plus nécessaire de rester discret, à présent, les clameurs venues de la forteresse auraient réveillé un mort. Encore abasourdis, les Espagnols couraient à leurs postes. Certains d'entre eux avaient peut-être deviné quelles armes leurs agresseurs venaient d'utiliser, mais les autres étaient sans doute trop terrifiés pour penser, alors que la forteresse continuait d'encaisser les coups de mortier d'Inch.

C'est alors que la charge déposée par Sawle explosa. Bolitho vit une grande langue de feu jaillir par l'entrée. Fasciné, il remarqua même un petit raz de marée surgi de dessous le mur qui entraîna le canot de Sawle, le mit en travers, projetant hommes et avirons à la mer dans un tumulte indescriptible, comme une baleinière aux prises avec un narval blessé.

Il sortit son sabre, le pointa en direction de Bickford et vit alors la partie supérieure du rempart tomber lentement dans les flammes qui faisaient rage, emportant avec elle un canon à roues de fer et une bonne longueur de chaîne de fort calibre ; sans doute une partie du dispositif de manœuvre de la grille.

– Allez, les gars ! En avant, tous ensemble !

Il manqua tomber lorsque l'embarcation se souleva sous lui, et un souffle de fumée brûlante lui passa au-dessus de la tête comme pour souligner la puissance de la dernière détonation.

Le canot désemparé défila dans la pénombre ; il apercevait encore çà et là un visage livide, des bras, des jambes qui se débattaient, preuve que quelques hommes avaient du moins survécu à l'explosion.

Puis il oublia tout, sauf ce qu'il avait à faire. L'ouverture était là, devant eux, comme une bouche grande ouverte à laquelle la grille qui sortait du mur écroulé faisait comme des dents gâtées.

Une balle de mousquet s'enfonça dans le plat-bord, un homme se mit à hurler.

– *En avant*, les gars ! hurla-t-il en brandissant son sabre au-dessus de lui.

Le canot lui faisait l'effet de se propulser à toute allure dans la fumée. Des morceaux de bois déchiqueté flottaient à la surface, et puis deux pièces d'étambot assez grotesques, vestiges, probablement, de vieilles galéasses qu'utilisait jadis la forteresse pour défendre la côte contre les pirates. Leurs avirons cognaient au milieu du bois, contre la pierre. Il vit l'embarcation de Bickford qui suivait dangereusement près sur son arrière ; un coup de pistolet tiré du haut du mur illumina brièvement les nageurs.

– Lève-rames !

Mais la voix d'Allday se perdit, car une explosion secoua l'air, annonçant l'arrivée d'une nouvelle bombe tirée par Inch.

– Rentrez !

En raclant contre une petite jetée, le canot s'arrêta brutalement. Une silhouette fonça sur eux dans l'ombre, avant de tournoyer et de tomber sans un cri. Un marin avait tiré son coup de mousquet à bout portant par-dessus la maçonnerie.

Bolitho s'agrippa aux pierres humides dans une mêlée effroyable, essayant de se souvenir de la disposition de l'endroit d'après ce qu'il avait vu sur les plans. Il était trop tard pour rien changer, trop tard pour réfléchir.

Il dressa son sabre dans la direction des marches en pierre et les marins coururent sur la jetée en hurlant comme des démons. Désormais, il n'y avait plus qu'une seule issue possible.

Allday à ses côtés, il monta la volée quatre à quatre, se dirigea vers la fumée l'esprit vide et se jeta dans la bataille.

XIV

« UN ENDROIT TERRIBLE »

L'escalier à vis dont les marches de pierre menaient jusqu'au sommet des remparts paraissait sans fin. Tandis que Bolitho, à bout de souffle, se précipitait vers la saillie où de la fumée s'élevait encore vers les étoiles, il entendit un concert de clameurs qui s'amplifiait, des cris, les tirs sporadiques des mousquets, une trompette qui sonnait la charge. Les mortiers d'Inch s'étaient tus pile à l'heure convenue. Sans ce minutage précis, un nouveau tir de l'*Hekla* aurait tout aussi bien tué les marins avant qu'ils eussent atteint leur objectif.

Plus bas, là où le canot avait accosté la jetée, Bolitho entendit d'autres gens crier, des ordres que l'on aboyait. L'une après l'autre, les chaloupes s'engouffraient par l'entrée et les hommes sautaient avant même d'être contre le quai.

L'air était frais. Allday toujours à son côté, il se retrouva sur la plate-forme de la batterie principale. Il apercevait la petite tour centrale, les silhouettes bien alignées des grosses pièces, des silhouettes qui semblaient surgir de toutes parts à la fois.

Les soldats espagnols avaient enfin compris que l'explosion terrible qui les avait réveillés n'était pas due au mortier. Ils jaillirent du donjon, tirant et rechargeant en courant ; quelques balles se perdaient dans la nuit tandis que d'autres abattaient un marin ou faisaient jaillir des cris de douleur dans l'ombre, près des remparts.

Bolitho agita son sabre en direction de Bickford, qui arrivait en haut des marches à la tête de son détachement et manqua tomber contre deux cadavres enlacés.

– La tour, vite !

Sans répondre, Bickford traversa en courant l'espace libre. Sa bouche faisait comme un trou noir tandis qu'il hurlait pour entraîner ses hommes derrière lui.

Bolitho s'arrêta pour essayer de distinguer ce qui se passait dans l'escalier. Mais où était Lucey ? Il aurait déjà dû arriver pour leur apporter du renfort et aller s'emparer de la cour qui se trouvait de l'autre côté, en contrebas. Des coups de feu éclataient toujours, des flammes jaillissaient près du mur intérieur, il entendait des cliquetis d'acier interrompus parfois par des cris brefs ou des jurons.

– Le canot de rade les a suivis à l'intérieur ! cria Allday en agitant son coutelas par une grande embrasure, les gars de Mr. Lucey se battent avec eux !

Quelques-uns d'entre eux avaient commencé à monter l'escalier, les autres se battaient toujours au corps à corps sur la jetée contre l'armement du canot, mais on ne voyait rien de ce qui se passait en bas.

Quelqu'un poussa un cri d'encouragement ; Bolitho aperçut une silhouette basse sur l'eau entrer à son tour dans le passage et entendit Allday s'exclamer, tout content :

– La yole, monsieur, c'est sacrément pas trop tôt !

Ce renfort suffit à venir à bout du canot de rade, et ses hommes, pris en tenaille, se mirent à jeter les armes, leurs voix bien vite couvertes par les cris de joie des marins.

Pourtant, le retard causé par l'arrivée inattendue du canot ennemi avait coûté à Bolitho les précieuses minutes dont il avait besoin pour atteindre l'autre escalier, celui qui menait à la cour. Tandis qu'il faisait signe à ses hommes de foncer, à grand renfort de moulinets, il entendait des volées de balles s'enfoncer dans de la chair ou briser des os tout autour de lui.

Les marins hésitaient ; certains s'arrêtèrent sur les marches malgré la poussée de ceux qui suivaient.

– Allez, Allday, cria Bolitho, c'est maintenant ou jamais !

Brandissant son grand coutelas, Allday ordonna aux marins :

– On y va, les gars, faut aller ouvrir la porte à ces cabillots !

Et ils repartirent à l'assaut. A côté de Bolitho, un homme tomba en poussant un hurlement déchirant, le cou percé de part en part par une baguette de mousquet. Le soldat avait dû être tellement affolé par la chaleur du combat qu'il avait oublié de la retirer du canon après avoir rechargé.

Subitement, il eut l'impression que des silhouettes surgissaient de partout et ce fut le corps à corps. Des hommes tournaient sur eux-mêmes, tombaient dans le sang de leurs camarades. Bolitho vit un officier espagnol sabrer un marin et se ruer sur lui. Il sortit un pistolet de sa ceinture et tira. L'éclair lui laissa le temps d'apercevoir le vol plané que fit la calotte crânienne de l'officier avant d'aller s'écraser contre le mur avec des lambeaux sanguinolents.

Lucey le dépassa, secoué de sanglots, les mâchoires serrées. La horde des marins déchaînés le poussait irrésistiblement en avant.

– Voilà les marches ! cria Allday.

Il donna un grand coup de couteau à un homme agenouillé près du mur, qui rechargeait peut-être son mousquet ou s'apprêtait à s'en servir comme d'une béquille après avoir été blessé. Il tomba raide sans le moindre soupir.

Une lanterne brûlait dans la cour intérieure, et Bolitho aperçut en descendant l'escalier quatre à quatre un groupe de soldats qui se formaient en ligne pour résister. Certains n'étaient qu'à moitié vêtus, d'autres étaient couverts de poussière ou d'éclats de peinture arrachés par le bombardement, évoquant des ouvriers dans un moulin.

Un officier dégaina son sabre, les mousquets envoyèrent une volée de balles. Quelques marins tombèrent, tués ou blessés, mais le tir avait été très imprécis et les soldats n'avaient plus le temps de recommencer.

Ce fut une fois de plus le corps à corps, le sang giclant indifféremment sur le vainqueur ou le vaincu, et nul ne pouvait penser à rien d'autre qu'à tuer et à survivre.

Bolitho aperçut du coin de l'œil l'aspirant Dunstan, celui qui commandait la yole, conduire sa troupe le long du mur incurvé, vers la grosse porte massive à double battant. Un soldat se jeta sur lui et le visa à bout portant, mais son pistolet fit long feu et, avant que l'Espagnol malchanceux eût eu le temps de reculer, il fut touché par un grand gaillard de canonnier. Des marins qui passaient lui infligèrent plusieurs autres blessures.

– Regardez donc, capitaine ! fit Allday, tout essoufflé. Mr. Bickford a pris le donjon !

Il avait le visage levé, ses dents luisaient et Bolitho aperçut en haut du rempart quelqu'un qui agitait une lanterne, là où, quelques heures plus tôt, le drapeau espagnol les narguait encore.

A cet instant, les portes s'ouvrirent en grand et, tandis que Bolitho courait maladroitement sur le sol inégal, il comprit brutalement qu'il n'y avait personne derrière.

– Bon sang de bois, fit Allday, mais où donc sont passés ces foutus cabillots ?

Des soldats arrivaient en courant d'une autre porte percée au pied du rempart intérieur. Au commandement, ils ouvrirent le feu entre les lignes de leurs camarades dont les rangs s'étaient clairsemés. Puis, mettant baïonnette au canon, ils s'avancèrent au-devant des assaillants.

Bolitho leva son sabre :

– Tenez bon, mes gaillards !

Entendant sa voix, ses hommes se regroupèrent pour parer à cette nouvelle menace. Il ne comprenait pas lui-même comment il parvenait à rester si calme. Mais pourquoi les fusiliers de Giffard n'étaient-ils pas là ? Ses forces, déjà limitées, étaient maintenant coupées en deux. Bickford tenait certes le donjon mais, sans la partie basse ni la cour, il se retrouvait prisonnier plus que vainqueur.

Dans un grondement, hurlant comme de beaux diables, les soldats alignés s'avançaient sur eux. Ceux des marins qui avaient des piques pouvaient lutter à armes égales contre les baïonnettes, mais les malheureux qui ne possédaient qu'un coutelas mouraient l'un après l'autre et leurs cadavres restaient debout, pressés qu'ils étaient entre les combattants.

Bolitho blessa au cou un soldat dont le visage se tordit dans une grimace horrible et qui tomba, emporté par la masse. Un autre tenta de lui porter un coup de baïonnette à l'épaule, mais disparut, atteint par une pique.

Pourtant, la ligne se rompait. Alors qu'il essayait de se frayer un chemin jusqu'à l'autre côté, il entendit un hurlement déchirant et vit l'enseigne de vaisseau Lucey tomber sur le ventre, tandis qu'un soldat de forte taille se tenait les jambes écartées au-dessus de lui, mousquet levé. A la lueur de la lanterne, Bolitho vit le sang dégouliner de la lame que le soldat accompagnait de toute sa force. Un nouveau hurlement, le soldat avait posé un pied sur le dos de l'enseigne, mais, même ainsi, n'arrivait pas à arracher son arme du corps.

Et Lucey était toujours vivant, il criait comme une femme à l'agonie.

– Mon Dieu ! laissa échapper Allday.

Il s'avança sur les pavés et son coutelas balaya l'air en arc de cercle. Avant d'avoir compris ce qui lui arrivait, le soldat prit la lame en travers de la bouche et émit un gargouillement bizarre au moment où elle se frayait dans la chair un chemin entre les os.

Mais tout cela ne servait à rien. Levant le bras devant lui, Bolitho para le sabre d'un soldat et lui enfonça le sien sous l'aisselle. Son bras s'engourdissait, il pouvait à peine le lever. Désespéré, il aperçut près de la porte deux marins reconnaissables à leurs nattes qui se rendaient.

Il revit en quelques secondes tout ce qui les avait amenés ici : son amour-propre, ou simplement de la vanité ? Tous ces hommes dont il était responsable étaient morts ou blessés. Au mieux, ils achèveraient leur existence de façon misérable, sur une galère espagnole ou dans quelque prison humide.

Les soldats firent halte puis se retirèrent à un nouvel ordre. Laissant les cadavres et les blessés au centre de la cour, ils reformèrent leurs lignes après avoir reçu le renfort d'autres Espagnols arrivés de la partie basse de l'ouvrage.

Bolitho laissa retomber son sabre et se tourna vers les quelques rescapés qui l'entouraient. Les hommes haletaient, s'accrochaient les uns aux autre pour se soutenir, en attendant leur exécution. Et cette exécution était imminente, sauf s'il décidait de se rendre.

Mais il entendit une voix rude en bas :

– Première ligne, genou en terre !

Il crut une seconde que l'officier espagnol donnait ses ordres en anglais pour ajouter à son désespoir.

– Pointez ! continua celui qui les commandait.

L'ordre de faire feu lui échappa : il se perdit dans la salve de mousquets ; il vit seulement les soldats espagnols tomber dans le plus grand désordre sous la volée meurtrière.

C'était bien sûr Giffard. Il l'avait entendu des dizaines de fois sur la dunette, à l'exercice ou lors de cérémonies. Giffard, énorme, tonitruant, pompeux en diable, un homme qui n'aimait rien tant que mettre en avant ses fusiliers, comme à présent.

Sa voix sonnait comme une trompette et, sans le voir, caché comme il l'était par le portail, Bolitho se l'imaginait sans peine.

– Fusiliers, en avant, marche !

C'était la fin d'un effroyable cauchemar.

Les fusiliers étaient arrivés, aussi impeccables que s'ils défilaient, avec leurs baïonnettes qui brillaient à la lueur de la lanterne, leurs baudriers qui tranchaient sur les ombres. Les hommes du second rang suivaient dans un ordre rigoureux et étaient en train de recharger après la première salve, tandis que le sergent Boutwood, porte-drapeau, battait la mesure.

Les crosses des mousquets claquèrent sur les pavés et, presque soulagés, les Espagnols se regroupèrent près des marches, peu désireux désormais d'en découdre.

Giffard claqua des talons.

– Halte !

Puis il fit demi-tour, présenta son sabre avec un panache qui aurait ravi le roi George soi-même.

Il se tenait parfaitement immobile, et Bolitho repéra quelques détails qui s'assemblaient comme les éléments d'un tableau. Le claquement de bottes de Giffard, l'odeur de rhum qui flottait dans son haleine, un marin blessé qui se traînait lentement dans le cercle de lumière, comme un oiseau désailé.

– ' vous rends compte de l'arrivée de mes fusiliers, monsieur ! aboya Giffard, effectif au complet – il reposa son arme qui descendit dans un sifflement. A vos ordres, monsieur !

Bolitho le regarda plusieurs secondes sans dire un mot.

– Merci, Giffard. Mais si vous aviez retardé encore un peu votre assaut, vous auriez trouvé les portes fermées sous votre nez, j'en ai bien peur.

Giffard se retourna, son lieutenant adjoint s'occupait de surveiller les prisonniers.

– J'ai entendu les explosions, monsieur, j'ai vu des mousquets tirer en haut du rempart, et j'ai alors tout compris – on sentait le reproche. Vous n'auriez pas pu vous emparer du fort sans mes fusiliers, monsieur. Pas après avoir passé une journée en plein soleil, n'est-ce pas ?

– Vous n'avez pas reçu mon message ?

– Non, répondit-il en hochant la tête, nous avons entendu des tirs de mousquet du côté de la plage, mais l'endroit est bourré de tireurs isolés et de bandits. J'en ai fait pendre un cet après-midi : ce gaillard essayait de voler nos rations !

– L'enseigne de vaisseau Calvert devait vous faire part du plan d'attaque, fit lentement Bolitho.

– Il est sans doute tombé dans une embuscade, répondit Giffard en haussant les épaules.

– Sans doute…

Bolitho essayait de ne pas penser à la peur qu'éprouvait Calvert.

Giffard se retourna pour examiner les marins épuisés, à bout de souffle.

– Mais on dirait que vous vous en êtes fort bien sorti sans notre aide, monsieur – il se mit à sourire. Cela dit, rien ne remplace un peu de discipline et de sang-froid quand vient l'heure de se battre !

Bolitho leva les yeux vers la tour. La plupart des fenêtres et des meurtrières étaient éclairées. Il avait encore tant de choses à régler d'ici à l'aube. En se frottant les yeux, il vit soudain qu'il avait toujours son sabre à la main, ses doigts lui faisaient mal comme s'il n'allait jamais réussir à le lâcher. Il remit la lame au fourreau.

– Assurez-vous des prisonniers et faites porter les blessés dans les bâtiments du bas. La *Coquette* et l'*Hekla* entreront dans la baie aux premières lueurs, et nous avons des tas de choses à faire d'ici là.

Bickford descendait les marches et vint le saluer :

– Toute résistance a cessé, monsieur.

Son regard tomba sur le cadavre de Lucey qui avait toujours sa baïonnette plantée dans le dos, comme pour le clouer au sol.

– Mon Dieu, murmura-t-il d'une voix tremblante.

– Je vous félicite, monsieur Bickford – il se dirigea lentement vers les marches, tendu comme un ressort de détente. Puisque vous êtes le seul officier encore vivant…

– Non, monsieur, répondit Bickford, Mr. Sawle est sain et sauf, votre canot l'a repêché, ainsi que Mr. Fittock.

Bolitho se détourna pour regarder le corps de Lucey. Comme c'était étrange : tous les Sawle de la terre réussissaient à survivre, alors que les autres… Il chassa ces pensées et ordonna :

– Occupez-vous de nos blessés et rappelez les canots. Je veux que l'on garde l'œil sur le brick, au cas où il tenterait de s'enfuir avant le jour.

– Nous pourrions l'envoyer par le fond, monsieur.

– Non, je ne le veux pas. Nous sommes à Djafou, monsieur Bickford, ces gens-là n'ont pas d'autre endroit où aller.

Quelque chose le retenait encore sur les marches couvertes de sang, alors qu'il lui fallait rester ici pour voir le commandant de la garnison et régler une liste interminable de problèmes avant l'arrivée de l'escadre.

Giffard semblait lire dans ses pensées. Autre chose bizarre, Bolitho ne l'avait jamais considéré comme quelqu'un de très imaginatif.

– Voulez-vous que j'envoie quelques-uns de mes hommes chercher l'aide de camp, monsieur ? – et il attendit en se balançant d'un pied sur l'autre. Je peux y envoyer une section.

Bolitho imaginait Calvert ainsi que ses quatre compagnons, quelque part dans l'ombre, terrorisés, livrés à eux-mêmes. Il vaudrait mieux qu'ils fussent morts plutôt que de tomber entre les mains des indigènes tels que les décrivait Draffen.

– Je vous en saurais gré – et il ajouta en se forçant un peu : Mais ne risquez pas la vie de vos hommes sans motif, monsieur Giffard.

– Ils obéiront aux ordres, répondit le fusilier en souriant timidement, comme s'il était plus à l'aise lorsqu'il gardait le ton pompeux qui lui était habituel. Mais je fais donner cet ordre immédiatement.

Le donjon était occupé pour l'essentiel par les appartements des officiers, dont trois vivaient là avec leurs épouses. Tandis que Bolitho grimpait précautionneusement l'escalier au milieu de gravats, de pièces d'équipements et de vêtements, il essayait d'imaginer le genre de vie que pouvait bien mener une femme dans une fournaise comme Djafou.

Les appartements du commandant se trouvaient tout en haut et dominaient la baie, du côté de la pointe arrondie. Il était assis dans un grand fauteuil à haut dossier et esquissa un mouvement pour se lever lorsque Bolitho entra chez lui, suivi de Bickford et d'Allday. Il portait une longue barbe grise, son visage avait la couleur d'un vieux parchemin fané, et Bolitho en déduisit qu'il avait dû subir les fièvres plus d'une fois. C'était un vieillard, ses mains décharnées reposaient sans vie sur les accoudoirs du fauteuil. On lui avait probablement confié cette responsabilité parce que personne n'en voulait, ou parce que personne ne voulait plus de lui.

Il parlait heureusement un bon anglais, d'une voix douce, courtoise, qui jurait avec ce vieux si tristement banal.

Bickford avait eu le temps de dire à Bolitho qu'il s'appelait Francisco Alava, ex-colonel des dragons de la maison de Sa Majesté Très-Catholique. Désormais et jusqu'à sa mort, il commandait l'avant-poste le plus perdu de tous ceux qu'entretenait l'Espagne en Méditerranée. Sans doute avait-il commis quelque erreur d'étiquette ou quelque méfait pour se voir attribuer pareil commandement, songea Bolitho.

– Je vous serais reconnaissant, mon colonel, de bien vouloir me laisser la jouissance de vos appartements.

Le colonel leva ses mains tremblantes avant de les laisser retomber. La maladie, le grand âge, les coups assourdissants des bombes l'avaient laissé sans force.

– Merci de votre humanité, capitaine. Lorsque vos soldats sont arrivés, j'ai eu peur qu'ils ne massacrent tous mes gens.

Bolitho esquissa un sourire : si Giffard entendait ses fusiliers se faire traiter de soldats…

– A l'aube, nous verrons ce que nous pouvons faire pour remettre les défenses en l'état.

Il s'approcha d'une fenêtre grande ouverte et se pencha pour regarder en bas, où les tourbillons du courant agitaient l'eau dans l'obscurité.

– J'attends incessamment d'autres bâtiments et un vaisseau que je vais devoir échouer pour effectuer des réparations sur la coque – il se tut, se retourna et quitta la fenêtre si brusquement qu'Allday tressaillit. Vous le connaissez, mon colonel : le *Navarra*.

Il vit un éclair traverser l'œil du vieillard, juste une fraction de seconde. Mais l'autre agita un peu les mains en répondant :

– Non, je ne le connais pas, capitaine.

Bolitho retourna à la fenêtre : il mentait, c'était un indice de plus qui montrait que Witrand avait bien l'intention de se rendre en ce lieu désert. Le brick était probablement ce bâtiment qui devait se charger de son transfert à la mer.

Mais chaque chose en son temps. Il fallait lui laisser le temps de changer d'avis, de décider où se trouvait son intérêt, maintenant que ses défenses étaient tombées.

– Accompagnez-le dans une autre pièce, ordonna-t-il d'un signe à Bickford, et veillez à ce qu'il reste à l'écart de ses officiers.

Tandis qu'il se dirigeait d'un pas hésitant vers la porte, Sawle entra de l'autre côté, la chemise souillée et déchirée, tenant négligemment sa veste sur le bras.

– Vous vous êtes magnifiquement comporté.

Bolitho vit une lueur nouvelle passer dans son regard, une espèce d'excitation contrôlée, une confiance en soi née de cette action dangereuse qu'il avait menée à bien. En fait, il avait eu moins peur que peur de montrer sa peur. Maintenant qu'il avait survécu, il attendait sa récompense et le reste.

– Merci, monsieur, répondit Sawle – il n'essayait même pas de cacher sa nouvelle arrogance ni son air triomphant. Ce n'était pas grand-chose.

« Toi, mon garçon, tu penses que cela a été facile, maintenant que le danger est passé. » Il continua à voix haute :

– Mettez-vous aux ordres de Mr. Bickford.

Allday le regarda partir avant de murmurer :

– Espèce de belette, va !

Bolitho lui demanda sans le regarder :

– Allez donc vous occuper de Mr. Lucey.

Puis il se laissa tomber dans le grand fauteuil du colonel, ses jambes le lâchaient. Il ajouta :

– Voyez à me trouver quelque chose à boire, je me sens le gosier sec à périr.

Une fois seul, il inspecta la pièce sombre et nue. Un jour peut-être, après avoir reçu une méchante blessure ou s'il devenait invalide, on lui confierait à lui aussi une tâche comme celle d'Alava. Un poste perdu où, sous le titre pompeux de gouverneur, il passerait ses jours en essayant de dissimuler son amertume, son mal du pays, le dégoût de ses subordonnés.

Il comprit que ses paupières commençaient à tomber lorsque Giffard entra dans la pièce sans qu'il eût rien entendu.

– Mes hommes ont retrouvé Mr. Calvert, monsieur – il semblait gêné. Il errait tout seul comme au bord de la folie.

– Et les autres ?

– Pas trace des trois marins ; il portait sur son dos l'aspirant – il se voûta un peu. Mais il est mort aussitôt.

– Qui était-ce ?

– Mr. Lelean, monsieur.

Bolitho se frotta les yeux pour essayer de chasser la fatigue aussi bien que l'inquiétude. Lelean, Lelean ? Mais qui était-ce donc, déjà ?

Puis il se souvint : Keverne, penché par-dessus la lisse de dunette pour communiquer ses ordres aux batteries, trois aspirants apeurés, l'un avait la figure couverte de boutons. Lelean, il devait avoir quinze ans.

– Demandez à Mr. Calvert de venir au rapport – il regarda Giffard, qui était tout rouge. Je souhaite le voir seul.

Allday arriva avec une grande carafe remplie d'un vin rouge sombre. Il était très amer, mais pour l'heure il lui parut meilleur que le bordeaux le plus fin à la table d'un amiral.

– Mr. Calvert est ici, capitaine.

– Faites-le entrer et attendez dehors.

Il regarda Allday qui sortait, manifestement désapprobateur.

Calvert vacillait de fatigue, il regardait Bolitho d'un air hagard et semblait sur le point de tomber.

– Détendez-vous, monsieur Calvert, et prenez un peu de ce vin, cela vous rafraîchira.

Calvert secoua la tête :

– Non, il faut que je parle, monsieur – il fut pris d'un grand frisson. Je ne peux penser à rien d'autre.

Et d'une voix étrangement égale, brisée par moments, il commença à raconter son histoire.

A partir de l'instant où le canot l'avait déposé à terre, les choses avaient commencé à mal tourner. Les trois marins faisaient semblant de ne pas comprendre ses ordres, sans doute pour mesurer l'incompétence de l'enseigne, objet des commérages de tout le bord.

Lelean, l'aspirant, avait bien essayé de rétablir un peu de discipline, mais il avait fini par se décourager en voyant que Calvert n'arrivait pas à se sortir d'affaire avec trois malheureux marins.

Ils s'étaient enfoncés dans les terres en s'arrêtant fréquemment : l'un ou l'autre des trois hommes se plaignait d'avoir mal aux pieds ou d'être fatigué, toutes les excuses étaient bonnes pour se reposer. Calvert s'était plongé dans la carte approximative qu'il avait en sa possession et avait tenté d'évaluer la distance jusqu'aux piquets de Giffard.

– Et je me suis perdu, finit-il par lâcher. Lelean a bien essayé de m'aider, mais ce n'était qu'un petit garçon. Lorsque je lui ai dit que je ne savais pas où nous étions, il s'est levé et m'a répondu que je *devais* le savoir – il leva les mains. Et puis, il y a eu cette attaque. Lelean a été touché par une balle de mousquet et deux des matelots ont péri sur le coup. Le troisième s'est enfui et je ne l'ai plus revu.

Bolitho devinait à son visage décomposé la terreur qu'il avait dû ressentir dans l'obscurité lorsque la mort l'avait frôlé. Il s'agissait sans doute d'indigènes qui rôdaient comme des chacals pour récupérer les restes quand les Espagnols et les Anglais auraient terminé de régler leurs affaires.

– J'ai porté Lelean pendant des milles, poursuivit Calvert. Nous nous cachions parfois dans les buissons, nous entendions les autres parler ou rire.

Il fut pris d'un sanglot.

– Et Lelean qui ne cessait de répéter qu'il me faisait confiance pour le ramener – il leva les yeux vers Bolitho, des yeux embués et brouillés. Il me faisait *vraiment* confiance !

Bolitho se leva, remplit un gobelet de vin et le mit dans la main de Calvert. Elle tremblait.

– Et où les fusiliers vous ont-ils trouvés ?

– Dans un ravin.

Il laissa tomber un peu de vin qui dégoulina sur son menton et sa chemise, comme du sang.

– Lelean était déjà mort, sa blessure devait être plus grave que je n'avais cru. Je ne voulais pas l'abandonner comme cela, c'est le premier qui m'ait jamais fait confiance. Je savais… – il s'effondra – … je croyais que personne ne viendrait à notre recherche, il y avait l'assaut, tout le reste.

Bolitho prit doucement le verre vide entre ses doigts affaiblis.

– Allez vous reposer, monsieur Calvert; demain, cela ira sûrement mieux.

Il le regarda droit dans les yeux : demain ! mais ils y étaient déjà…

Calvert lui répondit avec une détermination nouvelle :

– Je n'oublierai jamais que vous avez envoyé des hommes à ma recherche – et plus faiblement : Mais je ne pouvais pas le laisser là-bas, ce n'était qu'un enfant.

Bolitho se rappelait le commentaire cinglant de Broughton, comme s'il était dans la pièce : *Cela lui fera du bien.* Peut-être avait-il eu raison, en fin de compte.

– Beaucoup sont tombés aujourd'hui, monsieur Calvert, lui dit-il sur un ton grave. C'est à nous de faire en sorte que leur sacrifice ne soit pas inutile – il se tut avant d'ajouter : Et de faire en sorte que la confiance d'un jeune Lelean ne soit jamais trahie.

Longtemps après le départ de Calvert, Bolitho se laissa retomber dans le fauteuil. Pourquoi diable lui offrait-il ainsi autant de soutien ?

Calvert était un être inutile et il le resterait sans doute. Il venait d'un monde et d'un milieu social dont Bolitho s'était toujours méfié et qu'il avait souvent méprisés.

Était-ce parce que la mort de l'aspirant avait fait jaillir en lui une petite étincelle ? Pouvait-on s'accrocher à ce genre d'idées pendant une guerre qui dépassait l'entendement et rendait caducs les sentiments traditionnels ?

Ou peut-être avait-il considéré Lelean comme s'il était son neveu ? Mais aurait-il été juste d'ajouter encore au désespoir de Calvert, alors qu'il savait qu'il aurait agi de la même manière si Adam avait été dans le ravin ?

Lorsque les premiers rayons grisâtres de l'aube touchèrent le mur dans la chambre du colonel, Bolitho, dans son fauteuil, dormait d'un sommeil de plomb, se réveillant de temps à autre pour repenser à ses doutes, aux problèmes qui l'attendaient.

En haut du donjon, Bickford était déjà debout et contemplait le soleil levant. Au bout d'un moment, n'y tenant plus, il fit signe à un marin qui se trouvait là.

– On est bien, pas vrai ?

Il souriait sans pouvoir s'arrêter, il avait fait son devoir, il était *vivant*.

– Envoyez les couleurs ! La *Coquette* en restera sur le cul !

A midi, Bolitho monta au sommet du donjon et se pencha par-dessus le parapet pour voir ce qui se passait dans la baie. Juste après l'aube, la *Coquette*, suivie par l'*Hekla* d'Inch, avait embouqué l'étroit chenal au pied de la forteresse. Moins d'une heure plus tard, ils avaient été rejoints par le *Navarra* en fort mauvais état et qui donnait de la bande. Les canots faisaient des allées et venues incessantes entre les bâtiments et la terre et, d'autre part, entre l'avant-poste des fusiliers, sur la pointe, et les piquets installés sur la chaussée. Il était difficile d'imaginer à quel point l'endroit avait pu être désert.

Il leva sa lunette et la dirigea dans la direction de la galiote au mouillage. Il découvrit enfin Bickford et son détachement qui fouillaient systématiquement les maisons à terrasse construites au fond de la baie. Giffard lui avait déjà dit que le village – s'il méritait ce nom – était pratiquement désert. Les bateaux de pêche dont ils s'étaient emparés avant leur première attaque étaient délabrés et n'avaient pas dû servir depuis des mois. Comme le village, c'étaient les vestiges d'une vie fantôme.

La seule capture intéressante avait été celle du brick, la *Turquoise*. C'était un bâtiment marchand armé seulement de quelques quatre-livres hors d'âge et de pierriers. Remise en état et convenablement armée, la *Turquoise* rajouterait de la valeur à la liste navale. Elle représentait également un commandement possible pour un jeune officier, et Bolitho s'était promis qu'elle irait en récompense à Keverne.

Il déplaça légèrement la lunette pour la pointer sur le *Navarra,* qui s'approchait de plus en plus de la plage. Le pilote envoyé à son bord pour en prendre le commandement avait fait voile aussi vite qu'il avait pu dès qu'il avait vu le pavillon britannique flotter sur la forteresse. Les réparations de fortune commençaient à lâcher et c'est tout ce qu'il avait pu faire pour rallier Djafou le plus vite possible, avant que la mer gagnât son combat contre les pompes.

Bolitho se réjouissait que Keverne eût choisi cet homme. Un marin un peu moins malin aurait exécuté le dernier ordre reçu, à savoir rester au large jusqu'à l'arrivée de l'escadre, de peur d'encourir le mécontentement de ses supérieurs. S'il avait agi ainsi, la prise aurait été perdue à cette heure car, moins de trente minutes après son arrivée, le vent était complètement tombé et la mer, de l'extrémité des caps à l'horizon, ressemblait à un miroir bleuté.

Des chaloupes s'affairaient autour du bâtiment basculé sur le flanc, il voyait les détachements envoyés par les autres bâtiments occupés à décharger les vivres et les espars les plus lourds, les ancres et les pièces d'artillerie, afin d'alléger la coque au maximum avant l'échouement sur la plage.

Comme dans le cas de l'équipage du petit brick, qui s'était rendu sans le moindre murmure de protestation, l'arrivée de l'équipage et des passagers du *Navarra* posait un autre problème. Il les voyait, alignés sur la plage, et les robes vives des femmes contrastaient vivement avec la couleur du sable ou des collines noyées de brume qui s'élevaient derrière le village. Il fallait les nourrir, les loger, les protéger aussi contre les indigènes en maraude qui se trouvaient peut-être toujours dans les environs. La chose n'allait pas être simple et il doutait fort que Broughton vît dans leur présence autre chose qu'une source d'ennuis supplémentaires.

L'escadre se trouvait probablement juste derrière l'horizon et il imaginait fort bien l'amiral en train de fulminer, enrageant de se retrouver encalminé, ne sachant pas si l'attaque avait réussi ou échoué. Le manque de vent était également un avantage, car, si Broughton ne pouvait rallier Djafou, l'ennemi ne le pouvait pas davantage.

Il entendit des bruits métalliques sur le rempart inférieur. Fittock, le canonnier, s'activait à déplacer un canon monté sur son affût de fer, de façon à leur permettre de remettre à peu près en état la maçonnerie. Ces canons avaient déjà montré qu'ils pouvaient très bien interdire l'accès à de gros bâtiments de guerre. En y ajoutant l'*Hekla* mouillé au beau milieu de la baie, avec son air innocent, même une attaque en force menée par des fantassins à partir de la côte représentait un gros risque.

Il laissa retomber sa lunette et s'éventa un peu à l'aide de sa chemise qui lui collait à la peau comme une serviette chaude. Plus il réfléchissait à ce qu'ils avaient découvert à Djafou, plus il se disait que l'endroit ne pouvait pas faire une base digne de ce nom. Il croisa instinctivement les mains dans le dos et commença à arpenter avec méthode les pierres chauffées par le soleil. Il retrouvait spontanément dans sa déambulation la largeur exacte de sa dunette à bord de l'*Euryale*.

S'il avait exercé lui-même le commandement, aurait-il adopté une conduite différente de celle de Broughton ? Rentrer à Gibraltar et admettre son échec, ou poursuivre plus à l'est dans l'espoir de découvrir une baie ou un estuaire qui fasse l'affaire, sans en informer le commandant en chef ?

Son fourreau battait contre sa hanche et il laissa revenir ses pensée sur le corps à corps effroyable de la nuit. Chaque fois qu'il se laissait entraîner dans ces raids téméraires, il réduisait un peu plus ses chances de survie. Il le savait, mais ne pouvait s'en empêcher. Il savait que, aux yeux d'un Furneaux et de quelques autres, c'était la vanité qui le poussait, un lancinant désir de gloire, au point qu'il en abandonnait ses fonctions de capitaine de pavillon pour prendre part à ces razzias dangereuses. Mais comment aurait-il pu leur expliquer ses véritables motifs, alors qu'il ne les comprenait pas lui-même ? Ce dont il était sûr, c'est qu'il ne laisserait jamais ses hommes risquer leur vie dans l'exécution d'un plan plus ou moins nébuleux sorti de son cerveau sans en partager avec eux le succès ou l'échec.

Il sourit intérieurement : voilà pourquoi il ne parviendrait jamais au rang d'amiral. Il continuerait à mener combat après combat, à transmettre son expérience aux officiers à peine formés que l'on désignait pour combler les trous creusés par la guerre. Et puis, un jour, à un endroit comme celui-ci ou sur le pont d'un bâtiment, il paierait son dû. Comme toujours, il fit une prière fervente pour que la mort vînt le prendre d'un seul coup, comme une porte que l'on claque. Mais il savait aussi que cette issue était très improbable. Il pensait à Lucey, à tous ceux que l'on avait descendus dans les grandes salles du bas transformées en hôpital. Le chirurgien de la *Coquette* faisait certes son possible, mais beaucoup d'entre eux allaient agoniser lentement, sans autre remède à leurs souffrances que le vin de la forteresse. Dieu soit loué, il y en avait à profusion.

Il s'arrêta près des créneaux et vit un canot quitter la *Coquette* puis se diriger vers le fort. Un autre canot quittait au même moment la galiote. Il avait été tellement absorbé dans ses pensées qu'il en avait oublié l'invitation à dîner qu'il avait lancée à Inch et au capitaine Gillmore. L'un ou l'autre avait peut-être une idée, même vague, qui lui permettrait de le confirmer dans son analyse sur le peu de valeur stratégique de Djafou.

Un peu plus tard, alors qu'il se tenait avec les deux capitaines dans la chambre du commandant à partager une carafe de vin, il s'émerveilla de l'aisance avec laquelle ils arrivaient à discuter, à comparer leurs points de vue sur le bref combat qui venait de se dérouler. On aurait eu du mal à croire qu'aucun d'eux n'avait dormi plus d'une heure d'affilée ni qu'ils ne trouveraient le temps pour récupérer dans un avenir proche. La marine était une école d'endurance sans pareille. Des années de quart, de petits sommes volés entre la manœuvre des voiles et les prises de ris, les postes de combat, les réparations au sortir d'une tempête, le tout dans les pires conditions imaginables. Cela vous faisait de l'être le plus paresseux quelqu'un capable de tenir indéfiniment sans prendre de repos.

Inch en était à raconter à ses commensaux avec quelle excitation l'*Hekla* avait reçu des fusiliers la nouvelle de son premier coup au but lorsque Allday vint leur annoncer que le lieutenant Bickford était rentré de son expédition.

Ledit Bickford semblait épuisé, son uniforme était couvert de sable et de poussière, et il engloutit son verre avec une satisfaction non dissimulée.

– J'ai bien peur que nous ne soyons tombés dans un endroit terrible, monsieur – il hochait la tête en revoyant ce qu'il avait découvert – l'endroit est abandonné depuis des années. Par les villageois, en tout cas.

– Allez, le reprit Gillmore sur le ton de la réprimande, vous n'allez tout de même pas nous dire qu'il s'agit de lutins !

– Non monsieur – Bickford était visiblement bouleversé. Nous avons découvert un grand trou derrière les maisons. Bourré d'ossements humains. Plusieurs centaines de gens ont dû être jetés là-dedans et proprement nettoyés par la vermine qui vit dans les rochers.

Bolitho sentit un froid de glace l'envahir. Il était là, il n'avait rien vu. C'était le morceau qui manquait au puzzle.

– La plupart des maisons sont vides, poursuivait Bickford, mais il y a des chaînes…

Ils se tournèrent d'un même mouvement vers Bolitho lorsqu'il laissa tomber :

– Des esclaves.

Il ne parvenait pas à comprendre pourquoi cette lenteur à se rendre à l'évidence. Peut-être son cerveau avait-il inconsciemment refusé de l'admettre. Quel autre genre de commerce pouvait bien avoir attiré Draffen autrefois dans ces parages ? Un commerce qui l'avait entraîné aux Antilles, là où il avait rencontré Hugh pendant la Révolution ? Les Maures avaient bâti cette forteresse pour protéger et au-delà leur révoltant trafic d'êtres humains. D'autres étaient venus après eux : pirates barbaresques, marchands d'esclaves arabes, qui allaient chercher très loin leurs victimes et les rassemblaient ici, pour alimenter leur prospère négoce.

Les choses avaient été d'une facilité déconcertante pour Draffen. Sous l'air innocent d'un patriote essayant de contribuer à la reprise des opérations anglaises en Méditerranée, il avait en fait agi pour ses propres intérêts à venir. En utilisant Broughton aux fins d'anéantissement de la garnison espagnole, il avait placé ses pions pour assurer la poursuite de son approvisionnement.

– Ils devaient arriver ici de plusieurs endroits, poursuivit Bolitho : il y a des sentiers de caravanes dans les montagnes, elles doivent les utiliser depuis des siècles.

Il avait du mal à dissimuler son dégoût.

– Aux Antilles et en Amérique, je suis sûr qu'il y a des gens qui font fortune aux frais de ces malheureux.

– Mais le trafic des esclaves a toujours existé, fit Gillmore, un peu gêné.

Bolitho le regarda droit dans les yeux :

– Le scorbut a toujours existé, ce n'est pas une raison pour qu'on n'y remédie pas !

Gillmore se cabra :

– Dieu, que je déteste la terre ! Dès qu'on la touche, on se sent infecté, dégoûtant !

– Sir Hugo Draffen ne va pas être très content, monsieur, remarqua Inch.

– Exactement.

Bolitho remplit leurs verres, la carafe tremblait dans sa main. A discuter ainsi avec des gens comme lui, les choses pouvaient paraître simples. Mais il savait d'expérience que rien ne semblait si évident ni si tranché dans l'atmosphère austère d'une cour martiale, à des milles de l'endroit où les faits s'étaient produits et plusieurs mois peut-être après. Draffen était un homme d'influence, l'ampleur de ses activités le démontrait assez. Broughton lui-même le craignait et beaucoup de gens en Angleterre se rangeraient de son côté. Après tout, c'est lui qui avait repéré une base pour la première incursion d'une escadre en Méditerranée, et, à la guerre, il faut prendre ce que l'on a sous la main. La promesse qu'il avait fait miroiter de trouver de nouveaux alliés pour gêner le trafic côtier de l'ennemi pouvait très bien servir de paravent à des ambitions plus personnelles.

Il s'approcha lentement de la fenêtre et sentit leurs regards dans son dos. Il pouvait lui aussi faire semblant de ne pas avoir découvert les manigances de Draffen, tout comme il leur tournait le dos. Capitaine de pavillon, il n'avait pas grand-chose à dire lorsqu'il s'agissait des grandes décisions. Personne ne le lui ferait payer, nul ne l'en blâmerait. Tant que la marque de Broughton flottait sur cette escadre, c'était sa responsabilité.

Il en était encore à se torturer l'esprit lorsqu'il songea brusquement à Lucey, à Lelean, à tous ceux qui allaient encore mourir avant qu'ils eussent réussi à quitter cet endroit détestable.

Draffen avait essayé de le préparer progressivement à cette découverte, se dit-il amèrement. Lorsqu'il lui avait expliqué que l'escadre quitterait Djafou sans tarder, il n'avait pas pensé aux habitants, étant donné qu'il n'y en avait pas. Il n'y avait personne, sinon le passage régulier des esclaves et de ceux qui les gardaient pour le compte de gens comme Draffen. Il était sans doute quelque part sur la côte, à cette heure, en train d'expliquer à son agent ce qu'il attendait de lui pour rendre son triomphe total et durable.

– Combien de temps a-t-il fallu à la *Sans-Repos* pour aller établir le contact ? demanda-t-il brusquement.

Bickford haussa les épaules :

– Pas plus d'une journée, à peu près, monsieur. Mais elle doit être encalminé elle aussi.

Bolitho se tourna vers lui :

– Dans ce cas, le lieu de rendez-vous ne peut pas être très éloigné – il gagna rapidement la porte. Je vais voir le commandant, faites comme chez vous pendant ce temps-là.

Lorsque la porte fut refermée, Gillmore leur fit remarquer :

– Je ne l'ai encore jamais vu dans un état pareil.

Inch avala son vin :

– Moi, si…

Les autres attendaient la suite.

– … lorsque je servais sous ses ordres, à bord de l'*Hypérion*.

– Allez, fit Gillmore, vous en dites trop ou pas assez !

– Il déteste la tricherie, répondit Inch. Je doute qu'il reste là tranquillement, avec ce chardon sous sa selle.

Bolitho trouva le commandant assis près de la fenêtre, plongé dans ses pensées. Il ressemblait à un personnage de vitrail.

Il attendit qu'il se tournât vers lui.

– Le temps presse désormais, et nous n'en avons guère. Il existe certaines choses que je dois savoir et je crois que vous êtes le seul en mesure de me les apprendre.

Le colonel leva lentement ses mains décharnées.

– Vous savez que l'honneur m'interdit de parler, capitaine – il s'exprimait sans colère, seulement d'une voix résignée. En tant que commandant, j'ai…

Bolitho l'interrompit immédiatement :

– En tant que commandant, vous avez des obligations envers les gens qui vivent ici. En outre, l'équipage et les passagers du *Navarra* sont sujets espagnols.

– Lorsque vous vous êtes emparé de Djafou, vous aussi avez endossé cette responsabilité.

Bolitho s'approcha d'une fenêtre et se pencha au-dehors.

– Je connais un officier français qui répond au nom de Witrand. Je pense que vous le connaissez également et qu'il est peut-être déjà venu ici auparavant.

– Auparavant ?

Un seul mot, mais dit sur un ton significatif.

– Il est prisonnier de guerre, mon colonel. Mais je veux que vous me racontiez ce qu'il a pu faire dans le temps, ainsi que les raisons de son intérêt pour Djafou. Dans le cas contraire…

Cette fois-ci, c'est Alava qui l'arrêta :

– Dans le cas contraire ? Je suis trop vieux pour céder à la menace.

Bolitho se retourna et le regarda d'un air impassible :

– Si vous refusez, je ferai détruire la forteresse.

Alava se mit à sourire doucement :

– C'est bien entendu votre droit.

– Malheureusement… – Bolitho s'exprimait d'un ton très ferme pour mieux dissimuler son indécision – … je n'ai pas à ma disposition les bâtiments qui seraient nécessaires pour évacuer en sécurité tous ces gens-là ainsi que votre garnison.

Il se détendit un peu, ses paroles commençaient à faire mouche, si l'on en jugeait par le tremblement des mains flétries.

– En conséquence de quoi, bien que les impératifs de la guerre m'obligent à détruire la forteresse et à effacer toute possibilité de menace future, je ne peux vous laisser aucune protection.

Et il se retourna vers la fenêtre. Ce qu'il infligeait au vieil homme lui faisait horreur. Il aperçut Sawle accoudé au parapet, le visage à toucher celui d'une brune Espagnole, l'épouse de l'un des officiers. Elle se rapprochait doucement, et il vit Sawle poser la main sur son bras. Il leur tourna le dos et demanda :

– Avez-vous entendu parler d'un certain Habib Messadi ? – il hocha lentement la tête. Oui, je vois bien à votre air que vous le connaissez.

Bolitho se retourna, irrité, en entendant la porte s'ouvrir violemment, livrant passage au capitaine Giffard. Un fusilier marchait derrière lui, un petit panier à la main.

– Mais, nom d'une pipe, qu'est-ce qui vous autorise à entrer ainsi sans prévenir ?

Giffard restait immobile, au garde-à-vous, les yeux rivés quelque part au-dessus de l'épaulette de Bolitho.

– Un cavalier est arrivé au galop sur la chaussée, monsieur, un Arabe quelconque. Mes hommes ont lancé les sommations et, lorsqu'il a fait demi-tour au grand galop, ils lui ont tiré dessus, sans l'atteindre – il désigna du doigt le fusilier qui se tenait près de la porte. Il a laissé ce panier, monsieur.

– Qu'y a-t-il là-dedans ? demanda Bolitho, soudain inquiet.

Giffard baissa les yeux :

– Ce prisonnier français, monsieur. C'est sa tête.

Bolitho serrait si violemment les poings qu'il sentait ses os craquer. Il réussit pourtant à surmonter la nausée qui le prenait et à regarder Alava.

– Il semblerait que ce Messadi est plus près d'ici que nous ne le pensions, mon colonel – il entendait derrière lui le jeune fusilier qui était pris de haut-le-cœur. Allons-y.

XV

VENGEANCE ET TÉNÈBRES

Bolitho se tenait près d'une fenêtre ouverte dans ses appartements obscurs lorsque Allday se présenta pour lui annoncer que le canot de l'*Hekla* venait d'arriver et l'attendait. Il était étonnant de constater à quel point le temps s'était dégradé au cours des dernières heures. Un grand soleil aurait dû briller en ce début de soirée ; au lieu de cela, le ciel était chargé de nuées menaçantes et le pavillon de la maîtresse tour flottait roide comme une tôle sous l'effet d'une brise d'ouest qui paraissait devoir forcir encore.

Il venait juste de prendre congé du commandant quand une sentinelle postée sur les remparts avait signalé un changement de temps. Monté dans la tour afin de se rendre compte par lui-même, il avait vu la pointe occidentale lentement disparaître derrière les moutonnements d'une immense panne de poussières et de sables, au point que la levée semblait s'interrompre brutalement et pointer vers un vide tourbillonnant. A l'intérieur de la baie, les navires au mouillage s'étaient mis à tanguer et c'est avec un soupir de soulagement que Gillmore avait vu que, par mesure de prudence, son premier lieutenant faisait porter une ancre d'affourche.

Toutefois, la prudence, le doute et jusqu'à l'effroi causé par la fin atroce de Witrand avaient fait place à une intense curiosité lorsque Bolitho leur avait annoncé sa découverte.

Dès lors qu'Alava avait ouvert la bouche, on s'était demandé ce qui aurait pu interrompre ou seulement endiguer l'afflux de ses révélations. A croire que le fardeau était trop lourd pour ses épaules voûtées et que, choqué de surcroît par ce qui reposait dans la corbeille, il ne songeait plus qu'à se défausser de ses responsabilités.

Bolitho avait écouté son récit, débité d'une voix mesurée d'homme de bonne éducation, avec une attention soutenue, une contention d'esprit qui n'avaient pour but que de refouler la pitié qu'il ressentait envers Witrand et le dégoût que lui inspiraient ceux pour qui il lui avait fallu mourir ainsi et pas autrement.

A présent, tandis que le vent gémissait contre les épaisses murailles et le long des remparts dénudés, il avait toujours du mal à accepter que les faits eussent confirmé une si grande part de ses prévisions. Witrand s'était déjà une fois rendu à Djafou avec pour consigne précise de préparer le terrain pour la suite des opérations. Dans les déclarations d'Alava, il était difficile de faire la part des faits et des conjectures. Une chose était certaine : Witrand n'avait pas pour seul objectif d'apprécier la capacité d'une nouvelle base française à prévenir toute initiative navale britannique en Méditerranée. Djafou devait être la première de plusieurs bases semblables sur la côte d'Afrique du Nord, et un passage obligé pour gagner le Sud et l'Est. Des troupes et des canons, et les navires qui en assureraient le transport et la protection, porteraient la nouvelle et puissante poussée de l'ennemi à l'intérieur d'un continent qui lui avait été jusqu'alors interdit, et à une période où l'Angleterre n'était guère en position de l'en empêcher.

Cependant, Alava devait savoir que Bolitho trompait son monde lorsqu'il avait menacé d'abandonner la garnison et les passagers à la merci des pirates barbaresques. Il devait caresser l'idée de ne céder sur rien, jusqu'au moment où Giffard avait fait irruption avec sa macabre découverte. S'il avait monté lui-même ce coup de théâtre, il n'aurait pu le régler avec plus de précision.

Lors de son entretien avec Gillmore et Inch, Bolitho s'était rappelé la mise en garde de Broughton à l'encontre de Draffen. Que dirait l'amiral quand il prendrait toute la mesure de la perfidie de Draffen, si c'était bien de cela qu'il s'agissait ? Mais il se pouvait également que Draffen fût mort ou en train de hurler sous la torture.

La brise s'était levée comme un ultime regain d'espoir. Dès l'instant où le cavalier était venu lancer la corbeille aux sentinelles de Giffard, il avait été évident que la prise de la forteresse était un fait connu d'un bout à l'autre de la côte. Avec l'escadre qui n'était toujours pas rentrée – et Dieu seul savait où ce vent forcissant l'avait emportée –, une attaque en masse de la forteresse n'était pas du tout à exclure. Alava avait parlé de vastes secteurs du littoral qui étaient soumis au contrôle et à la terreur exercés par les pirates du chef Habib Messadi. Des chébecs, du type de ceux qui avaient mis à mal le *Navarra*, pouvaient fort bien s'aventurer près des côtes sans avoir à redouter l'intervention de bâtiments de plus gros tonnage.

Messadi devait être aussi bien renseigné que Draffen, songea Bolitho. Car il ne faisait aucun doute que l'attaque subie par le *Navarra* n'avait rien d'une rencontre fortuite : les chébecs étaient fort éloignés de terre et, n'eût été cette tempête inattendue, ils auraient été bien plus nombreux. Auquel cas, les Anglais n'auraient pas été capables de les repousser, Witrand serait mort dans l'affaire en même temps que tous les autres, et l'occupation de Djafou aurait été suffisamment retardée pour que la forteresse fût reprise par ses anciens occupants. Ou pour que Broughton l'investît et constatât par lui-même que la baie ne convenait pas pour l'établissement d'une base britannique.

Gillmore avait martelé :

– Alors comme ça, les Grenouilles ont l'intention de prendre Malte ? Et cela va continuer sans qu'il y ait le moindre bâtiment anglais pour se mettre en travers de leur route !

– Sans renforts, nous ne pouvons rien faire, avait ajouté Inch.

Bolitho était bien de leur avis. Et il avait vu sur leurs deux visages le doute le céder à la circonspection puis à l'excitation lorsqu'il avait dit :

– J'ai toujours tenu que la place forte est Djafou. Sans elle, la baie ne présente aucune sécurité, que ce soit pour les Français, pour les pirates ou pour nous. Il nous faut la détruire, la faire sauter, de sorte qu'elle ne puisse être relevée avant des mois, peut-être un an. Entre-temps, nous serons en mesure de revenir en force et d'affronter l'ennemi là où il perdra le plus de plumes. Sur mer.

– Est-ce qu'il ne faudrait pas consulter Sir Lucius Broughton ? avait proposé Gillmore, précautionneusement.

Bolitho leur avait alors montré l'étendue de la rade, que le vent commençait de couvrir de moutons d'écume.

– Nous devons frapper en premier lieu ceux qui ont le plus grand besoin de cette place pour mener leurs odieuses activités. Cette brise va peut-être tenir et, si tel est le cas, elle va nous fournir un avantage inespéré sur eux.

Cet échange remontait à quelques heures à peine. Le moment était venu de passer à l'action, sinon l'*Hekla* aurait le plus grand mal à s'élever de la côte. La *Coquette* allait rester au mouillage et, si l'attaque de Bolitho devait échouer, se tiendrait prête à exécuter ses ordres écrits. A savoir démolir le fort, en usant de toutes les ressources possibles, et en faire sortir jusqu'au dernier des Espagnols, fusilier ou autre, qui pouvait s'y trouver.

Chez Gillmore, la déception de devoir rester s'était vite effacée devant l'inquiétude au sujet de Bolitho :

– Et si les informations d'Alava étaient fausses, monsieur, et que vous ne parveniez pas à dénicher ces Barbaresques ? Vous pourriez aussi succomber sous le nombre, auquel cas il me faudrait appliquer les consignes que vous me laissez. Cela pourrait fort bien être votre ruine, alors que nous savons tous que vous agissez pour le mieux.

Les atermoiements de son subordonné avaient tiré un sourire à Bolitho :

– Si cela devait arriver, monsieur Gillmore, au moins le spectacle de ma fin vous sera-t-il épargné. Car il n'est pas douteux qu'alors j'y perdrais la vie.

Mais, comme il ramassait son chapeau posé sur un fauteuil, la mise en garde de Gillmore lui revint en tête. Avec un peu de chance, il rencontrerait la *Sans-Repos* quelque part le long de la côte, et celle-ci, à la différence de la plus lourde frégate, serait en mesure de les renforcer. Mais il n'était jamais bon de trop compter sur la chance.

Il regarda Allday.

– Prêt ?

– Oui, monsieur.

En bas sur la jetée, dont les moellons portaient toujours les cicatrices des balles de mousquets et de la charge explosive de Sawle, le vent paraissait plus fort. Mais il était oppressant et vous laissait du sable jusque dans la bouche. Bolitho vit arriver plusieurs chaloupes surchargées de passagers du *Navarra* et de fusiliers de Giffard. Il avait ordonné que tout le monde sauf les hommes de garde allât s'abriter à l'intérieur de la forteresse, et il se prit à s'interroger sur ce que ces gens devaient éprouver en levant les yeux vers ces sinistres murailles tels des animaux pris au piège.

Giffard et Bickford attendaient près du canot, et le fusilier déclara d'un ton bourru :

– Je persiste à penser, monsieur, que nous devrions envoyer mes hommes à marches forcées dans l'arrière-pays.

Bolitho le détailla d'un air qui s'apparentait à de l'affection.

– J'accepterais peut-être, si nous disposions de plus de temps. Mais vous avez dit vous-même que dans ces collines et ces ravins quelques bons tireurs bien placés étaient capables de retenir une armée. Cependant, n'ayez crainte : vous aurez avant longtemps du pain sur la planche.

Puis il s'adressa à Bickford :

– Dites à Mr. Fittock de placer des charges dans le dépôt d'explosifs et les dépenses basses – il eut un sourire en remarquant l'air sinistre du lieutenant. Je gage qu'il en sera ravi.

C'est alors qu'il avisa Calvert qui descendait les marches, affichant une détermination tout à fait inhabituelle.

– Avec votre permission, monsieur, déclara le jeune homme, j'aimerais vous accompagner à bord de l'*Hekla*.

Bolitho nota la moue désapprobatrice de Giffard et l'air de curiosité, pour ne pas dire de mépris, avec lequel ceux du canot observaient Calvert. Et il s'entendit répondre :

– D'accord. Embarquez.

Et Giffard de déclarer d'un ton embarrassé :

– J'ai enterré la… euh, la corbeille, monsieur. Au bout de la digue.

– Soyez-en remercié.

Bolitho pensa soudain à l'épouse qui attendait à Bordeaux. Il se demanda s'il lui écrirait un jour pour lui dire où Witrand avait trouvé la mort, pour lui annoncer qu'il reposait à côté d'un lieutenant britannique et d'un aspirant boutonneux. Puis, avec un hochement de tête, il sauta dans le canot et ordonna d'un ton sec :

– Pousse au large.

Inch l'attendait, debout contre le pavois de la galiote. Le couvre-chef de guingois, il contemplait, paupières plissées, les crêtes qui moutonnaient du côté de la pointe. Puis il aperçut Calvert et ouvrit la bouche pour dire quelque chose, mais se ravisa aussitôt. Après tout, connaissant Bolitho comme il le connaissait, il savait que celui-ci ne faisait jamais rien qu'il n'eût une sacrément bonne raison de le faire. Il regarda les hommes remonter le canot sur ses chantiers, puis ordonna :

– A armer le cabestan ! – ensuite, se tournant vers Bolitho : Quand bon vous semblera, monsieur.

Leurs regards restèrent rivés l'un à l'autre. Une complicité datant de maintes années. Bolitho afficha un grand sourire et répondit :

– Sur-le-champ, capitaine Inch !

– A vos ordres, monsieur ! lança Inch, tout jubilant.

Après sa chambre de l'*Euryale*, la cabine de poupe de la galiote lui évoquait un clapier. Même ici à l'arrière, la robustesse du navire sautait aux yeux et les barrots de pont surdimensionnés semblaient plus bas que la normale, comme pour encore réduire l'espace et la liberté de mouvement.

Bolitho s'assit sur le banc et se prit à contempler les embruns qui fouaillaient le verre épais de la fenêtre. On remontait le vent bâbord amures et la peu profonde carène roulait et peinait dans la forte houle qui la cueillait par le travers. Les lampes se balançaient comme prises de folie, et Bolitho pensa avec un sentiment de pitié à l'homme de barre complètement exposé sur le tillac ainsi qu'aux malheureux qui venaient de monter dans la mâture pour tenter de prendre un ris supplémentaire.

La porte s'ouvrit avec fracas sur Allday, un pot de café à la main. Il manqua partir à reculons, oscilla une seconde, puis dévala le plancher en direction de la table, se cognant la tête contre un barrot au moment où l'*Hekla* plongeait dans un creux. Comme par miracle, pas une goutte de ce café brûlant ne fut perdue, et Bolitho s'émerveilla de l'adresse du coq par une mer pareille.

Allday se frictionna le crâne et demanda :

– Vous ne dormez donc pas, monsieur ? Encore quatre heures et il fera jour.

Bolitho laissa le café lui affluer à l'estomac et s'en trouva bien aise. Il avait eu l'esprit trop occupé pour dormir tandis que la galiote s'élevait péniblement de la côte ; mais, à présent que le temps était compté, il se dit qu'il ferait bien de prendre un peu de repos. Calvert s'était roulé dans une couverture et avait pris l'une des deux chambres volantes, mais quant à savoir s'il sommeillait ou s'il ruminait la mort de Lelean, c'était chose impossible à dire. Bolitho aurait dû le laisser à Djafou, il le savait bien. De même qu'il savait que le jeune homme aurait perdu la raison s'il était resté seul avec ses idées noires.

– Je ne vais pas tarder à m'allonger, répondit-il à Allday.

Inch entra dans la cabine, son manteau goudronné tout luisant de sel. Il tituba jusqu'au pot de café, essuya sa face ruisselante et dit :

– Le vent a légèrement refusé, monsieur. Il est passé ouest-nord-ouest. Je virerai dans une heure – il marqua une hésitation, prenant subitement conscience de son autorité. Si cela vous agrée, monsieur.

Bolitho lui sourit.

– Vous êtes le maître à bord. Je suis certain que ce sera parfait pour ce que nous voulons faire. Au jour, nous apercevrons peut-être la *Sans-Repos* – il devait se faire violence pour cesser de peser ses espoirs et ses doutes. Mais pour l'instant, je vais dormir un peu.

Allday suivit Inch en direction de l'échelle de descente et marmonna :

– Seigneur, monsieur, moi qui croyais vouloir revenir à bord de petites unités !

– C'est que vous vous faites vieux, lui repartit Inch avec un grand sourire.

La mer battait le tillac et une cascade d'eau glacée s'engouffra par le capot pour leur tomber sur les épaules. Allday sacra et répondit :

– Parlant de ça, monsieur, j'aimerais bien me faire encore plus vieux avant de casser ma pipe !

– Bonjour, monsieur.

Inch porta la main à son chapeau comme Bolitho arrivait en haut de l'échelle et enjambait le surbau.

Bolitho lui répondit d'un hochement de tête et, sa torpeur déjà dissipée par l'air vif et humide, gagna la lisse du bord sous le vent. Le jour n'était encore qu'une lueur diffuse, mais maintenant que l'*Hekla* avait viré pour courir presque parallèlement à la côte, Bolitho estimait que l'on devait être à environ deux milles de terre. Le vent avait encore tourné et prenait maintenant le navire par la hanche bâbord. Des embruns sautaient de temps à autre par-dessus le robuste pavois pour s'échapper bruyamment par les dalots. Bolitho distinguait la côte, bien qu'elle ne fût guère qu'une ombre violette, et il était étrange de songer qu'en raison de la nécessité de s'en élever pour gagner l'avantage du vent Djafou gisait maintenant à moins de trente milles en avant de l'étrave mafflue de l'*Hekla*. Inch s'était bien débrouillé, et rien dans sa longue face chevaline ne trahissait qu'il était resté la plupart du temps sur le pont tandis que la galiote multipliait virements et bordées pour décrire le grand cercle qui allait l'amener à sa position présente.

Une épaisse brume suivait leur sillage, leur donnant la fausse impression qu'ils étaient immobiles, impression démentie par les embruns environnant le beaupré et par le bombement des voiles cachoutées.

Regardant vers l'avant, Bolitho vit au-dessus des crêtes une ligne d'argent terni et comprit que l'aube était proche, encore que l'horizon du côté de l'est fût encore noyé d'ombre et de vapeurs. Quelques mouettes planaient au-dessus des pommes de mât en poussant des cris aigus. Bolitho se demanda si d'autres yeux que les leurs avaient vu leur minutieuse approche. Minutieuse pour des raisons autres que l'effet de surprise. Alors qu'il contemplait la côte traîtresse, si proche par le travers, il entendit l'indication de l'homme de sonde, posté au bossoir, psalmodie presque couverte par les claquements de la toile.

– Et sept brasses !

Mais Inch parut ne pas tiquer. Au reste, il connaissait mieux que Bolitho son peu profond bateau.

Sur les ponts de la galiote, les ombres croissaient déjà en force et netteté, et Bolitho pouvait voir des matelots s'affairant autour des bouches à feu, cependant que d'autres s'activaient sans relâche sur le gaillard, où Mr. Broome, le vénérable chef canonnier du bord, vérifiait les mortiers.

Ces mortiers n'étaient pas les seuls arguments de l'*Hekla*. Outre quelques pierriers, le bâtiment comptait six grosses caronades. A elles toutes, ces pièces allaient sûrement, s'il en était un, trouver le talon d'Achille du robuste navire.

– … et cinq brasses !

Et Inch de lancer :

– Lofez d'un rhumb, monsieur Wilmot !

Son premier et unique lieutenant remonta le pont, jambes arquées, et, tandis que le timonier manœuvrait la barre, il rendit compte :

– Comme ça ! Nous gouvernons au sudet, monsieur !

– … et cinq brasses !

Inch lâcha à la cantonade :

– Bon sang, c'est comme la vie du matelot, par ici : rien que des hauts et des bas !

Bolitho grimaça en entendant le crissement d'une meule sur laquelle, en avant du mât de misaine, plusieurs gabiers repassaient leur sabre d'abordage. Le tillac paraissait surpeuplé ; cela tenait principalement à ce qu'en plus de son effectif normal l'*Hekla* avait accueilli les survivants de la *Dévastation* ainsi que ce qu'il restait de la compagnie de débarquement.

Inch passa une main sur son visage rougi par le vent.

– Cela ne devrait plus tarder, monsieur – il eut un geste en direction de la mâture. J'ai envoyé là-haut ma meilleure vigie pour repérer la *Sans-Repos*.

– Il doit normalement y avoir une anse où Messadi se réfugie, dit Bolitho. Une crique suffisamment grande pour abriter ses chébecs, et située à portée de plusieurs villages pour son ravitaillement – il regarda Inch d'un air interrogateur. J'espère que vous serez en mesure de faire donner vos mortiers sans avoir à mouiller ?

– A vos ordres, monsieur – le visage d'Inch se crispa. Ça, bien sûr, c'est quelque chose que nous n'avons jamais fait – il eut un petit rire, toute incertitude envolée. Mais nous n'avions jamais non plus bombardé une forteresse !

– Parfait. Une fois que nous aurons réveillé le nid, nous engagerons tout ce qui en sortira – Bolitho regarda le ciel. Lorsque nous serons au contact, la *Sans-Repos* devra nous apporter un prompt soutien.

Inch le considérait d'un air grave.

– Et si elle n'est pas disponible, monsieur ?

– Eh bien, elle ne le sera pas, fit Bolitho avec un haussement d'épaules.

Inch se remit à sourire de toutes ses dents.

– Cela va être comme de réveiller des guêpes avec un bout de bois !

Le sondeur annonça une nouvelle mesure. Inch s'éloigna, laissant Bolitho à ses réflexions.

Il regardait la côte gagner en netteté. C'étaient les mêmes collines mornes et nues qu'à Djafou. Le dessin en était irrégulier, sans la moindre rupture marquant une anse. Bolitho savait toutefois combien ces choses pouvaient être trompeuses. Il y avait bien longtemps, alors qu'il n'était encore qu'un enfant, il était parti de Falmouth en canot et avait été horrifié de constater qu'il ne pouvait étaler le courant de marée. Il aurait dû y avoir une crique abritée non loin de là, mais le jour déclinant ne lui montrait qu'une ligne ininterrompue de sinistres falaises. Alors qu'il avait presque perdu espoir et courage, il avait soudain repéré le havre en question, masqué par une avancée de rochers délimitant une aire d'eau calme. Après tant d'angoisse, il avait fondu en larmes.

Son père était en mer. C'était son frère Hugh qui était venu le chercher et lui avait frotté d'importance les oreilles.

Un soleil timide se mit à filtrer au-dessus des brumes dérivantes. C'est alors que la vigie se manifesta :

– J' crois bien que j' vois l'endroit, monsieur ! Par tribord avant, là où qu' ça brise !

Bolitho leva sa lunette et se mit à observer fiévreusement le rivage obscur. Il repéra bientôt une petite frange d'écume révélatrice : les brisants qui marquaient une incurvation dans le dessin de la côte. Il compara mentalement ce qu'il voyait avec la carte d'Inch, cet endroit qu'Alava avait décrit de sa voix paisible et douce.

Il entendit quelqu'un manquer de tomber dans la pénombre, puis présenter des excuses gênées, et il reconnut Calvert qui longeait à tâtons le pavois sous le vent. Il avait les traits tirés, des cernes sous les yeux.

Inch plaça ses mains en porte-voix.

– Ohé, là-haut ! Et pour ce qui est de la *Sans-Repos ?*

– Toujours rien, monsieur ! répondit la vigie.

Et Inch de commenter d'un ton d'irritation inhabituel chez lui :

– Il faut que le damné bougre se soit perdu !

Bolitho le regarda. Peut-être cette navigation à l'aveuglette le long d'une côte mal famée l'inquiétait-elle plus qu'il ne voulait bien le montrer ? A moins qu'il ne cherchât à cacher son vrai sentiment sur la mission qui lui avait été assignée ? Cela n'allait pas être une promenade de santé pour lui. Il était présentement en train de s'entretenir avec son maître canonnier et son premier lieutenant. Ou peut-être encore craignait-il d'être témoin de l'échec de Bolitho ?

Lentement mais sûrement, la pointe rocheuse approchait, son arête déjà éclairée par une aube ténue. Tout allait se jouer dans fort peu de temps.

Inch s'en revint à l'arrière.

– Avec votre permission, monsieur, je vais tirer une première décharge de mortier dès que nous aurons la pointe par le travers. Cela donnera à mes gens le temps de recharger pour tirer de nouveau lorsque nous rangerons l'ouvert de la crique. Mr. Broome est convaincu que nous allons semer pas mal de confusion, même si nos coups ne portent pas.

Bolitho eut un sourire : Inch avait assurément repris confiance, état d'âme contagieux.

– Fort bien ! A vous de jouer.

Et Inch, se retournant :

– Monsieur Wilmot, les hommes au poste de combat ! Vous savez la tâche qui nous attend aujourd'hui.

Cela faisait plusieurs heures que les servants des caronades étaient sur le pied de guerre et, hormis éteindre les feux de la cuisine, il n'y avait pas grand-chose à faire d'autre qu'attendre et contempler Mr. Broome et ses hommes regroupés comme des officiants autour de leurs deux mortiers.

– Voilà qui va sonner le réveil à ces faillis chiens, marmonna Allday. Le diable les emporte !

– … et trois brasses !

Le cap se détachait désormais avec netteté sur le ciel. Les rochers s'avançaient au milieu des crêtes mouvantes comme pour venir donner une chiquenaude au beaupré de la galiote.

Broome leva le bras en l'air.

– Restez à distance des mortiers, les gars !

Bolitho vit la lueur d'une étoupille, le mouvement d'épaule d'un des servants, et il retint son souffle.

Les deux coups partirent à quelques secondes l'un de l'autre. Bolitho fut étonné de constater que le départ était négligeable, comparé au formidable choc du recul. Il sentit sous ses pieds le pont se déformer et vibrer avec une telle violence que ses dents en grincèrent douloureusement et qu'il eut, du côté du cou, l'impression d'avoir été catapulté par un cheval sauvage.

Inch lui lança un regard oblique.

– Jolis coups, il me semble, monsieur.

Point trop sûr de sa voix, Bolitho se borna à hocher la tête avant de gagner le pavois à grands pas. Là-bas, une lueur sombre rougeoyait derrière l'arête du cap, suivie, quelques secondes plus tard, de deux explosions sourdes.

Il entendait Broome hurler à ses hommes de recharger, il entendait les hommes rassemblés sur le tillac échanger des commentaires passionnés. Quelle forme d'attaque étrange et déconcertante, se dit-il. Être ainsi capable d'envoyer des projectiles par-dessus un promontoire, sans être vu ni entravé par rien.

– Tenez votre cap, monsieur Wilmot ! le tança Inch – il courut sur le bord sous le vent et considéra la première ligne de brisants. Si nous approchons encore, nous serons contraints de virer de bord.

– Bouches à feu parées, monsieur ! mugit Broome.

– Attendez pour tirer, intervint Bolitho – une rangée d'écueils pommelés d'écume défilait sous le vent. Nous aurons rangé la pointe dans un court instant.

Il s'arracha à la contemplation des roches luisantes et se prit à imaginer ce qui se serait passé si le bâtiment qu'il avait sous les pieds avait eu un tirant d'eau plus important.

– Ça y est, nous l'avons parée, observa Inch – puis : J'aperçois comme un incendie, c'est donc que nos bombes sont tombées sur la terre ferme.

Bolitho faisait son possible pour stabiliser sa lunette en dépit du clapot levé par les courants tourbillonnants. Il faisait encore très sombre à l'intérieur de l'anse, et la lueur rougeoyante, qui perdait déjà de son intensité, semblait située à son extrémité. On pensait à un feu d'ajoncs au pied d'un coteau sec comme amadou.

– Maintenant !

Il ouvrit la bouche et constata avec soulagement que le choc de cette seconde bordée était moins douloureux pour ses dents. Il n'empêchait que le coup supporté par le pont faisait honneur aux charpentiers qui avaient construit l'*Hekla*.

Il y eut un éclair unique, aveuglant, qui s'épanouit en une longue muraille de feu. Réfléchie par les eaux calmes, la fournaise parut doubler et tripler en puissance et en taille. Dans les quelques secondes qui précédèrent l'affaiblissement de cette lueur intense, Bolitho put voir les silhouettes noires, ramassées, de plusieurs bâtiments immobiles, et il en éprouva un soulagement qui lui retourna presque l'estomac.

– Ils sont bien là, dit Allday qui ne tenait pas en place le long du pavois. Je parie qu'ils en ont eu la barbe roussie !

Mais Bolitho ne l'entendait pas.

– Ce n'est pas tombé loin, monsieur Inch. Passez sur l'autre amure et attendons de voir ce qui va suivre.

Il revint à l'arrière pour s'accoter à la lisse de couronnement, laissant ainsi le champ libre aux matelots courant aux bras et aux drisses afin de parer à virer. Jusqu'à présent, tout était pour le mieux. Il allait savoir dans les minutes suivantes s'il était en train de perdre son temps. Si les pirates prenaient le parti de demeurer au fond de leur mouillage, on ne pourrait que prolonger le bombardement. Les mortiers avaient frappé les esprits, mais, utilisés dans de telles conditions, ils ne pouvaient faire plus que créer une panique. Il leur fallait de l'assiette et un bon ancrage, associés à des observateurs à terre afin de régler le tir.

Bolitho se tenait fermement à la lisse cependant que, dans le claquement des poulies et le sifflement du gréement, l'*Hekla* faisait pivoter sa poupe dans le lit du vent, puis, par l'action conjuguée du gouvernail et de la voile d'artimon, venait au lof.

Son pont, qui paraissait fort large par rapport à sa longueur réduite, était encombré d'hommes empressés mettant la dernière main à la manœuvre. La galiote serrait maintenant le vent bâbord amures, son arrière une nouvelle fois orienté vers la terre.

Bolitho se disait que ce navire était décidément difficile à mener ; et pour la première fois, aussi loin que remontât son souvenir, il sentit un début de nausée lui serrer l'estomac.

Mais Inch, lui, affichait un grand sourire et agitait les bras, cependant que sa voix était couverte par le vacarme de la mer et du vent. L'*Hekla* était pour lui bien autre chose qu'un commandement. C'était comme un nouveau jouet, et qui avait encore des secrets susceptibles de l'exalter.

Il fallut encore une demi-heure pour achever l'évolution et présenter derechef le bâtiment dans sa position de départ, pointe rocheuse alignée sur le bossoir sous le vent. A présent qu'il faisait bien jour, une seconde chaîne de collines était visible, ainsi que de temps à autre un petit croissant de sable jaune et beaucoup plus d'écueils que Bolitho ne l'avait d'abord pensé.

– Le vent mollit, monsieur, dit Inch en se passant pensivement la main sur la barbe de son menton. Cela pourrait bien être finalement une chaude journée.

Cependant, brumes et embruns se conjuguaient pour masquer l'horizon et, bien que le soleil fût levé, nulle chaleur ne venait adoucir le froid de leurs vêtements trempés. Bolitho tourna le dos à ses compagnons. Inch était probablement inquiet à l'idée de côtoyer de si près la terre alors que la brise était en train de tomber. Et Bolitho voyait bien, à la façon dont ils marmonnaient et ne tenaient pas en place, que les matelots n'étaient eux non plus pas tranquilles.

Il n'était pas juste de maintenir Inch dans une position aussi dangereuse, mais Bolitho tenait à rester encore quelque temps dans ces parages. Les commentaires de Giffard ne cessaient de le hanter comme une espèce d'épitaphe. Peut-être en définitive aurait-il dû envoyer les fusiliers par voie de terre, sans se soucier des pertes éventuelles. Mais pourquoi toujours cultiver le doute ? Non, il avait vu juste, il ne pouvait en être autrement. Même si tous les fantassins disponibles avaient atteint le havre des pirates, rien n'eût empêché les chébecs d'appareiller en se riant de leurs malheureux mousquets.

Il se retourna lorsque Calvert lança :

– Écoutez ! – le jeune homme baissa les yeux sous les regards sur lui braqués, mais il ajouta d'une voix rapide : Je suis certain d'avoir entendu quelque chose.

C'étaient pour ainsi dire ses premières paroles depuis qu'il se trouvait à bord.

Puis Bolitho entendit à son tour et éprouva derechef ce sentiment glacé qui l'avait étreint à bord du *Navarra*. Le battement sonore et régulier des tambours. Il se représenta sans peine ces fins chébecs avec leurs solides bancs de rameurs, et cette grâce barbare avec laquelle ils fondaient sur l'ennemi.

Voyant le regard angoissé que lui adressait Inch, il jeta d'un ton sans réplique :

– Tenez-vous prêts ! Ils font une sortie !

Un frisson d'excitation parcourut le tillac. Les chefs de batterie arrachèrent leurs hommes aux pavois et, à coups d'imprécation et de menace, firent retomber la tension du moment.

– Nous les tenons, monsieur, murmura Inch. Ils ne peuvent pas nous retirer l'avantage du vent.

La main posée sur la poignée de son épée, Bolitho marcha jusqu'à lui.

– Ils n'en ont pas besoin. Ils transportent leur propre moteur.

Une douzaine d'exclamations surexcitées saluèrent l'apparition du premier chébec. Les tambours devinrent plus forts et plus menaçants à mesure que les grands navires débouquaient d'entre les écueils et chevauchaient le clapot où leurs étraves élancées levaient un sillon d'écume.

– Il y en a beaucoup plus que la dernière fois, monsieur, observa Allday d'une voix égale – il se passa la langue sur les lèvres. Vingt, peut-être vingt-deux.

Bolitho, le visage changé en masque de cire afin de dissimuler une inquiétude croissante, observait attentivement les Barbaresques.

Ceux-ci, dès qu'ils eurent paré les rochers, s'écartèrent en un immense éventail, de sorte que toute l'étendue d'eau s'emplit d'avirons miroitants et de vagues d'étrave entrecroisées.

Un silence de mort régnait maintenant sur les ponts de l'*Hekla*. Les canonniers, figés comme des statues, regardaient l'approche des Barbaresques. Il s'agissait d'une véritable flotte ; aucun d'entre eux n'en avait jamais vu de semblable, ni, en cas de défaite, ne vivrait suffisamment longtemps pour en faire la description.

Bolitho s'avança à grands pas jusqu'à la lisse de dunette. La tension de l'attente avait fait place à une angoisse soudaine. Il vit tous les visages se tourner vers lui lorsqu'il commença d'une voix forte :

– Gardez à l'esprit que, de même qu'un tel spectacle ne s'était jamais présenté à vous, ces gens n'ont jamais vu de navire qui ressemblât à votre *Hekla*. Je doute qu'ils aient jamais essuyé un feu de caronades. Que chacun gagne son poste et se tienne prêt – il en vit certains s'entre-regarder et ajouta rudement : Que chaque chef de pièce choisisse sa cible. Tirez comme vous ne l'avez jamais fait, mes gaillards ! – son regard erra sur les hommes qui armaient les pierriers et sur ceux qui se tenaient accroupis derrière les pavois. Continuez de faire feu quoi qu'il advienne. S'ils nous abordent, nous serons submergés – ses lèvres dessinèrent un sourire. Je veux que chaque boulet atteigne sa cible !

Il entendit un frottement métallique : Inch dégainait son sabre et l'assurait à son poignet à l'aide d'un cordon doré.

– Un cadeau… s'excusa presque Inch.

L'écho d'une sourde détonation leur arriva, répercuté par le rivage, un boulet passa en gémissant au-dessus du pont.

– Attendez mon ordre pour ouvrir le feu ! hurla Bolitho, voyant un pointeur s'écarter de sa pièce.

Il sentit le pont frémir sous ses pieds ; le canon de chasse d'un chébec crachait un torrent de fumée et son boulet frappa l'*Hekla* au niveau de la ligne de flottaison. L'ennemi s'était encore déployé, en sorte que la galiote se trouvait presque encerclée ; la formation évoquait le croissant que certains arboraient au-dessus de leurs voiles ferlées.

Bolitho, les oreilles pleines du battement accéléré des tambours, regardait s'amenuiser peu à peu la distance de tir. Les longues rames propulsaient les chébecs vers le lent *Hekla* comme un escadron de cavalerie charge un carré de fantassins.

Il tira son épée, la leva au-dessus de sa tête.

– Attention…

Autour de lui, on était en nage malgré le vent frisquet : peut-être l'impression que les chébecs allaient aborder le bateau de plein fouet…

Sa lame, lorsqu'il l'abaissa, accrocha un rayon de soleil.

– Feu à volonté !

Sous le pavois, la plus proche caronade fit entendre un bruit de tonnerre, projetant son affût en arrière, cependant que les servants, armés de leurs écouvillons et refouloirs, convergeaient vers la pièce. Le boulet de soixante-huit livres éclata avec un éclair orange aveuglant sur le banc de nage du chébec le plus proche. La charge de mitraille se dispersa dans toutes les directions. Le grand bâtiment fit une embardée et s'en fut éperonner le chébec voisin. Une seconde caronade vomit feu et fumée, puis, sur l'autre bord, une troisième, dont le boulet frappa de plein fouet la proue d'un navire ennemi venu ranger de trop près l'étrave de l'*Hekla*. Silhouettes hurlantes, misaine criblée de biscaïens, canon de chasse, tout l'avant du chébec disparut dans un nuage d'âcre fumée brune. Lorsqu'elle se dissipa, Bolitho vit que le bateau pirate se couchait déjà et que la mer, qui se ruait en bouillonnant autour des rames fracassées, achevait la mise à mort.

A l'avant comme à l'arrière, les pierriers projetaient leur mitraille au milieu des hommes en blanc qui, toujours massés sur les passavants, agitaient leurs cimeterres et ajoutaient au formidable vacarme du combat les détonations de leurs mousquets.

La coque de la galiote frémit de nouveau et Bolitho vit un boulet fracasser le pavois, éparpillant plusieurs matelots et laissant sur son passage un sillage de chair et de sang.

Un chébec vint percuter le couronnement, son homme de barre soit mort soit trop affolé par le fracas des canons pour doser correctement son approche. Tandis que le navire barbaresque tossait contre la poupe de l'*Hekla*, les pierriers prirent son pont en enfilade. Puis, alors qu'il se dégageait, les caronades bâbord le crevèrent de deux boulets. Il se brisa et commença de sombrer.

Mais deux autres chébecs se présentaient déjà le long du bord et, tandis que les Anglais se précipitaient pour repousser l'abordage, les premiers Barbaresques se jetèrent dans les filets qu'Inch avait fait gréer avant l'aube.

Bolitho plaça ses mains en porte-voix :

– Maintenant, les gars !

Et monta de l'entrepont le reste des hommes en supplément, beaucoup d'entre eux venant de son propre équipage et ayant déjà bravé la mort lors du combat de Djafou.

Hurlant, vociférant, ils coururent estoquer les abordeurs à coups de sabre et de pique. Ceux-ci, empêtrés dans les lâches filets, se firent embrocher par l'acier aigu avant même d'avoir pu se dégager.

De la proue mangée de fumées, une clameur inquiète parvint aux oreilles de Bolitho : quelques-uns au moins des attaquants avaient réussi à franchir les filets.

– Demeurez ici ! hurla-t-il à Inch – puis, s'adressant à Allday : Suivez-moi ! Il faut maintenir ces caronades en fonction, sinon nous sommes perdus !

Des balles passaient en sifflant au-dessus des têtes, frappaient le cabestan en projetant des gerbes d'étincelles. D'autres encore crépitaient sur les préceintes, quoique les Barbaresques, utilisant leurs longs fusils à travers l'épaisse fumée, dussent faire autant de dégâts parmi les leurs que chez ceux de l'*Hekla*.

Bolitho vit plusieurs hommes s'abattre autour de la première caronade, il entendit leurs cris comme les premiers assaillants se profilaient hors de la fumée, se taillant furieusement un passage à coups de cimeterre et d'estramaçon.

Un pierrier aboya sur le gaillard d'avant et plusieurs d'entre eux tombèrent, mais d'autres s'engouffraient par une grande trouée ouverte dans les filets et, sitôt sur le pont, croisaient le fer avec les matelots.

Bolitho attrapa un chef de pièce par l'épaule pour lui hurler au visage :

– Voyez si vous pouvez lui envoyer une décharge !

L'homme eut un hochement de tête éberlué avant de se retourner pour rallier ses hommes.

Allday pivota brusquement pour abattre un ennemi qui avait réussi à se frayer un chemin jusqu'aux bossoirs, où se trouvaient les hommes du lieutenant Wilmot. Le pirate se mit à ramper sur le pont et poussa un cri horrible quand un gabier lui enfonça sa pique entre les côtes.

Levant son épée, Bolitho fit signe à un autre groupe de matelots qui se trouvaient au pied du grand mât. Il sentit sur sa joue le vent d'une balle de pistolet et se retourna juste à temps pour voir s'écrouler Wilmot, du sang lui sortant à flots de la bouche alors que quelques secondes plus tôt il emmenait ses hommes au combat.

Bolitho aperçut Inch en train de hurler à une partie de ses hommes de prendre des avirons pour déborder un chébec en flammes dérivant dangereusement près du bord. Il entendit d'atroces hurlements à travers le bruit de la fournaise et comprit que les nageurs devaient être des esclaves ; enchaînés à leurs bancs, les malheureux allaient connaître la fin la plus terrible.

Un homme tomba de la mâture, le visage fracassé par une balle de mousquet, un autre se tordait de douleur à côté d'une caronade, le pied écrasé par les échantignolles de l'affût au moment du recul.

Bolitho vit le chef de pièce, dents d'un blanc étincelant sur sa face noircie, lui adresser des signes, qu'il déchiffra : l'homme avait réussi à tirer une boîte à mitraille dans le chébec en dessous de la brèche des filets d'abordage.

Une silhouette barbue esquiva un coup de pique, puis marcha sur lui en s'ouvrant un chemin à grands moulinets de sa lourde épée. Bolitho para le coup avec sa lame. Le choc lui engourdit le bras et il en demeura un instant stupide. Par bonheur, l'homme eut le crâne fracassé d'un coup de cabillot assené par Broome, le chef canonnier.

Inch apparut soudain devant Bolitho.

– Ils ont leur compte ! s'écria-t-il – il agitait son chapeau en l'air et faisait presque des cabrioles tant il était excité. Nous en avons coulé plus de la moitié et les autres sont désemparés !

Comme la fumée se dispersait au-dessus des servants en nage, Bolitho constata que les eaux étaient couvertes de navires à l'état d'épave ou fortement endommagés, cependant que çà et là un chébec encore manœuvrant faisait force de rames en direction du rivage. Il s'écoulerait du temps avant que le nom de Messadi revînt semer la terreur sur ces côtes, se dit-il, hébété.

– Par Dieu, monsieur ! rugit Broome. En voilà un qui nous passe sous le nez !

Bolitho aperçut, tout près, la flamme à deux pointes, et il sut, d'instinct, que c'était là le chébec du chef de la flotte barbaresque. Messadi en personne cherchait à se soustraire aux foudres de l'*Hekla* en retournant s'abriter dans la crique. Bolitho suivit Inch à l'arrière, où les hommes de barre se tenaient debout au-dessus de deux de leurs camarades morts. Il brandit son épée et sa voix s'éleva dans le grand silence qui faisait suite au combat :

– Une guinée pour le chef de pièce qui l'envoie par le fond !

Les hommes se rendaient bien compte qu'ils avaient vaincu un ennemi terrifiant et supérieur en nombre, et cela fit merveille. Les uns poussant des vivats, les autres sanglotant d'épuisement, ils coururent à leurs affûts, cependant que pierriers et même mousquets prenaient pour cible le rapide chébec.

Bolitho vit une énorme caronade tendre violemment ses bragues tandis que son projectile allait exploser sous l'étrave élancée du barbaresque. Un second boulet alla frapper sa poupe ouvragée, massacrant les hommes qui s'y trouvaient massés.

Ce fut un concert d'acclamations. Bolitho, accroché aux haubans, cherchait à voir à travers les volutes de fumée. Les deux mâts du navire ennemi commençaient de s'incliner.

Il entendit Inch l'appeler et, comme il se retournait pour écouter, il sentit comme un coup sur son épaule droite. Ce n'était pas grand-chose et pourtant voici qu'il ne tenait plus debout. Tombé sur ses genoux, il considéra avec hébétude le sang qui coulait sur sa culotte blanche et rougissait le pont autour de lui. Mais quelque chose d'autre se produisait. Il était maintenant couché sur le flanc. L'immense grand-voile était très haut au-dessus de lui et, par-delà, il y avait un nuage blanc en forme de coin.

Des voix s'élevaient et il vit Inch courir à lui, le visage figé par la consternation.

Bolitho ouvrit la bouche pour prononcer une parole rassurante. C'est alors qu'arriva la douleur. Si forte et si terrible que de miséricordieuses ténèbres l'engloutirent. Puis il n'y eut plus rien.

XVI

UNE AFFAIRE D'HONNEUR

Lentement, avec comme de l'appréhension, Bolitho ouvrit les yeux. Il lui sembla que sa vision mettait une éternité à accommoder, et il sentit son esprit se piéter contre la terrible douleur qui allait sûrement survenir. La sueur lui ruisselait sur le visage et dans le cou telle une eau glacée. Pourtant, alors qu'il attendait le retour de son supplice, il ne recensait en définitive aucune sensation nouvelle. Il essaya de bouger et tendit l'oreille au bruit de la mer ou au craquement des bordés, mais il ne perçut rien de semblable. Sa perplexité se mua en quelque chose qui confinait à la panique. Un silence absolu l'environnait et le jour était si ténu qu'il aurait aussi bien pu se trouver dans un tombeau.

Luttant pour se soulever, il eut l'épaule traversée par un trait de feu, une douleur si effroyable qu'il crut bien que son cœur allait céder. Grinçant des dents, paupières serrées pour lutter contre la souffrance, il se sentit retomber dans le cauchemar. Combien de temps cela avait-il duré ? Des heures, plusieurs jours, ou bien une éternité depuis que… Il rassembla le peu de volonté qu'il lui restait afin de tâcher de se souvenir, afin d'empêcher son esprit de céder aux instances de son corps.

Au centre de ses réminiscences floues, il y avait des silhouettes et des voix, des visages penchés sur lui, les oscillations vagues d'un navire. Certains épisodes, quoique fort brefs, ressortaient avec plus de force malgré qu'ils n'eussent ni ordre ni apparemment le moindre rapport avec sa situation présente. Inch lui glissant un coussin sous la tête. La face angoissée d'Allday se penchant à maintes reprises au-dessus de lui. Il s'entendait parler et cherchait à suivre ce qu'il disait, comme s'il était déjà complètement détaché, l'esprit n'écoutant que par simple curiosité, des hauteurs où il planait, sa voix rauque et exténuée.

Il y avait aussi eu d'autres visages, inconnus et en même temps étrangement familiers. De l'un d'eux il se souvenait plus particulièrement : il était juvénile et grave, calme et attristé. La parole lui avait manqué et lui était revenue à plusieurs reprises. Une fois qu'il s'entendait gémir dans l'oppressante pénombre, le jeune homme lui avait dit d'une voix égale :

– Angus, monsieur. Le chirurgien de la *Coquette*.

Bolitho se crispa. La sueur qui l'inondait était comme un prolongement de sa terreur croissante. Le visage en question et le souvenir bien net de ces quelques mots lui remirent en mémoire une part de ce qui était arrivé, dont le choc de la blessure.

Il avait protesté. Son esprit chancelant avait lutté contre la souffrance et l'inconscience afin de faire entendre une chose au chirurgien : il ne devait pas le toucher.

Il tenta de faire bouger son épaule à la recherche d'une sensation dans son bras et ses doigts. Rien.

Il se laissa une nouvelle fois retomber, inerte, oublieux de la douleur lancinante, habité seulement d'un désespoir abyssal qui occultait tout le reste. Comme si cela venait des tréfonds de son âme, il s'entendit crier :

– Cheney ! Oh, Cheney, viens à mon secours ! Ils m'ont amputé le bras !

Aussitôt, il y eut un bruit de chaise raclant la pierre et un bruit de pas pressés venant vers lui. Il entendit quelqu'un lancer :

– Il est en train de sortir du coma ! Faites circuler la nouvelle !

On lui passa sur le front un linge humide et, rouvrant les yeux, il vit Allday qui le regardait tout en lui soutenant la tête de ses mains calleuses afin qu'une tierce personne pût éponger sa transpiration.

Il se souvenait maintenant de ces mains-là. Elles l'avaient tenu, lui comprimant la tête comme pour en interdire l'accès à cette autre pression, celle du scalpel d'Angus.

De très loin, il entendit demander :

– Comment ça va, monsieur ?

Bolitho leva les yeux vers Allday, si étonné d'y voir des larmes qu'il en oublia pour un temps sa propre souffrance.

– Ne vous en faites pas, Allday. Remettez-vous.

D'autres visages se balançaient au-dessus de lui et il vit Angus les écarter tout en rabattant le drap de sa poitrine. Il sentit que le chirurgien le palpait. La douleur revint d'un coup, lui arrachant un hoquet de surprise.

– Mon bras, parvint-il à articuler. Dites-moi la vérité.

Angus le considéra d'un air égal.

– Croyez-moi, monsieur, il est toujours à sa place – il ne souriait aucunement. Toutefois, nous n'en sommes qu'au début. Il convient de rester vigilant.

Il sortit du champ de vision de Bolitho et lança :

– Allez me chercher de quoi lui refaire son pansement. Il faut également qu'il s'alimente. Peut-être du bouillon et aussi un peu de brandevin.

Bolitho chercha Allday des yeux.

– Où suis-je ?

– Dans la forteresse, monsieur. L'*Hekla* vous y a ramené il y a deux jours de ça.

– Deux jours ? Mais avant cela ?

– Il a fallu deux jours à l'*Hekla* pour arriver ici. Le vent était contraire – Allday semblait à bout. J'ai bien cru que nous n'en finirions jamais.

Cela faisait donc quatre jours au total. Assez longtemps pour que la blessure s'infectât. Pourquoi ne pas regarder la vérité en face, à l'instar d'Angus ? Dieu sait qu'il avait souvent vu la chose arriver à d'autres.

– Dites-moi, fit-il calmement, et ne me racontez pas de bobards, est-ce qu'on va m'amputer ?

De nouveau, il voyait du désarroi dans les yeux d'Allday.

– Non, monsieur. J'en suis certain – Allday chercha à sourire, mais l'effort ne fit qu'ajouter à son air chagrin. Le plus dur est derrière nous. Aussi ne revenons pas là-dessus.

– Assez parlé pour aujourd'hui, intervint Angus dont le visage flottait de nouveau au-dessus de lui. Vous allez vous reposer en attendant qu'on refasse votre pansement. Ensuite, je tiens à ce que vous mangiez – il présenta quelque chose à la lumière, de couleur terne et à demi aplati par la force de l'impact. Certains de ces mousquets arabes sont très précis. Ce biscaïen vous aurait tué à coup sûr si vous ne vous étiez tourné à l'instant où il allait vous atteindre – il eut un sourire sans joie. Il nous faut donc, au moins pour cela, remercier la Providence – il y eut un bruit de porte et Angus ajouta : Il faut dire aussi que vous avez une excellente infirmière – petit salut. Par ici, madame Pareja. Le commandant sera prêt dans un moment.

Bolitho la regarda venir se ranger au bord du lit. Après tout, peut-être était-il toujours en train de flotter dans les limbes, peut-être même était-il mort.

Elle le regardait gravement, sans sourire. Son visage très pâle tranchait sur ses longs cheveux de jais. Elle était d'une grande beauté. On avait peine à se la représenter à bord du *Navarra* berçant son défunt mari contre sa robe souillée de sang, frémissante de colère et blême de désespoir.

– Vous avez l'air bien mieux, dit-elle.

– Merci pour tout ce que vous avez fait.

Se sentant subitement impuissant et désemparé sous ce calme regard, il ne put poursuivre. Elle lui sourit, dénudant ses dents saines et blanches.

– Je sais à présent que vous reprenez le dessus. Vos propos ont été, ces deux derniers jours, une véritable gageure.

Elle souriait toujours tandis qu'Angus découpait précautionneusement le pansement pour le remplacer par de la charpie propre.

Bolitho l'examinait sans rien dire. Elle avait passé son temps auprès de lui, le regardant lutter contre la douleur, lui prodiguant ses soins en ces heures où il était inconscient. Il pensa soudain à sa nudité sous le drap, à ses cheveux poissés de sueur, et il en conçut de la honte.

– Il semble que vous ayez la vie dure, observa-t-elle d'une voix égale.

Tandis qu'Angus ramassait sa cuvette de linges souillés, elle regarda Allday et lui dit :

– Allez vous reposer !

Comme il paraissait hésiter, elle ajouta sur un ton plus vif :

– Ouste ! fichez-moi le camp ! Vous avez veillé sans désemparer depuis votre retour, et même, à ce qu'on m'a dit, depuis que notre patient a été blessé.

Bolitho bougea le bras gauche et dit d'une voix rauque :

– Ma main !

Allday souleva le drap et lui saisit les doigts. La poitrine en nage, Bolitho mit ses forces défaillantes à lui serrer la main.

– Faites ce que Mrs. Pareja vous demande, Allday – il s'efforçait de ne pas le regarder en face. Je serai plus tranquille, sachant que vous serez en pleine forme lorsque j'aurai besoin de vous – il se força à sourire. Les vrais amis ne courent pas les rues !

Allday s'en fut et l'on entendit la porte se refermer.

– Il est parti.

Lorsqu'il reporta son regard sur elle, Bolitho vit que des larmes brillaient dans ses yeux. Elle secoua la tête d'un air courroucé.

– Le diable vous emporte, commandant ! Ce qu'on dit est vrai : vous ensorcelez tous ceux qui vous approchent ! Ce doit être votre côté cornouaillais !

– Je crois bien que la sorcellerie, comme vous dites, est le fait de certaines autres personnes, madame Pareja.

Elle s'assit sur le bord du lit.

– Je m'appelle Catherine – elle souriait et, le temps d'un instant, Bolitho discerna chez elle un peu de la hardiesse qu'il avait notée à bord du *Navarra*. Mais vous pouvez m'appeler Kate. C'est ainsi que l'on m'appelait avant que j'épouse Luis.

Elle lui souleva la tête afin d'arranger ses oreillers, puis elle prit le bol de potage que l'on avait apporté, et y trempa une cuiller.

– Je suis désolé de ce qui est arrivé à votre mari.

Elle approcha de lui la première cuillerée d'une main qui ne tremblait pas, et Bolitho déglutit la soupe épaisse.

– Vous avez prononcé plusieurs fois le nom de Cheney. C'est celui de votre femme ?

– Elle n'est plus, dit-il en la regardant.

– Je sais. C'est un de vos officiers qui me l'a dit – elle lui tamponna les lèvres avec une serviette propre avant d'ajouter : Vous avez beaucoup discouru, même si une bonne part de vos propos n'était pas intelligible. Par instants, il était question de votre maison, de certains portraits accrochés au mur – elle le regarda d'un air grave. Mais ce n'est pas le moment de parler de cela. Vous êtes très faible, il faut vous reposer.

Bolitho agita le bras avec effort.

– Non. Je ne veux pas rester seul – et d'ajouter, presque suppliant : Parlez-moi de vous.

Elle se mit à sourire comme par l'effet d'une réminiscence lointaine.

– J'habitais Londres. Vous connaissez ?

Il secoua imperceptiblement la tête.

– J'y suis passé.

Il eut la surprise de la voir se renverser en arrière pour éclater de rire. Un rire de gorge, spontané et sans façon, comme s'il avait dit quelque chose d'hilarant.

– Je vois à votre tête, mon cher, que vous n'aimez pas Londres. Mais je suppose que votre Londres n'était pas le même que celui que j'ai connu : le mien, c'est celui où les dames dansaient le quadrille et dissimulaient leurs émois derrière leur éventail, cependant que les jeunes messieurs prenaient des poses avantageuses pour attirer leur attention – elle agita la tête et ses cheveux tombèrent sur sa gorge. C'est une façon de vivre à laquelle je me suis efforcée de me conformer. Mais il semble aujourd'hui que mes efforts furent dépensés en pure perte – une ombre de mélancolie passa dans son regard, puis elle dit d'un ton pincé : La vie peut être bien cruelle.

Elle se leva, déposa le bol sur une table. Bolitho nota qu'elle portait une robe qu'il ne lui avait jamais vue, de soie jaune, décolletée et joliment brodée à la taille.

– Une des dames espagnoles qui sont ici me l'a donnée, dit-elle, notant son intérêt.

– Est-ce à Londres que vous avez fait la connaissance de votre mari ? interrogea-t-il.

Il ne voulait pas remuer de douloureux souvenirs, mais il devait en avoir le cœur net.

– Le premier – elle vit sa perplexité et fit de nouveau entendre son rire pétillant. Eh oui, j'ai enterré deux maris, si vous me passez l'expression – elle s'approcha pour lui poser une main sur l'épaule. N'ayez pas l'air si catastrophé. C'est de l'histoire ancienne. Le premier était une personnalité impétueuse. Ensemble, nous allions embraser le monde. Il était soldat de fortune. Mercenaire, si vous préférez. Après notre mariage, il m'emmena en Espagne afin d'y combattre les Français. Mais la plupart des combats qu'il mena eurent lieu au cabaret, pour les beaux yeux de quelque belle. Sans doute finit-il par tomber sur plus fort que lui : un jour, on le retrouva mort dans un fossé au pied des remparts de Séville. C'est dans cette ville que je fis la connaissance de Luis. Il avait deux fois mon âge, mais semblait avoir besoin de moi – elle eut un soupir. Il venait de perdre sa femme et se raccrochait à son travail pour ne pas sombrer.

D'un ton plus égal, elle conclut :

– Je crois qu'il a été heureux.

– De cela, je suis bien certain.

– Merci, commandant – elle détourna le visage. Vous n'étiez pas obligé de dire cela.

On entendit la porte s'ouvrir. Il s'agissait cette fois de Gillmore. Il salua Mrs. Pareja en inclinant poliment la tête, puis s'approcha du lit.

– Je suis sincèrement content de savoir que vous allez mieux, monsieur.

Bolitho nota son visage fatigué et se dit que, du fait de son absence, le commandant de la *Coquette* avait dû avoir plus que sa part de soucis.

– Les guetteurs viennent d'apercevoir l'escadre qui s'en revient, monsieur – Gillmore laissa échapper un long soupir. Ce n'est pas trop tôt.

– Que me cachez-vous ? interrogea Bolitho avec un début d'appréhension. Il y a un problème ?

– L'*Euryale* est en remorque, monsieur. Il paraît avoir perdu son beaupré et son mât de perroquet de misaine. J'ai envoyé Mr. Bickford à bord d'un cotre au-devant de l'amiral.

– Je me lève ! – Bolitho voulut rejeter son drap. Conduisez-moi à mon bâtiment, pour l'amour du ciel !

Gillmore fit un pas de côté pour permettre à Mrs. Pareja de l'obliger à se rallonger.

– Je suis navré, monsieur, mais nous ne sommes pas de cet avis.

– *Nous* ne sommes pas de cet avis ? fit Bolitho en serrant les dents, tant il avait mal.

Gillmore avala sa salive mais ne baissa pas pavillon.

– Le commandant Inch et moi, monsieur. Il serait stupide que vous mouriez alors que le pire est derrière vous.

– Depuis quand êtes-vous habilité à me donner des ordres, capitaine Gillmore ?

Son état de faiblesse, la pensée subite qu'il s'était soucié plus de ses souffrances que de ses responsabilités professionnelles l'emplissaient d'une colère irraisonnée.

Mrs. Pareja intervint avant que Gillmore eût pu répondre :

– Écoutez, tout ceci est parfaitement puéril ! Remettez-vous ou bien j'appelle Mr. Angus !

– Je suis navré, monsieur, dit Gillmore. Mais je pense que nous aurons besoin de vous très bientôt, et en bonne santé.

– Non, non, fit Bolitho en fermant les paupières. C'est à moi de vous présenter des excuses. Et à tous les deux – puis il demanda : Est-ce que la *Sans-Repos* se trouve avec l'escadre ?

L'officier marqua une hésitation.

– Non, monsieur. Mais peut-être est-elle encore trop loin pour que les hommes de Giffard puissent l'apercevoir.

– Oui, c'est possible.

Bolitho se sentit glisser de nouveau dans l'inconscience. La douleur revenait en force. Il lui était difficile de se concentrer sur les propos de Gillmore, et plus encore de mettre un semblant d'ordre dans ses propres pensées.

– Je vous laisse, monsieur, disait Gillmore. Dès qu'il y aura du nouveau, je ne manquerai pas de vous en informer.

Et il quitta la pièce sans laisser à Bolitho le temps de protester. Mrs. Pareja revint s'asseoir sur le bord du lit et Bolitho sentit la fraîcheur d'un linge dont elle lui essuyait le front.

– Bon officier que ce Gillmore, dit-il. Lorsque j'avais son âge, j'ai commandé un bâtiment comparable à la *Coquette*. Dans le Pacifique. C'était un autre monde – se souvenir commençait à lui donner du mal. Des lézards de trois pieds de long, des tortues suffisamment grosses pour porter un homme. Des endroits qui n'avaient pas été gâtés par la civilisation…

– Reposez-vous, commandant.

La voix de Mrs. Pareja s'estompa ; Bolitho sombrait dans un profond sommeil.

Il s'éveilla quelques heures plus tard, glacé jusqu'aux os et agité de violents tremblements. Bien que tous les volets fussent fermés, il savait qu'il faisait nuit. Comme il bougeait la tête d'un côté puis de l'autre, il entendit Allday dire :

– Il est réveillé, madame !

Une petite lampe apparut au coin d'un paravent et Bolitho vit leurs deux silhouettes. Tous deux le regardaient.

– Seigneur ! Je vais de ce pas quérir Mr. Angus, souffla Allday.

– Attendez – elle se pencha, et Bolitho sentit ses cheveux lui effleurer le visage. Non, attendons un peu avant d'aller le chercher. Vous savez comment sont ces chirurgiens. Ils ne connaissent que la scie et le scalpel – elle cracha le mot : De vrais bouchers.

– Mais enfin regardez-le ! fit Allday, aux cent coups. On ne peut pas le laisser comme ça !

Bolitho était incapable de proférer un son. Il était immensément faible. Pourtant et pour la première fois, il sentait sa main droite. Son bras était trop douloureux et ankylosé pour bouger, mais il n'était plus insensibilisé. L'émotion subite que lui valut cette découverte ne fit qu'ajouter à sa fièvre. Il ne parvenait pas à retenir ses dents de claquer.

– Passez à côté, Allday, dit Mrs. Pareja d'un ton sans réplique. Non, n'ayez crainte. Je sais ce qu'il faut faire dans ces cas-là.

La porte s'ouvrit, se referma, et Bolitho se figura confusément Allday couché comme un chien de l'autre côté du battant. Puis il entendit un bruissement de soie et, avant que la lampe disparût derrière le paravent, il vit le corps d'albâtre de la jeune femme se détacher sur les ombres du mur, sa chevelure lâchée sur ses épaules nues. Le drap fut rabattu et, sans presque de bruit, elle se coula à côté de lui, lui nicha la tête au creux de son bras, et il sentit son sein et sa cuisse pressés contre lui. Au fil des heures, entre des plages de profond sommeil et de rêves décousus, il l'entendit qui lui parlait tout bas comme une mère à son enfant malade, et le rassurait plus par le son de sa voix que par le sens même de ce qu'elle disait. La chaleur de son corps était un manteau enveloppant qui chassait la froidure et apportait la sérénité à son esprit tourmenté.

Quand il rouvrit les paupières, des rais de lumière oblique passaient par les lames des persiennes. Il crut un instant que tout le reste n'avait été qu'un rêve de plus. Il vit Allday qui sommeillait, affalé sur une chaise, puis il avisa du coin de l'œil l'éclat chatoyant d'un pan de soie jaune : c'était elle, assise du côté de la fenêtre dans un fauteuil à haut dossier. Elle se leva et s'approcha.

– Vous semblez bien mieux, murmura-t-elle – elle le gratifia d'un petit sourire secret et il sut que cela n'avait pas été un songe. Comment vous sentez-vous ?

Il sentit ses lèvres grimacer un sourire.

– Affamé, dit-il.

– Un miracle ! s'écria Allday en bondissant sur ses pieds.

Il y eut un bruit de pas dans le couloir de l'autre côté de la porte, et Keverne entra dans la pièce, suivi de Calvert. Le visage sombre de Keverne se détendit un peu quand il vit que Bolitho souriait.

– Je suis venu dès que cela m'a été possible, monsieur.

Bolitho se haussa sur un coude.

– Que s'est-il passé ?

Le lieutenant haussa les épaules d'un air las.

– Nous avons aperçu deux soixante-quatorze français et leur avons donné la chasse. La nuit est tombée, mais Sir Lucius nous a intimé l'ordre de ne pas les lâcher, en formation serrée, qui plus est.

Keverne était visiblement très amer. Bolitho se représentait la nuit que cela avait dû être. Les navires faisant force de voiles tout en tenant leur position. Le vent, le bruit et le souci de ne pas perdre de vue les feux de poupe des autres bâtiments.

– Poursuivez, je vous écoute.

– Au petit jour, l'ennemi était toujours en vue. L'amiral a ordonné au *Zeus* de virer vent devant, mais, à cause de la formation compacte, le signal a été mal interprété. La *Tanaïs* a manqué à virer et nous avons abordé sa hanche bâbord. Nous y avons perdu notre beaupré ainsi que notre mât de perroquet de misaine pour faire bonne mesure. Le temps de nous dégager, les Grenouilles étaient de l'autre côté de l'horizon, filant cap au nord et tout dessus !

– Les réparations ?

– Encore une journée de travail. J'ai déjà fait remplacer le mât de perroquet et on s'occupe en ce moment même du beaupré et du boute-hors.

Bolitho détourna le regard. Si la frégate ennemie qui avait détruit la galiote n'avait pas découvert l'escadre, ces deux vaisseaux de soixante-quatorze devaient être en revanche édifiés.

– Sir Lucius vous envoie ses compliments, ajouta Keverne. Il passera vous visiter à votre convenance – il regarda avec curiosité cette femme qui se trouvait là. Vous avez fait du sacrément bon travail ici, si je peux me permettre, monsieur. J'ai appris pour Witrand. J'en suis désolé.

– Je ferais mieux de retourner à bord, monsieur, intervint Calvert, l'air de n'être guère réjoui par l'idée.

Keverne l'ignora.

– Que diable allons-nous faire, monsieur ? – il alla à la fenêtre et regarda entre les lames d'un volet. Pour ma part, je tiens la situation pour désespérée.

Bolitho pensa à Draffen, à ses mensonges, à sa félonie, et il sentit son sang battre douloureusement dans la région de son épaule.

Et Broughton qui était là dehors à bord de son navire amiral, enferré dans ses doutes et ses appréhensions ! Mais son orgueil ne l'autoriserait pas à demander conseil à Bolitho ou à qui que ce fût, ce qui alourdissait encore le fardeau qui pesait sur lui. Bolitho pouvait admirer la fierté de l'homme, mais non point son inaltérable rigidité.

Le capitaine Giffard apparut tout essoufflé sur le seuil, le visage de même couleur que la tunique.

– La *Sans-Repos* est en train d'arrondir la pointe, monsieur !

Bolitho se hissa de nouveau sur un coude, fermant son esprit aux atteintes de la douleur.

– Signalez à son commandant de venir immédiatement me faire son rapport ! A moi personnellement, c'est bien compris ? – puis, tandis que Giffard repassait la porte : Regagnez le bord, monsieur Keverne, et transmettez mes respects à l'amiral. Dites-lui que je vais très bientôt regagner mon poste… – il vit Allday regarder les autres avec affolement – … très bientôt. Dites-lui juste cela.

A Calvert, il déclara plus calmement :

– Sir Lucius m'a suggéré de vous trouver un emploi à terre. Vous allez rester ici dans un premier temps – il lut du soulagement et de la gratitude sur le visage du jeune homme, et ajouta : Et maintenant, allez guetter la corvette.

Enfin, lorsqu'ils furent de nouveau seuls :

– Je sais ce que vous allez dire, madame Pareja – et de rectifier avec un doux sourire : Kate.

– En ce cas, pourquoi vous montrez-vous à ce point obstiné ?

Le rouge lui était subitement monté aux joues, et il pouvait voir le mouvement plus rapide de sa poitrine.

– Parce que c'est maintenant que l'on a besoin de moi – il fit signe à Allday. Je veux que l'on me fasse la barbe et j'aurais besoin d'une chemise propre – il opposa un grand sourire à la mine butée de son maître d'hôtel. Sur-le-champ.

Allday sorti, il reprit :

– C'est étrange, mais j'ai les pensées plus claires que je ne les ai eues de quelque temps.

– Cela vient de ce qu'il vous reste si peu de sang ! – elle laissa échapper un soupir. Enfin, si c'est votre devoir, je suppose que vous ne pouvez vous y soustraire. Les hommes sont faits pour la guerre, et vous n'êtes pas à part.

Elle s'approcha et le soutint pour qu'il se mît sur son séant.

– Qu'allez-vous devenir quand cette affaire sera terminée ? interrogea-t-il.

– Je ne vais pas retourner en Espagne. Sans Luis, j'y redeviendrais une étrangère. Peut-être irai-je vivre à Londres – elle eut un sourire plein de gravité. J'ai mes bijoux. Bien plus que je n'en avais quand j'en suis partie – le sourire se mua en gloussement. Vous pourriez venir me voir à Londres, qu'en dites-vous, commandant ? Le jour où vous viendrez recevoir quelque haute et prestigieuse affectation…

Mais lorsqu'il la regarda, il vit que son air enjoué dissimulait quelque chose de plus profond. Quelque chose comme une supplique ? C'était difficile à dire.

– Je n'y manquerai pas. Je vous le promets, dit-il en s'appuyant tendrement contre elle.

Allday était en train de mettre la dernière main à la chemise et au plastron de Bolitho lorsque le capitaine Samuel Poate, commandant la *Sans-Repos*, entra à grands pas. L'homme était de petite taille, avait le teint rose, et, de plus, se dit Bolitho, l'empressement agressif d'un tout jeune cochon. Campé comme il l'était maintenant, chapeau glissé sous le bras, nez en trompette semblant frémir d'impatience autant que de colère rentrée, la ressemblance était encore plus criante.

– Votre rapport, commandant, fit Bolitho d'un ton sec, et en vitesse. J'ai comme le sentiment que nous allons devoir passer à l'action sans tarder.

Poate avait une manière de parler saccadée, comme un témoin appelé à la barre d'une cour martiale qui économise temps et salive.

– Après avoir débarqué Sir Hugo Draffen et le prisonnier, je suis allé croiser au large dans l'attente du signal. J'ai attendu, mais rien ne venait. Et, quand le vent est tombé, j'ai dû mouiller de crainte d'aller à la côte. Nous avons entendu des explosions et j'ai supposé que Djafou subissait une nouvelle attaque, même si je ne voyais pas bien avec quels moyens. Toujours aucun signe de Sir Hugo. Aussi, quand le vent s'est levé, me suis-je élevé de terre pour me mettre à patrouiller le long du littoral.

– Pourquoi avoir permis que le prisonnier soit débarqué ?

– Ordre de Sir Hugo, monsieur. Je n'avais pas le choix. Il soutenait qu'il s'agissait d'un otage, mais j'étais trop occupé par ailleurs pour me soucier de suivre son raisonnement – un éclat froid s'alluma dans le regard de Poate lorsqu'il ajouta : En revanche, nous avons vu un homme qui nous faisait de grands signes sur une grève. J'ai fait mettre un canot à l'eau. Il s'agissait d'un de vos matelots, monsieur, survivant d'un peloton envoyé pour servir d'escorte au lieutenant Calvert. Il était presque fou de terreur et j'ai pu croire un moment qu'il avait perdu la raison. Par la suite, il a reconnu avoir planté là le lieutenant de pavillon et un aspirant après une attaque par des indigènes. Il s'était enfui et caché des heures durant, avant de trouver enfin une grotte sur un flanc de colline.

Bolitho, soutenu par Allday, était en train de se lever très précautionneusement.

– De cette caverne, poursuivait Poate, il prétendait avoir vu Witrand subir des tortures, puis se faire décapiter, mais j'ignore si tout cela est vrai.

– Ça l'est, commandant.

– Puis il a déclaré que, tandis qu'il se tenait toujours caché là à assister aux atrocités qui se déroulaient dans le fond du vallon, il avait aperçu Sir Hugo… – Poate prit une profonde inspiration. Il n'y a guère de chances pour qu'un matelot, même s'il cherche à atténuer sa responsabilité après avoir fui devant l'ennemi, invente une histoire pareille. Bref, il nous a assuré avoir observé Draffen en train de s'entretenir avec ceux qui torturaient le prisonnier !

– Je vois… fit Bolitho.

Levant les yeux vers Poate, il comprit que ce n'était pas tout.

– Ensuite ?

– J'ai depuis appris de quelle façon vous avez été blessé, monsieur, et comment d'autres sont morts à bord de l'*Hekla* parce que mon soutien vous a fait défaut. Mais j'étais tellement furieux et écœuré par ce que je venais d'apprendre que j'ai poursuivi le long de la côte, jusqu'à ce que je finisse, avec l'aide de Dieu, par tomber sur un petit baggala.

– Draffen ? l'interrompit Bolitho dont le sang n'avait fait qu'un tour.

Poate hocha la tête.

– Il est dehors, monsieur. Sous bonne garde.

– Amenez-le-moi – Bolitho tourna la tête vers la fenêtre et entendit le vent qui sifflait doucement à travers les lames des persiennes. Vous avez fort bien agi. Mieux sans doute que nous ne sommes encore en mesure de l'apprécier.

Poate alla aboyer des ordres dans le couloir.

– Laissez-moi, Kate. Vous aussi, Allday – il répondit d'un sourire à leur muette interrogation anxieuse. Il est encore un peu tôt pour que je me mette à agiter les bras.

Une fois seul, il s'appuya sur le dossier d'une chaise et fit doucement travailler son avant-bras passé dans une écharpe improvisée.

Lorsque Draffen entra avec Poate, Calvert fermant la marche, rien chez lui ne trahissait l'inquiétude ou le doute.

– Voudriez-vous, s'il vous plaît, me conduire devant l'amiral ? demanda-t-il d'une voix calme. Je ne tolère pas d'être traité aussi cavalièrement par ces gens.

– Vous êtes notre prisonnier, bredouilla Calvert.

– Silence, freluquet ! fit Draffen en braquant sur lui un regard glacial et méprisant.

Bolitho prit la parole :

– Il serait vain de nier, sir Hugo, que vous avez fait en sorte que Djafou soit réoccupé afin de servir vos gains futurs – il s'étonnait de pouvoir parler aussi calmement alors qu'il était au comble de l'écœurement. Quelle que puisse être l'issue ici, vous serez ramené en Angleterre pour y être jugé.

Draffen le dévisagea, puis se mit à rire.

– Mon Dieu, commandant, mais dans quel monde vivez-vous ?

– Le nôtre, sir Hugo. Je pense que ce que nous avons découvert à Djafou sera plus que suffisant pour faire tomber votre masque d'innocence.

Draffen ouvrit les paumes vers le ciel.

– L'esclavage est un fait, commandant, quoi que puisse proclamer la législation. Là où il y a demande, il y a nécessairement offre. Je vous garantis qu'il est à Londres, dans la City, des gens qui miseront plus sur la tête d'un esclave en bonne santé que sur un plein bateau de vos matelots qui sont morts au combat ! Tirez-en, comme moi, l'enseignement qui s'impose. Le droit et la justice sont réservés à qui peut se les offrir !

Poate, voyant éclore une tache vermeille sur le tissu blanc de l'écharpe de Bolitho, ouvrit la bouche pour lui signaler le fait. Mais Bolitho secoua négativement la tête à son adresse, puis répondit à Draffen :

– En ce cas, sir Hugo, j'espère que ces gens vous soutiendront au mieux, car je suis certain que le reste de l'Angleterre vous estimera à votre juste valeur. Un menteur, un fourbe et… – colère et douleur lui firent serrer les dents – … et un être qui a été capable de regarder tranquillement un homme se faire torturer puis assassiner. Un prisonnier placé sous la protection de Sa Majesté !

Pour la première fois, il vit une lueur d'inquiétude dans le regard de Draffen. Mais cela n'empêcha pas celui-ci de répondre avec sa morgue habituelle :

– Quand bien même cela serait, Witrand ne jouissait en aucune façon d'une telle protection. Un officier travesti en civil doit être considéré comme un espion.

Il tressaillit toutefois lorsque Bolitho laissa tomber :

– Seuls l'amiral et moi étions au courant de la chose, sir Hugo. Aussi, sauf si vous le connaissiez d'avance, ce qui, je crois, était le cas puisque vous n'avez pas cherché à le voir à bord de l'*Euryale*, vous l'aurez entendu révéler son identité sous la torture. Dans les deux hypothèses, vous êtes flétri ! – il sentait son sang sourdre sous ses pansements, mais il était comme possédé. J'ai beau détester le rituel de la pendaison, je donnerais un mois de solde pour vous voir vous balancer à Tyburn !

Draffen le considérait d'un œil calculateur.

– Faites sortir les deux autres.

– Pas de marchandage, sir Hugo. Vous êtes à l'origine de trop de morts et de souffrances.

– Très bien. Je vais donc parler devant eux – il se campa, les mains sur les hanches, et dit d'un ton plus calme : Je compte, comme vous savez, de puissants amis à Londres. Ils peuvent compromettre sensiblement votre avenir et exercer une influence néfaste sur les espoirs d'avancement que vous pourriez encore caresser.

Bolitho lui tourna le dos.

– Est-ce que c'est tout ?

Il entendit derrière lui Draffen prendre une longue inspiration, puis reprendre d'un ton perfide :

– Vous avez, je crois, un neveu dans la marine de Sa Majesté ? Le bâtard de feu votre frère, c'est bien cela ?

Bolitho sentit Calvert sursauter et Poate s'avancer d'un pas, mais il demeura pour sa part parfaitement immobile.

– Quel effet cela lui fera-t-il d'apprendre que son défunt père, à l'époque où il commandait un corsaire, a fermé les yeux sur les activités de mes marchands d'esclaves ? Et que cette connivence l'a enrichi ?

Bolitho se retourna et, d'une voix très calme :

– C'est un mensonge.

– Mais certains y accorderont foi, et surtout, c'en sera terminé de l'avenir de votre neveu, je me trompe ?

Bolitho cligna les yeux pour en chasser la buée qu'y faisait venir la douleur. Surtout ne pas avoir un malaise. Pas maintenant.

– Si j'avais nourri quelque pitié ou considération à votre endroit, sir Hugo, ce serait une page de tournée. Quiconque est capable de faire peser une menace sur la vie d'un garçon qui, dans son enfance, n'a rien connu d'autre que le malheur, ne saurait y prétendre. Emmenez-le, conclut-il, s'adressant à Poate.

Draffen dit encore, et d'une voix égale :

– Vous m'avez accusé de beaucoup de choses. Quoi que d'autres puissent en penser, vous m'en répondrez lorsque vous serez en état de le faire !

– A votre service. Je ne me ferai pas prier.

Il se laissa tomber lourdement sur une chaise tandis que Draffen repassait la porte avec son escorte. L'instant d'après, Kate se trouvait auprès de lui, le morigénant tout en le ramenant jusqu'à son lit.

– Je ne puis écrire, lui dit-il. Voulez-vous le faire sous ma dictée ? Je dois envoyer immédiatement mon rapport à l'amiral.

– Est-ce exact, ce qu'il a dit de votre frère ?

– En partie seulement.

La porte s'ouvrit à la volée et Poate fit irruption dans la pièce.

– Monsieur ! Il faut que le lieutenant Calvert soit devenu fou !

Bolitho agrippa le bois d'une chaise.

– Que s'est-il passé ?

– Il a conduit Draffen au sommet de la tour et il a refermé la trappe sur nous. Quand j'ai exigé qu'il m'ouvre, il ne m'a pas répondu, conclut Poate, incrédule.

– Écoutez !

Tous se tournèrent vers Allday qui était penché à la fenêtre. Par-dessus le bruissement de la mer et du vent, Bolitho perçut l'entrechoquement de deux lames. Il en fut tout remué.

Cela ne dura pas longtemps. Calvert apparut sur le seuil, deux épées sous le bras. Le visage très calme, triste même, il déclara :

– Je viens me constituer prisonnier, monsieur. Sir Hugo est mort.

– C'est moi qui avais été provoqué, Calvert, lui répondit Bolitho avec sang-froid.

L'autre secoua la tête.

– Vous oubliez, monsieur, qu'il m'a, avant cela, traité de freluquet – il se détourna sans même voir Poate et les autres qui se pressaient de l'autre côté de la porte. Et puis, monsieur, vous n'auriez pu rivaliser avec lui lors d'un duel. Pas en tirant du bras gauche – il eut un haussement d'épaules plein de lassitude. Vous êtes un combattant, monsieur, mais je ne vous crois pas rompu à l'art plus exact de l'escrime – il pivota sur ses talons, le regard étincelant. Enfin, monsieur, vous m'avez sauvé et, bien plus, vous m'avez rendu mon honneur. Je n'allais pas rester coi et vous laisser aller à la mort, alors que je pouvais me rendre utile, et peut-être avec plus d'efficace que quiconque.

Angus, le chirurgien, se fraya un passage à travers la presse.

– Quelle est cette folie ? hurlait-il. Ne voyez-vous pas dans quel état est le commandant ?

Bolitho le toisa d'un air glacial.

– Allez plutôt voir au sommet de la tour. Vous y trouverez un corps – puis, revenant à Calvert : Vous étiez animé d'une bonne intention, mais…

Calvert haussa les épaules.

– *Mais*. Ce petit mot recouvre un spectre tellement large… Je sais le sort qui m'attend peut-être, mais je ne m'en soucie pas. Peut-être ai-je fait cela pour venger Lelean, mais je n'en suis pas non plus certain – il soutint le regard de Bolitho avec une détermination soudaine. Lelean avait besoin de moi tout comme l'escadre a besoin de vous en ce moment. C'était peut-être le meilleur motif pour tuer Draffen.

Il déboucla son baudrier et le tendit au capitaine Giffard.

Les visages massés sur le seuil disparurent en même temps que retentissait la voix de Broughton :

– Rendez-lui son épée, Giffard !

L'amiral s'avança dans la pièce, adressant un bref signe de tête à Bolitho avant de déclarer :

– J'ai naguère été injuste avec vous, Calvert. Il ne m'est pas possible de vous éviter de passer en jugement pour ce que vous avez fait – il dévisageait le lieutenant avec un intérêt non dissimulé. Mais, si nous revoyons un jour l'Angleterre, je veillerai à ce que vous soyez convenablement défendu.

– Merci, sir Lucius, dit Calvert, les yeux au sol.

Broughton se tournait maintenant vers Bolitho.

– Bien. Constatant que vous semblez suffisamment remis pour mener mes affaires, il semble que je fais bien de venir vous trouver, non ? – il promena alentour un regard dépourvu d'aménité. Que ces gens disparaissent de ma vue ! – et, s'adoucissant légèrement : Sauf vous, chère madame, car il m'est revenu que sans votre… euh, ministère, je serais à l'heure qu'il est privé de mon capitaine de pavillon. Ce que je ne souffrirais pas.

Il lui souriait fraîchement tout en la détaillant des yeux. Elle le regardait sans ciller.

– Je suis d'accord avec vous, sir Lucius. Il semblerait que vous ayez grand besoin de lui.

Broughton fit la grimace, puis esquissa un haussement d'épaules.

– Je vous le concède, madame.

Pas la moindre trace de surprise ou de colère regardant la façon dont Draffen avait trouvé la mort. Comme par le passé, Broughton l'avait déjà écarté de ses pensées. Un souvenir et rien de plus. Plus tard, en Angleterre, il se pourrait bien que la chose fût moins aisée à ignorer.

– Voici ce que je me propose de faire, dit-il, s'adressant maintenant à Bolitho : il semble à peu près certain que les Français vont essayer de nous chasser d'ici – il marqua un temps comme s'il s'attendait que ce point fût contesté. Avoir aperçu ces navires pour ensuite les perdre, à cause de la stupide incompétence de Rattray pour déchiffrer mon signal, me rend plus enclin à entendre vos précédentes observations – il hocha la tête. On peut dire que vous avez laissé à Gillmore un rapport bien tourné avant de vous lancer dans cette folle équipée contre les pirates – il soupira. Vraiment, Bolitho, vous devriez comprendre et admettre que ce genre de partie de plaisir n'est déjà plus de votre ressort !

– Il m'a paru judicieux, monsieur, de nous défaire de cette menace avant d'affronter la suivante.

– Peut-être, fit Broughton sans s'avancer. Seulement, l'alliance franco-espagnole va savoir que l'escadre partie de Gibraltar se trouve maintenant ici, sur le pas de sa porte. L'urgence qu'il y a à mener à bien leur projet va leur apparaître de façon plus criante – il hocha la tête comme pour approuver ses propres dires. Je ne compte pas les attendre et me propose de diriger l'escadre sur Carthagène. Car, si la moitié seulement des rapports sont vrais, c'est là que l'ennemi a concentré ses transports et navires de guerre. Que pourrait-il y avoir de plus probable ? Une tentative supplémentaire de renforcer les liens entre les deux pays après leur défaite à Saint-Vincent.

Bolitho opina du chef. Il était manifeste que l'amiral avait beaucoup réfléchi à la question depuis la veille. Il y avait tout intérêt. Rentrer à Gibraltar pour y rendre compte que Djafou avait été jugé inutile et que Draffen avait été occis par un de ses officiers l'eût en effet exposé à quelque sanction. Broughton avait déjà suscité le courroux de l'Amirauté en raison de son rôle dans la mutinerie de Spithead et de la perte de l'*Aurige* ; il avait plus que tout autre besoin d'obtenir quelque succès, plus éclatant si possible que les seules captures du *Navarra* et d'un modeste brick.

– C'est fort probable, monsieur, lui répondit Bolitho. Il est tout autant possible que nous rencontrions l'ennemi en pleine mer.

– Ce serait mon plus cher désir – Broughton, montrant quelques signes d'agitation, marcha jusqu'à la fenêtre. Si nous parvenions à provoquer une confrontation, ils verraient que nous ne sommes pas ici pour tirer les marrons du feu, et ils en concluraient que d'autres suivront avec une flotte encore plus puissante.

– Et dans le cas, monsieur, où nous ne trouverions rien à Carthagène ?

Il se retourna vers Bolitho pour le considérer avec équanimité.

– En ce cas, mon cher, je suis un homme fini – il parut considérer en avoir trop dit et il ajouta d'un ton brusque : Nous levons l'ancre demain matin. Le commandant Inch ralliera Gibraltar avec le brick et le *Navarra*. Il y transportera également toute la garnison ainsi que les… euh, les gens que nous avons ramassés. Je ne doute pas que le gouverneur du Rocher se fera un plaisir de les échanger contre des prisonniers de guerre britanniques.

– J'ai donné ordre de miner la forteresse, monsieur.

– Parfait. Nous la ferons sauter en partant – il soupira. Qu'il en soit ainsi !

Comme l'amiral faisait mine de s'en aller, Bolitho lui demanda :

– J'ai espoir que vous jugerez bon, monsieur, de recommander Mr. Keverne pour le commandement du brick.

– J'ai bien peur que non, répondit Broughton en laissant son regard s'attarder sur Mrs. Pareja. Vous manquez déjà de personnel et nous aurons besoin de tous les officiers d'expérience. Je vais demander à Furneaux de prélever un officier sur une prise.

Il salua d'un signe de tête Angus qui entrait en s'essuyant les mains.

– Il était mort, monsieur, annonça le chirurgien.

– Comme je m'y attendais, dit l'amiral avec indifférence. Bien, écoutez-moi, monsieur Angus. Le commandant Bolitho va demeurer ici pour ne rejoindre le bord que demain, une heure avant l'appareillage. Prenez toutes vos dispositions. Ensuite, vous enverrez chercher Calvert et lui direz que je désire que des ordres soient rédigés sur-le-champ à l'intention de l'escadre – il se mit subitement à sourire, ce qui le fit paraître sensiblement plus jeune. Savez-vous, Bolitho, qu'il fut un temps où la tentation me démangeait de croiser le fer avec Calvert, rien que pour lui donner une bonne leçon ! Si j'avais commis cette erreur, c'est vous qui commanderiez ici, et c'est votre tête et non la mienne qui serait sur le billot !

Cela eut l'air de le mettre en joie car il souriait encore lorsqu'il quitta la pièce.

Bolitho s'adossa sur sa chaise et ferma les paupières. La tension de l'heure qui venait de s'écouler refluait en lui, le laissant rompu et sans énergie.

– Encore une nuit, murmura-t-il, en partie pour lui-même.

Elle lui passa la main sur les cheveux.

– Oui, encore une nuit, dit-elle avec un voile dans la voix – elle hésita, puis ajouta : Encore une nuit ensemble.

XVII

RETROUVAILLES

Le lieutenant de vaisseau Charles Keverne, debout bras croisés près de la rambarde du gaillard d'arrière, observait l'activité bourdonnante déployée autour et au-dessus de lui. Au lieu de retourner dans la baie, l'*Euryale* avait mouillé avec ses conserves à quelque distance de la pointe. A l'heure présente, dans la pâle lumière du matin, même les collines et l'horizon dénudés paraissaient moins hostiles, la forteresse paisible et inoffensive.

Il emprunta une lunette à l'aspirant de quart pour la pointer sur la *Tanaïs* qui tirait sur son câble dans la brise fraîchissante, ses ponts et ses vergues également noirs de matelots. Il discernait sur sa hanche les marques occasionnées par la collision avec l'énorme masse de l'*Euryale*, et il rendit grâce au ciel d'avoir pu réparer espars et gréement avant le retour à bord du commandant.

A l'instar des autres officiers et hommes du rang, il avait regardé Bolitho franchir la coupée avec un mélange d'inquiétude et de soulagement. Le sourire que celui-ci arborait était sincère et il n'était pas douteux qu'il fût heureux de se retrouver à son bord. Toutefois, à voir le bras fortement comprimé dans une écharpe et la grimace de douleur qu'il avait eue lorsqu'on l'avait aidé à prendre pied sur le pont, Keverne s'était demandé si Bolitho était suffisamment remis pour assumer ses fonctions.

Le bâtiment avait été en proie à des spéculations sans fin depuis le triste retour qui avait suivi la chasse infructueuse et l'abordage avec la *Tanaïs*. L'humeur de Broughton avait été à la hauteur des événements et, pour cette raison aussi, Keverne espérait que Bolitho saurait autant conseiller son supérieur que voir aux mille choses présidant à la bonne marche de son navire.

Keverne passa en revue tout ce à quoi il s'était employé jusque-là : le remplacement d'une partie des hommes tués ou blessés lors des attaques contre Djafou, le rembarquement des fusiliers, sans compter tous les préparatifs d'une nouvelle croisière. Il allait devoir parler avec Bolitho de la question de l'encadrement. Lucey et Lelean morts, Bolitho lui-même affaibli, on allait se trouver terriblement à court d'officiers au moment où l'on en avait le plus grand besoin.

Le lieutenant Meheux arrivait à grandes enjambées sur le passavant. Il toucha son chapeau.

– Ancre à long pic, monsieur ! – il semblait assez joyeux. Je ne suis pas fâché de quitter ce trou à rats pour toujours !

– On est en train d'amener le pavillon de la forteresse, monsieur ! annonça Partridge.

Keverne pointa de nouveau sa lunette juste comme le pavillon disparaissait derrière les remparts, et il se demanda ce qu'allait éprouver le dernier homme à quitter l'endroit après que les mèches auraient été allumées.

Il fit signe à un aspirant.

– Mes respects au commandant, monsieur Sandoe. Informez-le que l'ancre est à long pic et que le vent a halé le sud-ouest.

– De ce côté-là, on est vernis, commenta Partridge tandis que Sandoe s'éloignait. Voilà qui va nous éviter de suer sang et eau pour parer la pointe.

Keverne se raidit en avisant une voilure bistre qui se détachait de la forteresse. Il s'agissait de la *Turquoise*. Dans la clarté matinale, le brick avait un air de joliesse et de gaieté. Encore une chance d'envolée. Il aurait pu être sien. Il se demanda l'espace d'un instant si Bolitho n'avait pas décidé de le garder comme second en raison de son infirmité. Mais il chassa cette idée tout aussi vite qu'elle lui était venue. Ni Bickford, qui avait été avec le commandant, ni même Sawle, qu'il avait dans le nez, ne s'étaient vu offrir ce commandement. C'était donc à l'évidence Broughton qui avait rédigé l'ordre de propulser comme un météore un simple lieutenant du *Valeureux* jusqu'au premier échelon d'une promotion digne de ce nom.

Une irritation soudaine monta en lui. Que d'efforts gaspillés en pure perte. Et quand on arriverait en vue des côtes ennemies, nul doute que l'amiral aurait de nouveaux motifs d'insatisfaction.

– Le *Navarra* dérape, monsieur !

Keverne regarda la prise établir ses huniers et commencer de louvoyer pesamment sous les murailles de la forteresse. Comme tous les autres bâtiments du petit convoi à destination de Gibraltar, elle était noire de monde, civils et prisonniers de guerre confondus. Une traversée qui ne s'annonçait pas de tout repos, songea-t-il, maussade.

Il entendit un bruit de pas derrière lui. C'était Bolitho.

– Cette brise m'a l'air favorable, dit celui-ci en parcourant le pont supérieur du regard. Signalez à l'escadre : « Faites voile. » Puis commandez l'appareillage, je vous prie. Nous suivrons une route nord-nord-ouest conformément aux instructions de Sir Lucius.

– Du monde au cabestan ! hurla Keverne.

Un aspirant était occupé à griffonner sur son ardoise, que regardaient l'équipe de signaleurs, déjà penchés sur les fanions requis.

– L'*Hekla* est en train de ranger la forteresse, monsieur, annonça l'aspirant Tothill.

Bolitho prit une lunette et la pointa sur la petite galiote à bombes. Hormis un cotre chargé d'embarquer les artificiers au tout dernier moment, l'*Hekla* était le dernier navire à quitter la baie. La baie et ses souvenirs de souffrance et de mort, de victoire et de reddition. Peut-être qu'un jour quelqu'un d'autre tenterait de réoccuper la place, de réparer la forteresse et d'y instaurer derechef les moyens de l'esclavage et de l'oppression. Mais peut-être le monde aurait-il à cette époque pris une bonne fois position contre de telles méthodes.

Les huniers de l'*Hekla* s'emplirent de vent en même temps que le navire plongeait dans les premiers creux. Il n'était pas aisé de tenir une longue-vue d'une seule main et il fut navré de constater qu'il avait déjà le souffle court. Il résolut de s'attarder encore un instant sur le pont. Il parcourut lentement de l'objectif le gaillard d'avant de la galiote, où les matelots en chemise à carreaux s'activaient aux bras et aux écoutes après un virement de bord. Puis il reconnut Inch, qui, accoté à la lisse, son corps frêle corrigeant la gîte prononcée, agitait en l'air son chapeau. Bolitho le revoyait sur le pont exposé tandis que les caronades tonnaient sauvagement. Il revoyait également son expression atterrée lorsque lui-même avait été fauché par la balle d'un tireur anonyme. Aujourd'hui, avec sa flottille composite et ses passagers bavards, Inch prenait un nouveau tournant, et il fallait espérer qu'il ne ferait pas de mauvaise rencontre sur le chemin de Gibraltar.

Bolitho se raidit en avisant une autre silhouette qui rejoignait Inch à pas prudents. Bien que l'*Hekla* fût maintenant distant d'un bon demi-mille, il distinguait sa chevelure qui flottait dans le vent, ses dents blanches sur son visage hâlé, sa robe dont le jaune éclatait dans la lumière éblouissante. Elle aussi faisait des signes et il se prit à croire qu'il entendait une fois de plus sa voix comme il l'avait écoutée une nuit que tout était calme et silencieux.

– Veuillez prendre cette lunette, monsieur Tothill.

Puis il se campa sur ses jambes et se mit à agiter son chapeau lentement d'avant en arrière. D'aucuns le considéraient avec étonnement, mais Allday, qui se tenait près de l'échelle, pouvait voir son visage, et il lui vint un sourire reconnaissant.

Cela n'avait tenu qu'à un cheveu. Et si elle n'avait pas été là… Allday fut parcouru d'un frisson et se retourna pour regarder Calvert qui arpentait sombrement le passavant en prenant appui sur les filets. Le jeune homme semblait plus retranché en lui-même que jamais et il laissait rarement échapper une parole, même à l'adresse des autres officiers. Allday se dit que c'était grande pitié, car le lieutenant de pavillon ignorait à quel point il faisait, depuis son retour, l'objet de discussions aussi passionnées qu'admiratives lors des repas de l'équipage. Allday secoua la tête. Nul doute que Calvert avait un père fortuné qui saurait lui éviter la potence ; mais peut-être le jeune homme ne se souciait-il plus de ce qui l'attendait. Pour l'heure, il fixait avec indifférence les eaux mouvantes qui battaient le long du bord.

– Ah, Calvert ! – toutes les têtes se tournèrent avec ensemble pour voir Broughton dévaler l'échelle de dunette. Venez voir par ici !

Le jeune homme, l'air circonspect, se dirigea vers l'arrière et porta la main à son chapeau.

– Monsieur ?

– Nous avons beaucoup de pain sur la planche aujourd'hui… commença Broughton.

Il regardait sans la voir l'étrave mafflue de l'*Hekla* enfourner dans la houle languide ; puis il se tourna vers Bolitho et ourla les lèvres en une ombre de sourire.

– … Aussi accepterez-vous peut-être de partager mon dîner lorsque nous en aurons fini avec les écritures ?

Allday, qui n'en croyait pas ses oreilles, vit pendre la mâchoire de Calvert. Tous, jusqu'à Broughton, avaient, semblait-il, changé d'opinion sur son compte.

Bolitho se retourna, arraché à sa rêverie par la voix de l'amiral.

– Je vous demande pardon, monsieur. Je ne vous avais pas vu.

– Ah ? fit Broughton en hochant la tête.

– Toutes les unités ont hissé le pavillon d'aperçu, monsieur ! lança Tothill, auquel ce bref échange avait échappé.

– L'ancre est à pic ! hurla Meheux, posté aux bossoirs.

Bolitho se retourna pour crier :

– Faites servir, monsieur Keverne !

Tandis que l'on redescendait les signaux, le pont du navire s'anima du tumulte de l'appareillage. Bolitho s'accrocha des deux mains à la lisse et leva la tête vers la mâture. Les gabiers couraient garnir les marchepieds. Bientôt, les voiles se déployèrent les unes après les autres pour aussitôt se gonfler dans un claquement de tonnerre.

– L'ancre est dérapée, monsieur !

Meheux, qui agitait le bras là-bas sur le gaillard, paraissait minuscule, simple silhouette se détachant sur les reliefs du promontoire.

Les matelots brassèrent les vergues, le timonier abattit en grand. Alors, animé d'une puissante poussée, l'*Euryale* s'inclina pesamment vers son reflet, immergeant ses mantelets de batterie basse, et se plia avec une docilité pleine de dignité aux lois du vent et du gouvernail.

– Reprenez les bras de sous le vent ! mugissait Keverne dans son porte-voix. Mettez-moi ces traînards au travail, monsieur Tebbutt ! Le *Valeureux* l'emporte sur vous aujourd'hui !

Bolitho, qui avait gagné l'avant, se pencha par-dessus la lisse pour contempler l'ancre, que les hommes de Meheux étaient en train de caponner, ses oreilles ornées de longues algues jaunes. Il regarda vers l'autre bord et vit la *Coquette* et la *Sans-Repos* qui établissaient déjà leurs perroquets et bondissaient à travers des cataractes d'embruns, distançant rapidement les bâtiments plus lourds.

– En route au nord-nord-ouest, monsieur ! annonça Partridge – il se tamponna les yeux et leva la tête vers les vergues et le grand hunier, dont la puissance faisait gîter le bateau. Près et plein !

Broughton s'empara d'une lunette et dit avec irritation :

– Signalez à toutes les unités : « Conservez positions prévues. »

Il se tourna pour observer le *Valeureux*, qui, foc en ralingue dans une confusion toute momentanée, avait lofé pour s'aligner sur le sillage du vaisseau amiral.

– Puis-je déployer les perroquets, monsieur ? demanda Keverne.

– Tirez le meilleur parti du vent, lui répondit Bolitho.

Au moment où le second regagnait la lisse en courant, on entendit un bruit sourd, effrayant. Toutes les lunettes du bord réfléchirent le soleil en s'orientant d'un même mouvement vers la forteresse. Le grondement se mua avec une terrible soudaineté en plusieurs colonnes de feu et de fumée noire qui semblaient interminables et indestructibles, et dissimulaient complètement ce qui se passait en dessous.

Ensuite, lorsque le vent emporta enfin cette fumée en direction du promontoire, on découvrit ce qu'il restait de la forteresse. La tour centrale s'était effondrée comme la cheminée lézardée d'un antique four à chaux, le reste des murs et des remparts n'était plus que gravats. D'autres explosions suivirent de proche en proche comme une bordée réglée, et l'on se figurait Mr. Broome, le canonnier d'Inch, en train de placer amoureusement ses mines. Bolitho suspendit sa respiration à la vue d'une petite forme sombre s'éloignant lentement sous la fumée, le bateau qui, d'un cheveu, transportait Broome et ses hommes en sécurité.

– Dire que cet endroit en a tant vu ! soupira Giffard.

– Vous pouvez le dire ! approuva Broughton en regardant Bolitho.

Lorsque la cloche piqua huit heures et que la bordée du quart du matin se mit à ses différentes tâches sur le pont ou dans le gréement, la petite escadre se trouvait déjà à sept milles de terre.

Allongé sur le banc-couchette de sa chambre, Bolitho contemplait le *Valeureux*, qui se profilait sur la côte à demi estompée. Ce n'était plus qu'une tache, un banc ondulant de violets, au-dessus duquel la fumée de Djafou souillait l'azur d'un immense voile noir qui allait en s'évasant.

Il pensait à Lucey et à Lelean, à Witrand et à tant d'autres restés là pour l'éternité. Seul Draffen avait été embarqué, sa dépouille soigneusement scellée dans un fût d'alcool en vue d'un enterrement plus convenable le jour hypothétique où le vaisseau finirait par toucher l'Angleterre.

Il s'appuya au rebord de la fenêtre, les oreilles pleines du sifflement familier des haubans et du gréement. Il faudrait bientôt refaire le pansement et, une nouvelle fois, il retiendrait son souffle de crainte que la blessure n'eût empiré.

Puis il se mit à penser à Catherine Pareja et à cette dernière nuit avec elle dans la tour. A la simplicité de ces instants, à son désir éperdu tandis que, allongés, immobiles, ils écoutaient le chuintement des vagues au pied des murs. Se fût-il conduit de même s'il n'avait pas été grièvement blessé ? Aurait-il laissé les choses se faire ? Alors même qu'il se remémorait leur paisible étreinte, il sut la réponse et en éprouva de la honte.

Spargo, le chirurgien de l'*Euryale*, lui tendit une main carrée et velue.

– Tenez, monsieur, accrochez-vous bien.

Bolitho se leva de son bureau et lança un regard à Keverne.

– Cet homme est un bourreau de travail, dit-il en souriant pour masquer son inquiétude. Je crains que nous ne lui en donnions pas assez.

Puis il prit la main de Spargo dans la sienne et, la serrant de toutes ses forces, il sentit une crampe monter dans son avant-bras.

Il y avait trois jours que l'escadre avait quitté Djafou et, depuis lors, Spargo n'avait cessé de venir le trouver à quelques heures d'intervalle pour refaire les pansements, explorer et examiner la plaie, au point que Bolitho avait fini par considérer que ce tourment n'en finirait jamais.

Spargo relâcha sa main.

– Cela n'a pas si mauvaise figure, monsieur, concéda-t-il à contrecœur, ce que Bolitho avait appris à entendre comme une louange pour le travail d'autrui, mais demande à être surveillé de très près.

Comme toujours, une mise en garde lui tenait lieu d'ancre de salut. Juste au cas.

Keverne se détendit un peu.

– Je vais vous laisser, monsieur. Voilà qui conclut pour aujourd'hui les affaires du navire.

Bolitho remit son bras en écharpe et gagna la fenêtre. Il observa le *Valeureux* qui, à un bon demi-mille sur l'arrière, était en train de serrer ses cacatois. Tachetant les vergues comme autant de points noirs, les gabiers s'échinaient sur la toile raidie par le sel. Il allait être midi. Cela faisait trois jours que l'on bataillait contre des airs inhabituellement contrariants et que chaque paire d'yeux fouillait un horizon éblouissant en quête d'une voile. N'importe quelle voile.

L'escadre se trouvait maintenant à une quarantaine de milles dans le sud-sud-est de Carthagène et, s'il y avait eu le moindre bâtiment ennemi naviguant dans les parages, les navires de Broughton eussent été en bonne position pour l'intercepter. Alors qu'il jetait un œil aux documents que Keverne était venu lui soumettre, Bolitho entendit le pas nerveux d'un Broughton arpentant la dunette en solitaire, que taraudait l'incapacité de trouver l'ennemi et de faire la lumière sur ses mouvements. Bolitho compatissait, car il savait que se profilaient d'autres échéances qui ne pourraient être différées très longtemps.

Buddle, l'écrivain du bord, était passé le voir en fin de matinée pour lui parler, en faisant triste mine, de réserves d'eau en baisse et de barils de viande rancie. Tous les bâtiments de l'escadre en étaient au même point. On ne pouvait compter qu'un si grand nombre d'hommes demeurerait aussi longtemps sans avitailler, et Dieu seul savait quand ce serait de nouveau possible.

Il soupira, les yeux sur la porte qui se refermait sur le chirurgien.

– Donc, Sawle est promu cinquième lieutenant en remplacement de Lucey. Cela laisse un poste non pourvu dans la grand-chambre – il réfléchissait à haute voix. L'aspirant Tothill pourrait être capable de l'occuper, seulement…

– Il n'a que dix-sept ans, objecta Keverne, et il manque d'expérience en matière de canonnage. En tout cas, il est trop utile aux signaux pour en être retiré maintenant – il eut un sourire. C'est mon avis, monsieur.

– Et je le partage, je crois, malheureusement – Bolitho prêtait l'oreille aux pas qui allaient et venaient là-haut. Nous verrons ce qu'il sera possible de faire.

Keverne ramassa les papiers, puis demanda :

– Quelles sont nos chances de trouver l'ennemi, monsieur ?

Bolitho eut un haussement d'épaules.

– A dire le vrai, je n'en sais rien – il avait hâte que son second prît congé afin de pouvoir faire travailler son bras et son épaule. A l'heure qu'il est, la *Coquette* et la *Sans-Repos* doivent être en train de croiser au large de Carthagène. Peut-être vont-elles bientôt nous apporter des informations fraîches.

On gratta à la porte. C'était l'aspirant Ashton. Il ne portait plus de bandage autour du crâne et paraissait s'être plus vite remis de sa mésaventure qu'on ne l'avait espéré.

– Mr. Weigall vous présente ses compliments, monsieur. Une voile vient d'être aperçue dans le nord-est.

Bolitho adressa un sourire à Keverne.

– C'est plus tôt que je ne pensais. Je monte.

Il régnait une chaleur étouffante sur le gaillard d'arrière et, même si la voilure portait bien sous un vent de nord-ouest bien établi, il y avait bien peu de fraîcheur pour soulager la tâche des hommes de veille. Weigall gardait un œil vers l'arrière, comme s'il craignait de ne pas entendre Bolitho approcher.

– D'après la vigie, cela ressemble fort à une frégate, monsieur.

Comme pour confirmer la chose, on entendit :

– Ohé, du pont ! C'est la *Coquette* !

Broughton arriva de l'arrière avec une hâte inhabituelle.

– Eh bien, messieurs ?

Ashton était déjà en train de grimper dans les enfléchures, muni d'une grande lunette.

– Que ferions-nous sans frégates ? observa Bolitho d'un ton égal.

Les minutes s'écoulaient. Près du compas, un novice retourna le sablier sous l'œil attentif de Partridge. Ashton lança alors à pleine voix :

– Signal de la *Coquette*, monsieur ! – court silence. « Négatif. »

Broughton tourna les talons et, d'un ton rogue :

– Rien là-bas. Ils ont appareillé – il se tourna vers Bolitho, plissant les paupières contre l'éclat du soleil : Nous avons dû les rater de peu ! Bon Dieu, on ne les reverra plus !

Bolitho regardait la frégate changer d'amures, la grande flamme noir et blanc flottant toujours en bout de vergue. Un seul signal, mais qui, pour Broughton et peut-être beaucoup d'autres, revêtait tant d'importance ! La flotte ennemie n'était plus au port et pouvait désormais se trouver à peu près n'importe où. Pendant que l'escadre faisait des ronds dans l'eau autour de Djafou et épuisait ses ressources en d'infructueuses opérations de prise et de démolition, l'ennemi s'était volatilisé.

– Qu'ils aillent tous en enfer ! murmura Broughton d'une voix lasse.

Bolitho leva brusquement la tête lorsque la vigie annonça :

– Le *Valeureux* fait des signaux, monsieur !

– Furneaux sera déjà en train de rêver à son avenir ! lâcha l'amiral avec aigreur.

Tout le monde se retourna vers Tothill qui criait :

– Le *Valeureux* signale : « Voile suspecte relevée plein ouest. »

– Elle doit se trouver quasiment par notre arrière, monsieur – Bolitho s'adressa à Keverne : Avertissez l'escadre.

Broughton ne se tenait plus d'impatience.

– Elle va virer de bord dès qu'elle nous aura repérés ! – il eut un regard en direction de la *Coquette*. Inutile d'envoyer Gillmore lui donner la chasse : il ne pourra jamais remonter à temps pour l'engager.

Bolitho sentit la douleur se réveiller dans son bras, peut-être un effet de son excitation. Cette voile pouvait être un bâtiment marchand de plus ou un éclaireur ennemi. Il pouvait même s'agir de l'avant-garde d'une puissante armada. Il écarta cette dernière possibilité. Si ce navire appartenait à une flotte partie de Carthagène, il en était fort écarté ; et s'il recherchait Broughton, l'ennemi aurait à cœur de ne pas perdre de temps.

Bolitho déploya une lunette et gagna d'un pas vif la lisse de couronnement. Il aperçut, loin derrière le *Valeureux*, un minuscule phare carré qui était comme posé sur l'horizon.

Très haut au-dessus du pont et muni d'un puissant télescope, Ashton pouvait déjà faire une meilleure observation.

– C'est un deux-ponts, monsieur ! lança-t-il d'une voix aiguë. Toujours en approche !

Bolitho revint en hâte auprès des autres.

– Il serait judicieux de réduire, monsieur. Au moins, nous serions bientôt fixés.

Broughton hocha la tête.

– Entendu. Signalez à l'escadre.

Les heures s'étiraient. Les hommes allèrent prendre leur repas de midi et l'atmosphère se chargea d'une odeur de rhum. Il n'y avait après tout aucune raison de rompre la routine quotidienne, alors que l'on avait tout le temps voulu pour décider, le cas échéant, d'une ligne de conduite.

Le navire non identifié approchait très rapidement, surtout pour un deux-ponts. On voyait maintenant qu'il courait tout dessus. Son commandant avait même fait gréer les bonnettes, en sorte que la coque paraissait écrasée par cette immense pyramide de toile.

– Il fait des signaux, monsieur ! s'écria Ashton d'une voix exaltée.

– Alors ça ! fit Broughton en se mordillant les lèvres, le regard levé vers l'aspirant juché sur les barres de hune.

Tothill était monté rejoindre Ashton et, ensemble, ils compulsaient le livre des signaux, apparemment indifférents à ce qui se passait sur le pont, loin au-dessous de leurs jambes pendantes.

– Un bâtiment ami, monsieur, dit Bolitho. Peut-être un renfort. Au moins allons-nous peut-être glaner quelques nouvelles.

Le nez en l'air, il n'en crut pas ses oreilles lorsque Tothill hurla :

– Il s'agit de l'*Impulsif*, monsieur, soixante-quatre canons ! Capitaine Herrick !

Broughton se retourna vivement vers Bolitho.

– Vous le connaissez ?

Bolitho ne savait trop comment répondre. Thomas Herrick. Que de fois il avait pensé à lui et à Adam, se demandant où ils pouvaient bien se trouver et ce qu'ils y faisaient ! Et voilà que Thomas était ici. Ici même !

– Depuis des années, monsieur, répondit-il. Je l'ai eu comme second. Et nous sommes amis.

Broughton le dévisagea d'un air méfiant avant d'ordonner sèchement :

– Signalez à l'escadre de mettre en panne. Et au commandant de l'*Impulsif* de venir à bord – il regarda les flammes se déployer dans le vent, puis ajouta : J'espère qu'il nous sera de quelque utilité.

Bolitho eut un sourire et laissa tomber :

– Sans lui, monsieur, ce bâtiment-ci serait toujours sous couleurs françaises.

– Bon, attendons de voir, grommela l'amiral. Je serai en bas quand il arrivera.

Keverne laissa Broughton s'éloigner, puis demanda :

– Est-il vrai, monsieur, qu'il a aidé à prendre ce vaisseau ? Avec un petit navire de quatrième rang comme celui-là ?

Bolitho le regarda d'un air rêveur.

– Mon propre bâtiment était presque perdu. Le capitaine Herrick, avec son petit soixante-quatre, qui est sensiblement plus vieux que vous, est venu aux prises sans l'ombre d'une hésitation – du geste, il désigna le gaillard d'arrière. C'est là que cela s'est passé, là où se trouve Mr. Partridge. L'amiral français a fait sa reddition.

– Je l'ignorais, dit Keverne en souriant.

Il regardait le pont bien ordonné comme s'il s'attendait à y voir quelque signe témoignant du combat sanglant qui s'y était déroulé.

Tothill se laissa descendre le long d'un galhauban.

– Toutes les unités ont fait l'aperçu, monsieur !

– Mettez en panne, dit Bolitho à l'adresse de Keverne. Vous disposerez du monde à la coupée pour accueillir notre invité.

Bolitho prit avec son ami la direction de la grand-chambre. Arrivé au bas de l'échelle, à l'abri du grand soleil et du fracas des voiles en ralingue, il se retourna pour le regarder.

– Ah, Thomas, comme c'est bon de vous revoir !

La physionomie de Herrick, rendue soucieuse par la blessure de Bolitho, se fendit d'un grand sourire.

– Inutile de vous dire ma joie quand j'ai reçu ordre de rallier votre escadre.

Bolitho se campa sur ses jambes afin de corriger le roulis de l'*Euryale* travers à la houle et d'examiner à loisir les traits de son ami. Il était plus rond du visage et quelques cheveux gris dépassaient du couvre-chef frangé d'or. A part cela, il n'avait pas changé. C'étaient toujours les mêmes yeux, du bleu le plus bleu que Bolitho eût jamais vu.

– Parlez-moi un peu d'Adam. Il est avec vous ?

– Oui – Herrick considéra les fusiliers de faction au bas de l'échelle menant chez Broughton. Il brûle littéralement de vous revoir.

Bolitho eut un sourire.

– Nous aurons tout de le temps de bavarder après que vous aurez vu Sir Lucius.

– J'y compte bien ! fit Herrick en le saisissant par son bras valide.

En s'écartant pour laisser passer son ami, Bolitho avisa ses épaulettes dorées. Herrick était donc capitaine de vaisseau de première classe. Malgré toutes les couleuvres que, comme lui, il avait dû avaler…

Broughton se leva à demi lorsqu'ils pénétrèrent dans sa spacieuse cabine.

– Vous avez des dépêches pour moi, commandant ? interrogea-t-il, très guindé. Je n'attendais pas d'autre navire.

Herrick déposa une enveloppe cachetée sur le bureau.

– De la part de Sir John Jervis, monsieur – il fit la grimace. Je vous demande pardon, j'aurais dû dire Lord Saint-Vincent, puisqu'il vient de recevoir ce titre.

Broughton lança l'enveloppe en direction de Calvert qui rôdait à proximité, puis lâcha sèchement :

– Dites-moi les nouvelles. Qu'en est-il de cette satanée mutinerie ?

Herrick restait sur ses gardes.

– Il y a eu du sang de versé, et aussi pas mal de larmes ; mais après que Leurs Seigneuries ont consenti à certaines concessions, les équipages ont accepté de rentrer dans le rang.

– Accepté ? répéta Broughton en le toisant d'un air mauvais. Est-ce tout ?

Herrick se mit à fixer la cloison, une note de tristesse dans le regard.

– Les meneurs ont été pendus, monsieur, mais non sans que certains officiers aient été d'abord débarqués pour incapacité à maintenir la discipline.

Broughton bondit de sa chaise.

– Et comment avez-vous eu vent de tout cela ?

– Mon bâtiment a été impliqué dans la mutinerie, monsieur.

L'amiral le regarda comme s'il avait mal entendu.

– *Votre* bâtiment ? Vous voulez dire que vous êtes resté les bras croisés pendant que les mutins s'en emparaient ?

– Il n'y avait pas le choix, monsieur – Bolitho vit dans les yeux de son ami une lueur de cette ténacité qu'il lui connaissait. D'ailleurs, j'étais d'accord avec la plupart de leurs revendications. Ils m'ont permis de rester à bord parce qu'ils savaient que je comprenais, comme au reste beaucoup d'autres officiers.

Bolitho se hâta d'intervenir :

– Voilà qui est intéressant, commandant Herrick – il espérait que son ami percevrait la mise en garde. Sir Lucius a vécu à peu de chose près la même expérience à Spithead – il adressa un sourire à Broughton. Est-ce que je me trompe, monsieur ?

Broughton ouvrit grand la bouche, puis il dit :

– Enfin, dans une certaine mesure.

Herrick fit un pas en avant.

– Monsieur, je ne vous ai pas encore dit ce que je suis personnellement chargé de vous communiquer – il glissa un regard à Bolitho. J'ai été convoqué par Lord Saint-Vincent à Cadix. Il m'a donné ordre de trouver votre escadre. Il a besoin des galiotes à bombes en vue, je crois, d'une attaque contre Ténériffe. C'est le contre-amiral Nelson qui doit la commander.

– Le voilà donc contre-amiral ? fit Broughton avec aigreur.

Herrick réprima un sourire.

– Il n'y a pas deux jours, nous avons repéré une voile suspecte au large de Málaga. Je me suis placé entre elle et la terre, et je lui ai donné la chasse. Il s'agissait d'une frégate, monsieur, et même si mon soixante-quatre est rapide, il n'a pu rivaliser de vitesse. J'ai néanmoins appuyé la chasse à ce navire et ne l'ai perdu que ce matin. Lorsque j'ai aperçu votre vaisseau de queue, j'ai bien cru que c'était lui.

– Voilà qui est véritablement passionnant, commenta sèchement Broughton. Bon, vous l'avez perdu. Puis-je en conséquence savoir quelle raison vous avez d'être aussi réjoui ?

Herrick ne se laissa pas démonter.

– J'ai appris ce qui est arrivé, monsieur. Je reconnaîtrais ce navire entre tous. Il s'agit de l'*Aurige*.

– Vous en êtes sûr, Thomas ? s'étonna Bolitho.

– Absolument. J'ai servi pendant plusieurs mois à son bord. L'*Aurige*, sûr de sûr.

Calvert avait étalé les dépêches sur le bureau. Broughton les balaya d'un revers de main pour trouver sa carte marine.

– Où cela, Herrick ? Montrez-le-moi sur la carte !

Herrick lança un coup d'œil interrogateur à Bolitho, puis se pencha au-dessus du bureau.

– Il marchait quasiment plein est, monsieur.

– Et vous l'avez presque gagné de vitesse ? Avec un deux-ponts ? Broughton était dans tous ses états.

– Oui, monsieur. L'*Impulsif* a beau être ancien, et sa coque si mûre qu'elle se disloquerait, j'en ai peur, sans son doublage de cuivre, il reste quand même le bâtiment le plus rapide de la flotte – il y avait de la fierté dans sa voix. L'*Aurige* a pu aller s'abriter à Carthagène, monsieur. Auquel cas…

Broughton secoua la tête.

– Impossible. Mes corvettes le repéreraient et l'engageraient – il se frottait vigoureusement le menton. Plein est, dites-vous ? Bon sang, nous pourrions peut-être encore le traquer ! – il regarda Herrick. Eh, par Dieu, je n'aurais pas, moi, fait pendre quelques malheureux mutins ! J'aurais pendu toute la bande !

– Je suis porté à le croire, monsieur, répondit Herrick du ton le plus respectueux.

Broughton parut ne pas avoir entendu.

– Signalez à Gillmore de donner immédiatement la chasse. Il a carte blanche pour retenir ou retarder l'*Aurige*. La *Sans-Repos* peut continuer de patrouiller à notre vent – il s'adressa à Herrick avec un petit sourire : Puisque votre bâtiment est si rapide, vous allez rester à vue de la *Sans-Repos*, de manière à pouvoir lui relayer sans délai mes instructions – il le salua sèchement. Je ne vous retiens pas davantage.

Lorsqu'ils furent sortis de la grand-chambre, Herrick demanda :

– Il est toujours comme cela ?

– Le plus souvent, répondit Bolitho – il s'arrêta au pied de l'échelle du gaillard. Comment se débrouille Adam ? Je veux dire, est-ce qu'il…

Herrick le coupa avec un grand sourire.

– Il est prêt à passer son brevet de lieutenant, si c'est à cela que vous pensez – il observa Bolitho, puis lui demanda : Voulez-vous que je vous l'envoie ?

– Oui, merci. Je manque d'officiers – Bolitho souriait, incapable de dissimuler sa joie. Je vous serai très reconnaissant.

– Je lui ai appris tout ce que je sais.

– En ce cas, il est fin prêt.

– J'ai moi-même eu un bon professeur, dit Herrick en souriant jusqu'aux oreilles.

La chaloupe de Herrick avait à peine débordé qu'une multitude de signaux montaient aux drisses de l'*Euryale*. La *Coquette* vira de bord avec une grâce de pur-sang, comme si une corde venait d'être coupée pour la libérer des autres navires. Et tandis qu'à bord les matelots montaient des passavants, Bolitho sentit croître en lui une force toute neuve.

– On dirait que le commandant est tout requinqué, observa Partridge.

– On le dirait en effet, acquiesça Keverne.

Il saisit son porte-voix et se hâta de gagner la rambarde.

XVIII

LE PIÈGE

Allday ouvrit la porte de la chambre pour annoncer :

– Mr. l'aspirant Pascoe, commandant !

En dépit de sa prétention à respecter les formes, son visage affichait un sourire réjoui.

La soirée était déjà bien avancée et, si l'on exceptait une brève rencontre quand le garçon avait pris pied sur le pont après avoir grimpé précipitamment l'échelle de corde, Bolitho n'avait pas eu le loisir de lui parler. Cela avait été un moment étrange. Il avait vu le visage du jeune Pascoe passer de l'excitation à la circonspection, une sorte de réserve timide, lorsqu'il avait ôté son chapeau pour dire :

– Enseigne Pascoe ralliant le bord, monsieur.

Conscient du regard de Keverne et autres qui, postés à proximité, ne perdaient pas une miette de ces retrouvailles inattendues, Bolitho avait eu une attitude tout aussi impersonnelle.

– Mr. Keverne va vous indiquer ce que sera votre tâche, avait-il dit non sans une pointe de gaucherie. Vous allez suppléer le poste de sixième lieutenant. Je suis certain que Mr. Keverne sera en mesure de vous équiper tant en habillement qu'en autres articles dont vous pourriez avoir besoin…

Il s'était interrompu en voyant que l'on hissait sans ménagement du canot une cantine toute cabossée. C'est alors seulement qu'il avait pleinement apprécié l'importance du moment. Et Pascoe de déclarer d'une voix égale :

– J'avais pensé que vous pourriez me faire transférer à bord de votre bâtiment, monsieur – il avait marqué un temps de silence. Je l'espérais. C'est pourquoi mes affaires étaient prêtes…

Ce soir-là, lorsque Allday referma la porte et qu'ils se trouvèrent pour la première fois seuls, Bolitho sentit une onde de chaleur l'envahir, même s'il mesurait le changement qui s'était opéré entre eux.

– Allez, Adam, viens t'asseoir auprès de moi, fit-il en désignant la table, dressée par Trute avec un soin inhabituel. La chère n'est pas bien appétissante, mais sûrement pas pire que ce à quoi tu es habitué.

Il s'occupa les mains avec une carafe, sentant à tout instant le regard du garçon posé sur lui. Comme il avait changé ! Il avait gagné en taille et paraissait plus confiant, plus sûr de lui. Et cependant il avait conservé cette nervosité ombrageuse de jeune cheval dont Bolitho avait gardé le souvenir depuis leur dernière rencontre deux ans plus tôt.

Le garçon prit le verre de vin et dit sans façon :

– Il y avait longtemps que j'attendais ce moment – puis il sourit, et Bolitho revit une nouvelle fois en pensée ces autres visages accrochés au mur à Falmouth. Quand le commandant Herrick m'a appris que vous aviez été blessé…

Mais Bolitho leva son verre.

– Oublions tout cela. Comment cela s'est-il passé pour toi ?

Il le plaça à table, comme toujours vaguement conscient de la vibration continue du pont sous ses pieds et des mouvements réguliers du vaisseau, qui, conformément aux ordres de Broughton, faisait force de voiles pour suivre la *Coquette*.

Il tira vers lui un plat de bœuf fumant. Cette viande était frais sortie de son baril et sans doute déjà en passe de s'avarier. Mais sous la chaude lumière de la lampe et servie dans la plus belle vaisselle d'étain du bord, elle paraissait presque fastueuse. Il hésita, soudain gêné de sa gaucherie avec le couteau à découper. Il en fut embarrassé et irrité. Cela aurait dû être un moment parfait, loin des tracas du bord et, pour une fois, presque sans douleur.

Pascoe avança le bras pour lui prendre le couteau. Leurs regards se rencontrèrent et le garçon dit d'une voix douce :

– Laissez-moi faire, mon oncle – nouveau sourire. Le commandant Herrick m'a enseigné toutes sortes de choses.

Bolitho l'observa qui, penché au-dessus du plat, cheveux aussi noirs que les siens, une mèche rebelle lui tombant sur les yeux, cisaillait laborieusement la viande coriace.

– Merci, Adam.

Il souriait pour lui-même. Dix-sept ans. Il lui était facile de se remémorer ce qu'était la vie d'un jeune aspirant. Et puis Adam prenait vraiment du plaisir. C'est sans apitoiement ni duplicité qu'il évoqua avec flamme la part prise par l'*Impulsif* dans la mutinerie, qu'il parla de Herrick et de la foule de choses qui du jeune garçon avaient fait une ferme réplique de son père et de lui-même.

Bolitho avait un peu de mal à manger cette viande, même après qu'elle lui eut été découpée en petits morceaux. Adam, lui, ne faisait pas la fine bouche et ne cessait de se resservir.

– Comment peut-on manger comme un ogre et rester fin comme un jonc ? l'interrogea Bolitho.

Adam le regarda avec gravité.

– C'est que les aspirants ne font pas bombance tous les jours, mon oncle.

Tous deux éclatèrent de rire, puis Bolitho dit :

– Ma foi, il se peut que tu ne restes plus très longtemps dans le poste des aspirants. Je ne vois pas pourquoi tu n'essaierais pas de décrocher ton brevet de lieutenant dès qu'un examen pourra être organisé.

– Je ferai mon possible pour ne pas trahir votre confiance en moi, fit le garçon en baissant les yeux.

Bolitho l'observa plusieurs secondes d'affilée. Ce garçon serait bien incapable de trahir qui que ce fût. C'était lui qui avait souffert d'une injustice. Bolitho éprouvait de nouveau le désir impérieux d'y remédier, et sans plus attendre. Il regardait sa blessure à l'épaule comme un avertissement : la prochaine fois, ce pouvait être un coup fatal.

– Il y a à Falmouth un notaire du nom de Quince, commença-t-il non sans embarras – il marqua un temps, cherchant à donner à sa voix un ton plus neutre. A notre retour, j'aimerais que tu viennes le voir avec moi.

Adam repoussa son assiette et s'essuya les lèvres.

– Pourquoi donc, mon oncle ?

Pourquoi ? Comment une question aussi vaste pouvait-elle tenir dans ces deux petites syllabes ?

Bolitho se leva pour gagner la rangée de fenêtres. En contrebas, la houache du vaisseau éclairée par le feu arrière semblait de la neige, et il crut discerner le *Valeureux* qui suivait à distance prudente dans les ténèbres. Dans le verre épais de la vitre il pouvait voir le reflet du jeune Pascoe, toujours assis à table, le menton entre les mains, semblable à un enfant en ces instants d'intimité qui étaient si précieux et appartiendraient bientôt au passé.

– Je tiens à ce que ma maison et mes biens te reviennent à ma mort, dit Bolitho – il entendit le garçon sursauter et s'en voulut d'avoir formulé la chose aussi crûment. Je sais qu'avec un peu de chance je vais te casser les pieds pendant encore pas mal d'années – il se retourna pour lui sourire. Je souhaite néanmoins que cela soit réglé.

Pascoe s'apprêtait à se lever, mais Bolitho vint lui poser une main sur l'épaule.

– Tout te serait revenu un jour si le sort t'avait été plus clément. Je veux m'assurer que tes droits ne seront pas bafoués – il se hâta de poursuivre, incapable de s'arrêter : Tu ne portes pas le nom de notre famille, mais tu en fais autant partie que si les choses s'étaient passées autrement – voyant Adam s'essuyer les yeux d'un revers de main, il lui serra plus fort l'épaule. Et maintenant file prendre ton quart. Je ne tiens pas à ce que mes officiers disent derrière mon dos que mon neveu jouit de favoritisme.

Adam se leva lentement et déclara d'une voix égale :

– Le commandant Herrick avait raison – il s'éloigna pour ne se retourner qu'une fois arrivé à la porte. Il m'a dit que vous êtes l'homme le plus estimable qu'il ait jamais rencontré. Il m'a dit aussi…

Mais il ne put terminer et c'est presque en courant qu'il s'en fut.

Bolitho retourna se poster devant les fenêtres pour contempler le sillage sans le voir. Il se sentait en paix pour la première fois depuis… il ne se rappelait pas à quand remontait la dernière fois. Peut-être allait-il être enfin en mesure d'aider Adam. De redresser certains des torts qui lui avaient été infligés. Au moins une rencontre avec Draffen lui avait-elle été épargnée. Les insinuations de ce dernier sur la complicité passive de Hugh avec des marchands d'esclaves auraient remué le fer dans la plaie et risqué de causer d'irréparables dommages.

On toqua à la porte. C'était Ashton.

– Mr. Meheux vous envoie ses compliments, monsieur – son regard passa sur les assiettes sales. Il souhaiterait prendre un ris supplémentaire. Le vent a halé le noroît en forcissant.

Bolitho hocha la tête et ramassa son chapeau. La paisible parenthèse se refermait.

– Je monte sur-le-champ – et d'ajouter au moment de sortir : Si à mon retour ces restes de viande avaient disparu, je ne m'en formaliserais pas.

Il referma la porte en souriant. On servait la même nourriture frugale à l'équipage. Cependant, installé dans ce saint des saints qu'était la chambre du commandant, Ashton aurait l'impression de banqueter, même si la réaction de Trute était difficile à imaginer.

Le quart du matin avait encore une heure à courir lorsque Bolitho se présenta sur le gaillard. Bien qu'il se fût levé plusieurs fois dans le cours de la nuit, il se sentait remarquablement frais et dispos, et son épaule était plus gourde que douloureuse. Il s'arrêta pour jeter un œil au compas. On faisait route au nord-est ; cela n'avait pas varié depuis sa dernière inspection avant l'aube.

Le ciel était très clair, avec l'air d'avoir été lavé, et une brise fraîche de noroît levait de petits moutons blancs sur toute l'étendue de la mer.

Tout en déjeunant du bout des lèvres et en faisant durer sa dernière mesure de bon café, il avait escompté le cri d'une des vigies ou le bruit de pas d'un lieutenant venant l'informer que la *Coquette* était en vue. Mais tandis que le jour se levait et que le pont au-dessus de sa tête commençait à résonner du bruit des fauberts accompagné du bavardage habituel des matelots, il avait fini par admettre que l'horizon était vide.

A présent, tandis qu'il se dirigeait vers la lisse de couronnement, visage impassible pour masquer le doute qui subitement l'assaillait, il comprit qu'il lui fallait dissuader Broughton d'appuyer la chasse.

Cela faisait plus de dix-sept heures que l'amiral avait envoyé la *Coquette* à la poursuite de la frégate prise par l'ennemi, et que l'escadre faisait force de voiles pour suivre au mieux. Quand, dans la nuit, on avait changé d'amures, on avait vu plusieurs fois avec effroi le *Valeureux* surgir des ténèbres tel un vaisseau fantôme résolu à fracasser la poupe de l'*Euryale*.

Tout en terminant son café dans l'espace privé délimité par la cloison de sa chambre, Bolitho s'était penché sur la carte. On se trouvait maintenant à quelque soixante milles dans le sud d'Ibiza et l'on continuait de pousser toujours plus loin vers l'est. Ironie du sort, la détermination de Broughton à reprendre l'*Aurige* ramenait l'escadre dans les eaux qu'elle avait déjà sillonnées, puisque l'on se trouvait maintenant à moins de quatre-vingts milles dans le nord un quart nord-est de Djafou.

Keverne jugea que le moment était venu d'adresser la parole à son commandant.

– Bonjour, monsieur – il eut un sourire. Encore une fois.

Bolitho regarda dans sa direction et aperçut au loin, par la hanche sous le vent, les perroquets ballonnants de l'*Impulsif*, teintés de jaune pâle par le soleil levant. Broughton avait décrété que ce bâtiment jouerait un rôle solitaire sur le flanc de l'escadre. Il était plus rapide que les autres et, sans avoir une frégate à sa disposition, avec uniquement la petite *Sans-Repos* là-bas sur l'horizon, l'amiral n'avait que peu de choix pour son déploiement.

– Signalez, je vous prie, à la *Tanaïs* de forcer l'allure, dit Bolitho. Elle est une nouvelle fois hors de position.

Keverne fit la grimace et porta la main à son chapeau.

– Bien, monsieur.

Bolitho gagna le bord du vent et entama sa déambulation matinale. La *Tanaïs* était légèrement tombée sous le vent de la ligne, mais cela ne justifiait pas, en ces circonstances particulières, un rappel à l'ordre. Chaque bâtiment faisait de son mieux et l'escadre avait filé sept nœuds depuis son dernier changement de route. Sans doute Keverne pensait-il que son initiative visait seulement à lui remettre en mémoire la collision avec le deux-ponts. Et peut-être estimait-il que Bolitho se livrait là à un reproche qui n'était guère fondé.

La cadence de ses pas s'accéléra en même temps que le train de ses ruminations. Son second pouvait bien penser ce qu'il voulait. Il en allait ce matin-là de bien autre chose que de sa tranquillité. L'insistance de Broughton était assez juste à première vue. La *Coquette* et la *Sans-Repos* croisaient au large de la côte espagnole lorsque la frégate s'était arrangée pour passer entre les différents groupes de navires. Il était tout aussi possible que l'*Aurige* ne pût regagner ladite côte sans perdre son avance et s'exposer à une rencontre avec ses poursuivants. Ces vents de secteur nord-ouest, si favorables aux bâtiments de Broughton, auraient bientôt réduit à rien l'avantage de l'*Aurige*. Il fit la grimace. Ces raisonnements ne le menaient nulle part. Et puis, tout cela, c'était la veille, lorsque l'on pouvait encore raisonnablement espérer reprendre la frégate. D'ailleurs, son commandant n'avait peut-être nullement l'intention de revenir vers l'Espagne ou la France. Il pouvait poursuivre en direction de Majorque ou de Minorque, ou bien encore continuer à pleine vitesse vers l'est afin de mener à bien quelque mission secrète.

S'il n'avait pas été préoccupé par ses affaires personnelles et tout à sa joie de revoir son neveu, peut-être Bolitho serait-il allé trouver Broughton plus tôt. Il se renfrogna : ce n'était toujours que des *si* et des *peut-être*…

– Bonjour, monsieur.

Il se figea et vit Adam Pascoe qui le regardait du haut du passavant tribord. Il se détendit un peu.

– Alors, on commence à trouver ses marques ?

– Je me suis promené par tout le navire, monsieur – le jeune garçon arbora soudain un air de gravité. On a du mal à se figurer que c'est ici que les Français se sont rendus – il fit quelques pas vers l'arrière et se mit à fixer le bordage humide. J'étais en train de penser à Mr. Selby, le second, qui a donné sa vie pour moi. Je pense souvent à lui.

Les mains de Bolitho se crispèrent dans son dos. Cela ne finirait-il donc jamais ? Tout se passait comme si Hugh se tenait en permanence derrière lui à se moquer des efforts qu'il faisait pour oublier. Comment eût réagi Adam, en cet instant précis, s'il avait su que Selby était son propre père ? Peut-être le lien du sang était-il si fort que même l'illusion n'avait été que temporaire.

Les paroles du garçon venaient de lui faire prendre conscience d'autre chose, il s'en rendait bien compte. Il était jaloux. Jaloux parce que Adam se souvenait d'un père qu'il n'avait pas sciemment identifié, et parce que c'était là quelque chose qui ne pouvait se partager. Et si Adam apprenait la vérité sur Hugh et découvrait qu'il avait été privé de son identité même à l'instant de sa mort ? A l'époque, cela était vital pour sa propre sécurité, comme cela l'était aujourd'hui pour l'avenir de son fils. Mais ces considérations lui sembleraient-elles importantes s'il découvrait la vérité ?

Il s'aperçut que son neveu le regardait d'un air inquiet.

– Quelque chose ne va pas, monsieur ? C'est votre épaule ?

Bolitho secoua la tête.

– Je suis de mauvaise humeur ce matin – il eut un sourire. Je suis heureux que tu te souviennes encore de Mr. Selby – était-ce un mensonge ou bien était-il sincère ? J'ai souvent du mal à accepter que ce soit ce navire qui nous a fait payer la victoire au prix fort.

– Voici venir l'amiral, monsieur, dit le garçon avant de s'esquiver.

Broughton était en train de traverser le tillac en lorgnant l'horizon d'un œil morne. Bolitho lui fit le compte rendu habituel, puis lui dit :

– Je pense que nous devrions virer de bord, monsieur – et, devant l'absence apparente de réaction chez l'amiral : Peut-être Gillmore va-t-il la forcer à accepter le combat, mais je pense que, pour notre part, nous n'avons guère à gagner en continuant sur cette route.

Broughton posa les yeux sur lui.

– C'est votre avis ?

– Oui, monsieur. La *Coquette* devrait être de taille à affronter l'*Aurige*, car la totalité de l'équipage français est sur un bâtiment nouveau pour lui. Gillmore a déjà fait la preuve de sa valeur dans les actions navire contre navire.

– Nous allons poursuivre – Broughton crispa la mâchoire. Il se peut que l'*Aurige* essaie sans tarder de rebrousser chemin, et *je la veux* !

– C'est un peu comme si l'on prenait un marteau pour casser un œuf, monsieur, fit observer Bolitho sans élever la voix.

Broughton se tourna vivement face à lui, le visage subitement livide.

– Mes nouvelles instructions prévoient qu'à moins d'avoir trouvé une base à ma convenance je dois rejoindre la flotte au large de Cadix ! Savez-vous ce que l'on dira ? Le savez-vous ? On me représentera que je n'ai mené à bien aucune des parties de ma mission. Que j'ai perdu contact avec l'ennemi parce que j'ai laissé prendre l'*Aurige*. Ce sera *ma* faute, la fin de *ma* carrière, c'est aussi simple que cela ! – il avisa Meheux qui les regardait de l'autre côté du tillac, et aboya : Dites à cet officier de se trouver une occupation, sinon il regrettera d'être né !

– Selon le rapport de son commandant, l'*Impulsif* a aperçu la frégate…

– L'*Impulsif* ? Parlons-en ! Quelle certitude avons-nous qu'il a tenté de reprendre la frégate ? Il a été mêlé à la mutinerie du Nord, son commandant semble presque fier de la chose ; n'est-il pas fort probable que son équipage se sera opposé à la chasse ? Peut-être auront-ils vu l'*Aurige* comme le symbole de leur satanée trahison !

– Vous n'êtes pas juste, monsieur !

– Ah, je ne suis pas juste ? – Broughton avait perdu toute réserve et n'avait pas conscience de la présence d'une poignée de matelots qui, profil bas, travaillaient sur des canons non loin de là. Je vais vous dire le fond de ma pensée, poursuivit-il en approchant son visage à quelques pouces de celui de Bolitho. Je pense que vous n'avez pas la moindre idée de ce qu'est le haut commandement. Je sais que vous êtes populaire ! Ça oui, j'ai vu à quel point les hommes vous aiment – son regard alla tout à coup se perdre du côté des filets. Croyez-vous donc que je n'aie jamais souhaité être admiré autant qu'obéi ? Par Dieu, si jamais vous obtenez un pavillon de commandement, vous verrez que ce n'est pas une route toute tracée !

Bolitho le regardait sans piper. Il était toujours fâché de cette attaque calomnieuse contre Herrick, mais il mesurait en même temps toute l'étendue de la déception et du désespoir de Broughton. L'*Aurige* était effectivement un symbole, mais pas au sens où il l'entendait. Cette frégate marquait pour lui le tout début de ses déboires, et cela presque dès l'instant où il avait hissé son guidon au mât d'artimon.

– Je pense, finit par dire Bolitho, que la découverte de l'*Aurige* par le commandant Herrick a été purement fortuite, monsieur. De même qu'il nous a joints de façon inattendue, de même l'ennemi ne s'attendait pas à le voir.

– Oui, et alors ? fit Broughton, s'arrachant à quelque rumination.

– Notre départ de Gibraltar n'est pas passé inaperçu. D'autre part, des navires ennemis nous ont vus, dont, pour certains, nous n'avons pas décelé la présence – il nota un regain d'hostilité dans le regard de Broughton. Car enfin, monsieur, pourquoi sans cela l'*Aurige* serait-il venu dans les parages ?

– Je ne le sais pas plus que vous, Bolitho, dit l'amiral d'une voix glaciale. Ce que je sais, c'est que je vais le trouver et le prendre. Quand nous rejoindrons la flotte, ce sera avec une escadre au complet. Une escadre qui pourra revenir en Méditerranée pour y mener les opérations que *je* jugerai bonnes !

Il tourna les talons, puis s'arrêta pour ajouter :

– Faites-moi savoir dès que vous apercevrez la *Coquette* !

Puis il s'en fut à grands pas rejoindre ses quartiers.

Bolitho s'approcha de la rambarde et s'abîma dans la contemplation du maître voilier et de ses aides qui, accroupis sur toute la surface du tillac, travaillaient à réparer des voiles. Partout alentour et au-dessus de lui, des hommes travaillaient. Faisant des épissures, graissant, passant de nouvelles manœuvres ou tout simplement appliquant un coup de peinture là où il y en avait le plus besoin. Une escouade de fusiliers gagnaient pesamment la hune de misaine pour faire leur exercice de tir. Sur le passavant de bâbord, il vit Adam en grande conversation avec Meheux.

Toutes ces choses échappaient à Broughton. A ses yeux, tous ces gens représentaient une espèce de menace, ou un genre de point faible capable de mettre en péril ses projets bien arrêtés. C'est pourtant là qu'était la vraie force, sans laquelle tout navire n'était qu'un tas de bois et de cordages. Broughton parlait souvent de loyauté, mais il ne voyait pas que ce n'était qu'une autre manière de désigner la confiance. Et la confiance était quelque chose de réciproque et non pas un bien unilatéral.

Bolitho leva brusquement la tête en entendant Tothill crier :

– Un tir de canons, monsieur !

Il s'agrippa à la rambarde et se pencha en avant, tendant l'oreille par-dessus les bruits incessants du bord. Oui, il l'entendit, très assourdi, un peu comme le ressac explosant au fond d'une profonde cavité. Forcément assourdi avec ce vent qui arrivait par la hanche bâbord.

Trute, qui transportait un plateau de timbale vide, manqua de se faire renverser par Broughton qui sortait en trombe, sans chapeau, une plume à la main, le visage déformé par une soudaine agitation.

– Vous avez entendu ? – son regard fit le tour des hommes de vigie. Eh bien, vous autres, vous avez entendu ? – les yeux plissés face au soleil, il se dirigea vers Bolitho. Alors, que vaut maintenant votre avis ?

Bolitho le regarda sans se troubler. Il était plus soulagé qu'irrité par la sortie de l'amiral. Avec un peu de chance, Gillmore pouvait mettre l'*Aurige* hors de combat voire s'en rendre complètement maître en l'espace d'une heure, et c'en serait fini de cette bordée.

– Dites à la vigie du grand mât de nous aviser dès qu'elle les verra, ordonna-t-il à Keverne.

– Monsieur, dit Tothill, l'*Impulsif* fait des signaux.

Broughton jeta un regard à Bolitho.

– Je suppose que votre *ami* Herrick en revendiquera tout le mérite !

Bolitho déploya une lunette et la pointa sur le deux-ponts. Il avait légèrement lofé et accusait une gîte prononcée, sa tête de mât dressée comme une pique.

Tothill grimpa dans les enfléchures, son gros télescope oscillant tel un canon de fantaisie. Ses lèvres remuaient sans qu'il en sortît un son et, lorsqu'il baissa les yeux vers le gaillard d'arrière, son visage semblait très pâle.

– *Impulsif* à *Pavillon*, monsieur : « Voile suspecte dans l'ouest un quart nord. »

– Aperçu !

Bolitho se tourna vers l'amiral, qui se tenait toujours tête penchée pour entendre le bruit lointain de la canonnade.

– Vous avez entendu cela, monsieur ?

Broughton le regarda.

– Bien sûr que j'ai entendu ! Je ne suis pas sourd, bon sang !

La voix forte de l'homme de vigie le fit sursauter :

– Ohé, du pont ! Une voile par bâbord avant, monsieur ! J'aperçois des éclairs !

– L'*Aurige* sera à nous dans très peu de temps ! dit Broughton en se frottant les mains.

– Je pense que nous devrions détacher l'*Impulsif* pour aller flairer cette autre voile, monsieur.

Mais c'était comme parler à un sourd. Visiblement, Broughton ne pensait qu'à ces deux navires en train d'en découdre sur l'horizon.

Tothill de nouveau :

– Monsieur, l'*Impulsif* signale : « Dénombrons quatre voiles suspectes. »

Pour la première fois, Broughton parut s'arracher à son obnubilation touchant l'*Aurige*.

– *Quatre* ? Mais d'où diable sortent-elles ?

L'*Impulsif* avait diminué de voiles et rapetissait à mesure qu'il retombait en queue de l'escadre. Bolitho, qui se mordait les lèvres, rendait grâce à Herrick de son initiative. Procéder de la sorte était de la folie pure. Les nouveaux venus, qui ne pouvaient être qu'hostiles, se dirigeaient sur le flanc de l'escadre avec le plein avantage du vent. Si Herrick parvenait à les identifier, il était encore possible de mettre tant bien que mal les bâtiments de Broughton en ordre de bataille.

– Il semble que la canonnade ait cessé, monsieur, dit Keverne.

– Parfait – Broughton fronçait les sourcils. Maintenant, nous allons voir le résultat.

– Dommage que la *Coquette* soit si loin en avant, intervint Giffard. Nous pourrions l'utiliser pour explorer le terrain, n'est-ce pas, monsieur ?

Bolitho vit l'officier fusilier se tasser lorsque Broughton lui demanda sèchement :

– Je vous demande pardon ?

Avant que l'autre eût pu répéter, Bolitho, les yeux tout à coup pleins de colère, apostropha l'amiral :

– Le diable les emporte, il faut qu'ils aient été au courant ! Brice leur aura dit tout ce qu'il savait quand ils l'ont pris ; et le reste, ils l'auront deviné – il se rendait compte que Broughton le regardait comme s'il avait perdu la raison, mais il n'en continua pas moins d'un ton plein d'acrimonie : Ils nous ont envoyé l'*Aurige* en sachant parfaitement ce que vous alliez faire ! – de son bras valide, il désigna la mer. Et, de fait, monsieur, vous l'avez fait !

– Mais de quoi diable êtes-vous en train de parler, mon ami ?

– L'*Aurige* a servi d'appât. Un appât que vous ne pouviez ignorer en raison de votre dignité outragée !

Broughton s'empourpra.

– Comment osez-vous ? Je vais vous faire mettre aux arrêts, je vais…

Tothill d'annoncer sans oser trop élever la voix :

– Monsieur, *Impulsif* à *Pavillon* : « Flotte non identifiée dans l'ouest un quart nord. »

Bolitho marcha lentement jusqu'à la lisse.

– Ce ne sont plus des navires, sir Lucius, mais toute une flotte – il se retourna, tout à coup très calme, vers Broughton. Et maintenant, ces hommes que vous méprisez et que vous avez accusés de tous les maux, depuis la mutinerie jusqu'à la paresse, vont devoir se battre et mourir – il laissa ses paroles produire leur effet. Et cela pour *vous*, monsieur.

– L'*Impulsif* demande ses instructions, monsieur, dit Tothill d'une voix tremblante.

Broughton regardait la plume qu'il avait toujours à la main.

– C'était un piège, murmura-t-il d'une voix étrange.

Bolitho ne détachait pas les yeux du visage de l'amiral.

– Oui. En définitive, le colonel Alava disait vrai. Et les vues françaises sur l'Égypte et l'Afrique sont en tout point telles qu'ils nous les a décrites – il tendit les mains vers les moutons d'écume qui défilaient en rangs serrés. Cette bataille est importante pour l'ennemi. Elle l'est d'autant plus qu'il sait que son écrasante victoire, signant pour nous l'impossibilité d'être de nouveau présents en Méditerranée, sera plus que suffisante pour préparer leur succès.

Tothill paraissait presque craindre d'intervenir :

– L'*Impulsif* signale, monsieur : « Dénombrons dix navires de ligne. »

Broughton semblait incapable de bouger ou de réagir.

– Nous allons faire face, finit-il par dire d'une voix épaisse et qui manquait de conviction.

Bolitho chassa toute compassion de son esprit.

– Nous n'avons pas le choix, monsieur. Ils ont l'avantage et, si nous refusons le combat, ils sont en mesure de nous chasser jusqu'à ce que nous soyons acculés à une côte. Nul doute que d'autres bâtiments sont déjà en route, venant de Toulon ou de Marseille, pour faire en sorte que les mâchoires du piège ne manquent pas de dents !

L'amiral se ressaisit. Ce fut presque une transformation physique. Il plissa les paupières et s'exprima par phrases brèves et saccadées :

– Signalez à toutes les unités : nous allons virer et approcher l'ennemi sur l'autre amure. Navire contre navire, nous pouvons… – il vit l'expression de Bolitho et lâcha d'un ton désespéré : Seigneur Dieu, cela va être à deux contre un !

Bolitho se détourna, incapable de supporter le spectacle du désarroi de Broughton.

– Ohé, du pont ! Voile en vue au vent !

Bolitho hocha la tête. Ainsi, ils étaient déjà sur l'horizon, et courant sus à eux.

Dix bâtiments de ligne. Il serra les poings, s'obligeant à réfléchir plutôt que de laisser son esprit s'engourdir face à une telle inégalité de forces. Deux contre un, venait de dire Broughton ; mais l'*Impulsif* n'était guère plus qu'une grosse frégate. Et fort ancienne, sa coque fatiguée d'avoir durement bourlingué des années durant. Elle était *mûre*, avait dit Herrick.

Il se retourna, de nouveau en pleine possession de ses moyens.

– Avec votre permission, monsieur, je pense que nous devrions nous reformer en deux divisions – il s'exprimait avec promptitude, se représentant la bataille comme s'il avait un plan sous les yeux et qu'il y fît glisser les pions. Les Français ont un goût marqué pour les engagements en ligne de file. Trop de temps passé au port ne leur a pas permis de s'exercer à d'autres types de formation – tout comme toi, se dit-il en considérant l'air irrésolu de l'amiral. Nous pouvons emmener la division du vent, avec juste l'*Impulsif* derrière nous. Rattray prend la division sous le vent, dans le même ordre qu'avant. Si nous parvenons à rompre la ligne ennemie, nous pouvons peut-être encore nous en tirer – voyant le flottement de l'amiral, il ajouta en martelant ses mots : En revanche, navire contre navire et ligne contre ligne, vous verrez dans la demi-heure votre escadre se faire transformer en pontons !

Le lieutenant Bickford déclara sobrement :

– J'aperçois l'*Aurige*, monsieur – il abaissa son télescope. Il est en train d'amariner la *Coquette.*

Ce fut comme un dernier coup porté à l'inflexible détermination de l'amiral de reprendre la frégate. Il regarda Bolitho pour dire :

– Je descends un moment. Vous avez mon aval pour mettre votre plan à l'épreuve – il parut sur le point de formuler quelque consigne, mais se borna à dire avec hargne : Dommage que Draffen ne soit pas là pour voir ce que nous coûte sa traîtrise !

Bolitho le suivit des yeux, puis fit signe à Keverne et à Tothill d'approcher.

– Signalez à tous les bâtiments : « L'escadre virera en enchaînement et gouvernera plein ouest. »

Keverne courut à la rambarde pour lancer ses ordres à un équipage en alerte.

Tandis que retentissaient les coups de sifflet et que les hommes gagnaient leur poste, Bolitho regarda monter les signaux, dont les couleurs vives tranchaient sur le ciel pâle.

Lorsque les aperçus lui furent annoncés les uns après les autres, il dit :

– Autre général : « Préparez-vous au combat. »

Il se força à sourire devant la fixité du regard de l'aspirant.

– Eh oui, monsieur Tothill, il semblerait que nous allons en découdre par cette belle matinée. Aussi, ayez vos hommes à l'œil.

Un ordre parfait s'était installé sur les ponts à mesure que les officiers mariniers faisaient appliquer leurs rôles de quart.

Partridge s'était placé près de l'homme de barre, paré à suivre la *Tanaïs* lorsqu'elle amorcerait son virement de bord.

– Toutes les unités ont fait l'aperçu, monsieur !

Ils étaient parés.

– Envoyez !

Keverne, en équilibre sur la pointe des pieds, attendait de voir d'abord le *Zeus*, puis la *Tanaïs* entrer dans le lit du vent.

– Prenez les amures tribord, lui dit Bolitho, pendant que je prépare les instructions destinées aux autres commandants.

– Et ensuite, monsieur ? s'enquit le second sans quitter la *Tanaïs* des yeux.

– Vous pouvez battre le branle-bas de combat – Bolitho eut un sourire. Et cette fois, cela va vous prendre *huit* minutes.

– Soyez parés sur le gaillard ! mugit Keverne. Du monde aux bras de ce côté !

– Paré pour l'artimon, monsieur !

Bolitho se retourna en entendant cette voix et vit le jeune Pascoe qui se tenait près des hommes postés aux bras des voiles d'artimon. Le chapeau rabattu sur ses mèches rebelles, il plissait les yeux face au soleil.

Leurs regards se rencontrèrent, et Bolitho voulut lui faire un signe de la main. Mais un violent élancement rappela sa blessure à son bon souvenir, et il vit de la consternation se peindre sur les traits de son neveu, comme si celui-ci partageait sa douleur.

– La barre dessous ! Largue et amure !

Des silhouettes se jetèrent dans toutes les directions. Gémissant sous la poussée du vent et du safran, l'*Euryale* commença de virer. Bientôt, telle une gigantesque défense, son boute-hors pointa une fois de plus vers l'ennemi.

XIX

UN BATIMENT DE GUERRE

– Abattez donc d'un quart, monsieur Partridge.

Bolitho s'approcha du bord sous le vent pour examiner le *Zeus* qui se trouvait par le travers en tête des autres soixante-quatorze. Il leur avait fallu moins d'une heure pour remettre l'escadre en formation et pour permettre aux capitaines de se disposer en divisions. Dieu soit loué, ils avaient eu le temps d'apprendre à se connaître.

– En route au suroît, monsieur !

Partridge avait l'air fort réjoui.

Bolitho s'avança sur la dunette et laissa ses yeux errer sur son bâtiment. Comme la vue était dégagée lorsque l'*Euryale* se trouvait en avant-garde ! Avec sa voilure principale carguée et ses huniers brassés serré pour prendre le vent, tribord amures, il voyait l'ennemi comme s'il s'était agi d'une grande peinture de combat naval. Les dix bâtiments naviguaient dans un alignement presque parfait, leur route d'approche coupait en diagonale celle de l'escadre anglaise. Pour un œil non averti, la mer devant eux était totalement bouchée par la longue colonne. Et même pour quelqu'un de plus expérimenté, le spectacle était impressionnant.

Il se força à faire quelques pas par le travers sur la dunette silencieuse, tout en jetant de temps à autre un œil au *Zeus*, afin de s'assurer qu'il tenait toujours son poste sous le vent. Sur son arrière, la *Tanaïs* et le *Valeureux* suivaient à intervalle régulier, les rangées doubles des canons brillaient au soleil comme des rangées de dents noires.

La haute poupe de l'*Euryale* lui cachait la plus grande partie de l'*Impulsif*, mais il voyait tout de même ses huniers cargués et la flamme du grand mât. Il n'avait aucune peine à imaginer Herrick : solidement campé sur le pont, pieds largement écartés, yeux bleus certainement rivés sur le vaisseau amiral.

– Pensez-vous, lui demanda doucement Keverne, que les Grenouilles ont deviné ce que nous étions en train de manigancer ?

Pour la dixième fois peut-être, Bolitho essayait d'évaluer la distance entre les deux divisions. Le *Zeus* de Rattray était environ à trois encablures, et il aperçut un éclat de couleur rouge vif : les fusiliers commençaient à grimper dans les hunes. Ils auraient bien besoin de leurs meilleurs tireurs d'élite, aujourd'hui.

– Nos divisions sont si mal constituées qu'à mon avis l'amiral français doit croire que nous ne sommes pas prêts.

Autant qu'il pense ainsi, songea-t-il tristement. Cinq bâtiments répartis en deux divisions de force inégale et qui s'approchaient de cette ligne inébranlable, tels des chasseurs qui se jetteraient sur une barrière infranchissable...

Il repensa à son propre bâtiment. Keverne avait réussi à rappeler aux postes de combat en huit minutes, en dépit de tout le reste. Dès que les tambours avaient commencé à battre le rappel, les marins et les fusiliers étaient montés rejoindre leurs postes avec la bonne volonté de gens que l'on conduit à la mort. Tout le monde se taisait, rien ne bougeait, un mouvement çà et là. Un mousse mettait du sable sur le pont pour donner meilleure prise aux servants de pièce. Fittock, le canonnier, faisait des allers et retours jusqu'à la sainte-barbe, ses chaussons de feutre aux pieds.

Les filets avaient été gréés au-dessus du pont et les suspentes de vergues mises à poste. Un fusilier gardait l'accès à tous les panneaux, pour éviter à ceux qu'effraierait trop l'horreur du combat de chercher à se réfugier dans une sécurité illusoire.

Tout paraissait net, en ordre. Les embarcations étaient à l'eau en abord ou à la remorque. Sous les passavants, les canonniers nus jusqu'à la ceinture regardaient ce qui se passait par les sabords en attendant le commencement de l'enfer.

Et ils n'allaient plus attendre longtemps. Bolitho leva sa lunette et la stabilisa sur le bâtiment ennemi qui se trouvait en tête. Il était à moins de deux milles par bâbord avant et, par conséquent, sur la route du *Zeus*.

La silhouette lui était étrangement familière, et c'est Partridge qui lui avait fourni l'explication : « Je le connais, monsieur, lui avait-il dit avec un intérêt tout professionnel, c'est le *Glorieux*, bâtiment amiral du vice-amiral Duplay. J' l'ai déjà vu une fois au large de Toulon. »

Bien sûr qu'il l'avait déjà vu, et cela ressemblait à un nouveau clin d'œil du destin. Le *Glorieux* sortait en effet du même chantier que l'*Euryale*, dont il était la copie conforme, de la pomme du mât au dernier goujon de quille. En dehors de la peinture, de larges bandes rouges entre les sabords, c'était la reproduction exacte de son bâtiment.

Il fit tourner légèrement son instrument sur la droite et se concentra sur les deux bâtiments qui occupaient le milieu de la ligne. Contrairement aux autres, ils arboraient les couleurs jaune et rouge d'Espagne et ils avaient été mis là par mesure de précaution : ils pourraient se contenter de suivre l'amiral sans devoir prendre trop d'initiatives, des initiatives qui avaient déjà coûté fort cher à leurs alliés français lors de la bataille de Saint-Vincent.

Il entendit Calvert qui murmurait quelque chose à l'oreille de l'aspirant Tothill. Lorsqu'il baissa sa lunette, il le vit fouiller fébrilement le livre des signaux, comme dans un dernier effort pour se rendre utile. Pauvre Calvert ! S'il survivait à cette journée, ce serait pour se voir arrêter et traduire en jugement dès leur arrivée en Angleterre. Les amis de Draffen ne manqueraient pas d'y veiller.

Bolitho se retourna. Pascoe se tenait sur la dunette, le poing sur la hanche, un pied posé sur une bitte. Le jeune garçon ne se rendait pas compte qu'il le regardait et ne lâchait pas des yeux la ligne ennemie.

– Si possible, dit-il à Keverne, nous essaierons de passer entre les bâtiments espagnols. A mon avis, c'est l'endroit le plus faible.

– Et le capitaine de vaisseau Rattray ? lui demanda Keverne qui observait le *Zeus*.

– Il fera comme il l'entendra, lui répondit Bolitho d'un ton grave.

Il revit la figure massive de Rattray et se dit qu'il n'y aurait pas besoin de le pousser pour qu'il se jette sur l'ennemi. Une seule chose importait : couper le vaisseau amiral français de ses conserves, assez longtemps pour briser la ligne et prendre l'avantage du vent. Après, ce serait chacun pour soi.

Le vice-amiral Broughton émergea au soleil et salua d'un bref signe de tête les officiers présents. Il examina un bon moment la division sous le vent, le regard empli de doute et d'inquiétude. Puis il laissa tomber :

– Je sais endurer l'enfer du combat, mais l'attente est toujours une torture.

Bolitho le regardait intensément. Il semblait plus calme, ou était-ce de la résignation ? L'amiral portait son sabre de prix et, sous sa vareuse, le cordon rouge du Bain. Était-il donc désespéré au point d'offrir une telle cible aux tireurs d'élite français ? Il se sentait envahi de pitié envers Broughton. L'heure n'était plus aux récriminations ni aux accusations. Cet homme voyait son escadre et tous ses espoirs avancer vers ce qui lui semblait être une destruction assurée.

– Voulez-vous que nous marchions un peu, sir Lucius ? Je trouve que cela aide à apaiser la tension.

Broughton l'accompagna sans un mot de protestation. Tandis qu'ils déambulaient lentement, Bolitho fit négligemment :

– Le centre de la ligne constitue le meilleur choix, sir Lucius. Les soixante-quatorze espagnols.

– Oui, acquiesça Broughton, je les ai repérés. Et l'adjoint de l'amiral est sur leur arrière.

Il s'arrêta subitement pour demander :

– Mais où diable est la *Coquette* ?

– Elle répare, amiral. L'*Aurige* également a subi trop de dommages au grand mât et à l'artimon, ils ne nous serviraient pas à grand-chose.

Broughton le dévisagea longuement, les yeux immobiles. Puis il lui demanda :

– Nos hommes vont-ils se battre ? – il leva la main. Je veux dire : *se battre pour de vrai* ?

– N'ayez crainte, répondit Bolitho en se détournant. Je les connais et…

– Et, le coupa Broughton, eux vous connaissent.

– Oui, amiral.

Lorsqu'il releva les yeux, la ligne ennemie s'était déployée des deux bords si bien que l'horizon semblait s'être transformé en un mur de voiles. A n'importe quel moment, désormais, l'amiral français pouvait comprendre ce qui se passait, auquel cas ils étaient battus d'avance, sans même l'avoir moindrement impressionné. S'ils avaient disposé d'un peu de temps ou, mieux encore, s'ils avaient eu la fluidité et la liberté que Broughton leur refusait avec ses exigences, ils auraient pu envoyer des signaux sans signification à Rattray et aux autres. Cela aurait pu faire croire à l'ennemi qu'ils allaient virer de bord et appliquer pour attaquer sa ligne la tactique classique que tant de gens défendaient encore. Mais, sans exercice d'entraînement préalable, un signal trompeur ne ferait que jeter leurs faibles forces dans une confusion aussi indescriptible que fatale.

A moins que… Il se tourna vers Broughton qui lui offrait son profil tourmenté.

– Puis-je vous suggérer de faire un signal général avant le signal d'engagement, amiral ?

Le cou de Broughton était pris d'un tremblement nerveux et il regardait sans ciller les bâtiments qui venaient sur eux. Il insista :

– Un signal de vous, amiral.

– De moi ? répondit Broughton en se retournant, l'air surpris.

– Vous me disiez que mes hommes *me* connaissaient, amiral. Mais il s'agit de mon bâtiment, ils connaissent ma façon de faire et j'ai essayé de comprendre la leur – il lui montra le *Zeus*. Mais ces bâtiments-là, ce sont les *vôtres*, et aujourd'hui leur sort dépend de vous.

– Non, je ne peux pas, répondit Broughton.

– Me permettez-vous, amiral ?

C'était Calvert.

– Le signal pourrait dire : « J'ai confiance en vous. »

Et il s'empourpra, tandis que Keverne s'approchait de lui. Le second lui donna une grande claque sur l'épaule :

– Par Dieu, monsieur Calvert, je n'aurais jamais cru que vous ayez autant d'imagination !

– Si vous pensez vraiment… concéda Broughton en pinçant les lèvres.

Bolitho fit signe à Tothill.

– Je le pense, amiral. Maintenant, envoyez-moi ce signal à bloc sans traîner. Nous n'avons guère de temps.

Et il vit bientôt des optiques de lunette qui leur renvoyaient le soleil : à bord du *Zeus*, les officiers observaient l'envolée de pavillons qui jaillissait aux vergues de l'*Euryale*.

Un grondement de feu le fit se retourner : le bâtiment amiral français venait de tirer, les longues flammes orange jaillissaient des pièces, l'une après l'autre. Le vaisseau entamait une première et lente bordée contre l'escadre qui arrivait. Comme leur axe d'approche était incliné, la plupart des coups ne portaient pas, et il vit des boulets ricocher sur les crêtes avant d'envoyer de grandes gerbes d'écume très loin derrière la division sous le vent. La fumée montait du côté de l'ennemi en grosses volutes brunes, et ils finirent par ne plus voir du *Zeus* que ses têtes de mât.

Broughton avait la main crispée sur la garde de son sabre et son visage était tendu. Un second français commença à tirer et le boulet traversa le hunier de misaine avant de tomber plus loin dans l'eau.

– Écoutez, amiral, fit Bolitho sans autre commentaire – il se porta du côté de l'amiral. Les entendez-vous ?

On entendait, dominant, quoique faiblement, le vent et les échos mourants de la canonnade, des cris d'enthousiasme, déformés et confus, comme si les bâtiments eux-mêmes avaient donné le ton. Les hommes se passaient le mot d'une pièce à la suivante, d'un pont à l'autre, et les hommes de l'*Euryale* se joignirent au concert, de leurs voix graves et caverneuses. Quelques servants de neuf-livres, sur le pont principal, reculèrent un peu pour faire de grands gestes à Broughton, qui restait là, aussi immobile qu'une statue, les épaules raides, le visage impassible.

– Vous voyez, amiral, lui dit doucement Bolitho, ils ne demandent pas plus.

Mais il se détourna en entendant Broughton répondre :

– Dieu me vienne en aide !

D'autres bâtiments se joignaient au tir à présent, les boulets commençaient à passer près et il aperçut plusieurs trous dans les voiles du *Zeus* qui tenait imperturbablement son cap dans la fumée.

Broughton annonça d'une voix ferme :

– Je suis paré, donnez l'ordre d'engagement à l'escadre.

Mais avant de se précipiter à la lisse, Bolitho vit que les yeux de l'amiral brillaient sous le choc ou la surprise d'avoir entendu ces clameurs ferventes. Tous ces cris pour un malheureux petit signal de rien du tout et qui prenait tant de signification au seuil de la mort.

– Envoyez le signal, monsieur Tothill, lui cria Bolitho – et à Keverne : Du monde aux bras, il faut que nous gardions notre poste par rapport au *Zeus* jusqu'au dernier moment.

Les tirs s'amplifiaient au-dessus du triangle d'eau qui les séparait et qui se rétrécissait sans cesse. Il sentit le pont trembler, un coup au but. Meheux passa derrière les pièces de l'avant, sabre au clair, et dit quelques mots à ses équipes, totalement absorbé par ce qu'il avait à faire.

– Paré, monsieur !

Bolitho leva la main, lentement, très lentement.

– Paré à virer, monsieur Partridge !

Son épaule lui faisait mal, la tension sans doute.

– *Envoyez !*

Les signaux s'affalèrent tous à la fois des vergues de l'*Euryale* et, tandis que les hommes se jetaient sur les bras, la roue commença à grincer, luttant contre la résistance des drosses ; il vit la ligne française s'ouvrir comme un portail, passer devant le boute-hors jusqu'au moment où l'*Euryale* se trouva en route perpendiculaire.

Un rapide coup d'œil lui apprit que le *Zeus* menait sa ligne et que sa division avait exécuté l'ordre. Ses voiles faseyaient violemment, les boulets continuaient de lui arriver dessus. Mais au lieu de voir venir sur eux un ensemble resserré de bâtiments, les canonniers français avaient désormais affaire à des cibles beaucoup plus étroites. Leurs pièces finirent par se taire, les deux lignes anglaises venaient sur eux sans broncher, encore que, après son large virage sur la droite, l'*Euryale* se retrouvât une bonne longueur sur l'avant du *Zeus*.

Bolitho dut s'accrocher à la lisse lorsque la fumée monta en tourbillonnant des pièces. Du métal passa au-dessus de la dunette, une manœuvre ou une poulie désemparée tombait çà et là dans les filets de protection.

– Paré !

Il s'essuya les yeux, la fumée tourbillonnait au-dessus du pont ; il vit un mât de hune comme détaché sur bâbord avant. Le pont tressaillit, d'autres boulets s'enfonçaient dans la coque et il se souvint soudain du jour où il avait expliqué à Draffen la supériorité de la construction navale française. Pensée macabre, ledit Draffen reposait en bas dans le noir paisible d'un tonneau d'alcool, alors qu'eux se préparaient à se battre et à mourir.

Il s'approcha des filets en voyant une petite tache de couleur surgir au-dessus de la fumée : le pavillon espagnol, qui flottait au bout de la corne. Il sut alors qu'il avait convenablement calculé son angle d'approche.

– Tous les ponts, parés !

Il vit les aspirants se précipiter vers les panneaux, il imaginait Weigall et Sawle en bas, dans leur univers de pénombre, les grosses gueules qui luisaient dans les sabords grands ouverts.

Meheux faisait face à l'arrière, les yeux rivés sur la dunette. Il s'était mis au portez-sabre, comme à la parade.

Bolitho, dans un sursaut angoissé, porta sa main à la hanche :

– Mon sabre !

Allday accourut :

– Mais, capitaine, vous ne pouvez pas vous en servir !

– Allez me le chercher !

Se tâtant toujours le côté, Bolitho s'émerveillait de cette valeur stupide qu'il accordait au fait de porter son sabre. Et pourtant, oui, cela avait de l'importance à ses yeux, même s'il ne pouvait l'exprimer clairement.

Il attendit qu'Allday eût fini d'attacher son ceinturon pour lui lancer :

– Peu importe de quelle main je le manierai, je risque d'en avoir besoin !

Et le maître d'hôtel regagna son poste près des filets, les yeux toujours fixés sur lui. Tant qu'il avait son coutelas, le capitaine n'aurait pas besoin de son bras, il pouvait le jurer.

Un nouveau bruit les fit se tourner vers les hauts, mi-hurlement, mi-sanglot. Comme un esprit dément, l'objet passa par-dessus leur tête et disparut dans la fumée.

– Boulets à chaîne, fit Bolitho.

Les Français essayaient souvent de démâter ou de désemparer l'ennemi chaque fois que cela était possible, là où les canonniers anglais visaient la coque afin de causer suffisamment de dommages et de créer assez de carnage pour contraindre l'adversaire à la reddition.

La fumée rougeoyait, il entendait des cris sur le château. Les boulets à chaîne rugissaient, de plus en plus nombreux, au-dessus des caronades, et venaient faucher les haubans et le gréement comme de l'herbe.

Une forte rafale de vent chassa la fumée d'un bord. Le feu du canon roulait toujours d'un bout à l'autre de la ligne et Bolitho vit le soixante-quatorze espagnol le plus proche à moins d'une demiencablure sur bâbord. Juste avant que la fumée envahît de nouveau la mer, il eut le temps de l'admirer. Le vaisseau brillait de tous ses feux sur l'eau, avec ses sculptures dorées et son élégant tableau qui réfléchissait la lumière. Des éclairs de mousquets jaillissaient de sa poupe surélevée.

A tribord, le second espagnol était légèrement sorti de la ligne. Le foc et le hunier de misaine battaient furieusement, et son capitaine se démenait pour essayer d'éviter le trois-ponts qui surgissait devant lui.

Il se retourna vers Broughton : l'amiral n'avait pas changé de posture. Il se tenait là, immobile, les bras le long du corps, comme s'il était trop atteint pour seulement remuer.

– Amiral, mettez-vous ailleurs ! – il lui indiqua le bâtiment le plus proche : Il y a des tireurs d'élite dans les parages, ce matin !

Comme pour authentifier ses dires, plusieurs éclis arrachés du pont se mirent à voler comme plume au vent et un homme s'effondra en hurlant près d'une pièce, atteint d'une balle en pleine poitrine. On le tira de là malgré ses cris et ses protestations : la douleur ne l'empêchait pas de deviner ce qui l'attendait dans l'entrepont.

Broughton sortit enfin de ses rêves et commença à arpenter la dunette de haut en bas. Il ne jeta pas même l'ombre d'un regard au cadavre tombé de la grand-vergue qui rebondit sur les filets avant de passer par-dessus bord. On aurait dit qu'il était au-delà de la peur ou de toute sensation, qu'il était quasi mort.

Les boulets continuaient de percuter la coque. La fumée s'éclaircit un peu, et Bolitho vit l'espagnol, son tableau aligné dans l'axe de l'artimon. Ils étaient en train de traverser la ligne, si bien qu'il fut presque agacé du constat. Il s'accrocha à la lisse pour tenter de se faire entendre par-dessus tout ce vacarme.

– Les batteries des deux bords, monsieur Meheux ! Faites passer !

Pestant et jurant, il essaya de tirer son sabre de la main gauche, mais il n'y avait rien à faire.

– Attendez, monsieur, laissez-moi faire.

C'était Pascoe.

Bolitho saisit la garde ouvragée et lui répondit d'un sourire.

– Merci, Adam.

Se faisait-il la même réflexion que lui, à cet instant précis ? Que ce vieux sabre serait un jour le sien ?

Il le leva au-dessus de sa tête. Le soleil joua sur la lame superbe avant de disparaître dans la fumée qui envahissait le bord une nouvelle fois.

– Dès que vous êtes en vue ! – il compta les secondes. Feu !

Le vaisseau fut pris d'une terrible secousse. Pont après pont, une pièce après l'autre, les bordées meurtrières éclatèrent des deux bords. Il entendait le grondement des espars qui tombaient, des cris brefs au milieu de la fumée : leur adversaire le plus proche avait été durement touché. Et ce n'était qu'un début. Les batteries basses de trente-deux couvraient tout le reste de leur rugissement et le recul ébranla la coque jusqu'à la quille. Leur tir à double charge vint ravager les deux bâtiments avec une précision qui ne leur laissait aucune chance. Celui qui se trouvait à tribord avait perdu son mât de hune et son perroquet de fougue, des amas de toile traînaient le long de la muraille comme des ordures. Quant au deux-ponts le plus proche, il dérivait sous le vent, incapable de gouverner. Tout le gouvernail était parti, l'arrière béant ouvert au soleil comme un grand trou noir. Ce qu'avait pu faire la bordée dans l'entrepont n'avait plus d'intérêt.

Une forme incertaine se dessinait près de l'autre espagnol, Bolitho se dit que ce devait être l'amiral adjoint. La batterie basse de l'*Euryale* avait déjà rechargé, elle balaya l'avant du français avant qu'il eût le temps de s'écarter de sa conserve. Ses canons continuaient de cracher du feu et de la fumée, mais il savait bien qu'il tirait sans faire trop attention au pointage.

– Paré à virer, monsieur Partridge !

Ils étaient passés. Le soixante-quatorze désemparé se perdait déjà dans la fumée et il y avait désormais un énorme trou dans la ligne avant celui qui occupait le troisième poste.

Les vergues craquaient, des voix appelaient au milieu du tonnerre des canons. L'*Euryale* commença à virer lentement pour suivre la ligne ennemie. La différence était étonnante : avec l'avantage du vent pour eux, l'ennemi était toujours gêné par la fumée. Il poussa un soupir de soulagement lorsque le pont fut dégagé : mâts et vergues étaient toujours là. Les voiles étaient constellées de trous, et il avait plusieurs tués ou blessés. Quelques-uns d'entre eux avaient été touchés par les tireurs ennemis perchés dans les hunes, mais la plupart avaient été abattus par des éclis.

Il entendit soudain un craquement effroyable à l'arrière et, lorsqu'il se pencha par-dessus le filet, il aperçut, encore incrédule, l'*Impulsif* qui louvoyait comme un ivrogne dans un amas d'espars brisés, alors qu'il n'avait qu'à moitié franchi la ligne de l'ennemi. Le mât de misaine était tombé, seul le perroquet de fougue semblait encore intact. Il y avait de gros trous dans le revers de muraille et il vit tomber sous ses yeux le mât de hune, qui s'écrasa dans la fumée avant de rester accroché le long du bord et d'entraîner le bâtiment plus loin sous les canons d'un deux-ponts français. Les boulets à chaîne l'avaient quasiment démâté, il voyait un autre français qui s'approchait déjà pour balayer son arrière et lui faire subir le sort que l'*Euryale* avait infligé à l'espagnol.

Il se contraignit à se consacrer à son bâtiment, mais ses oreilles refusèrent de ne pas entendre cette terrible bordée. Il aperçut Pascoe qui essayait d'apercevoir quelque chose dans la fumée, les yeux écarquillés d'horreur.

– Larguez les embarcations qui sont derrière ! cria-t-il.

Le jeune homme se tourna vers lui, mais sa réponse se perdit dans le bruit d'une nouvelle série de tirs à l'avant. Il courut enfin vers l'arrière en faisant signe à quelques marins de le suivre.

Bolitho regardait le vent pousser son bâtiment vers le travers du français qui suivait. Il examinait l'arrière, en sachant très bien que son capitaine choisirait soit de combattre, soit de prendre la fuite. Dans ce dernier cas, il était condamné, comme l'*Impulsif* l'avait été avant lui. Il dut serrer les dents pour s'empêcher de prononcer à voix haute le nom de Herrick. S'il avait fait larguer les bosses des canots, il avait plutôt dans l'idée de diminuer la souffrance du jeune homme que de sauver plus qu'une poignée de rescapés.

Il cria d'une voix terrible :

– Paré sur le château ! Monsieur Meheux, à la caronade, pour celui-ci !

– Feu !

Les premières pièces à ouvrir le feu furent celles de bâbord, puis l'air se mit à vibrer au bruit, plus grave, du départ de la caronade. Des membrures, des morceaux de pavois partaient dans tous les sens de la poupe de l'ennemi, et l'artimon entier s'effondra dans la fumée, pavillon tricolore compris.

Broughton l'appelait à grands cris :

– Regardez ! Mais bon sang, regardez-moi ce gaillard !

Il trépignait d'excitation. Comme un doigt gigantesque, un boute-hors suivi d'une figure de proue étincelante émergea devant le bâtiment le plus proche.

– Le *Zeus* a percé la ligne ! – Keverne agitait son chapeau en l'air. Mon Dieu, mais regardez-le !

Le *Zeus* passa en faisant feu des deux bords, ses voiles étaient en lambeaux, ses murailles noircies et pleines de trous. De petits filets rouge vif coulaient par les dalots, comme si c'était le navire lui-même qui saignait. Bolitho savait que Rattray s'était battu durement et en payant le prix pour suivre l'exemple du vaisseau amiral.

Pour autant qu'il pouvait en juger, la bataille était générale. Les canons grondaient devant et derrière, des bâtiments se livraient à des combats singuliers de chaque côté. La ligne française était démantelée, de même que les divisions de Broughton. L'amiral français ne pouvait plus diriger quoi que ce fût, il était isolé sous le vent, aveuglé par la fumée dans une mer transformée en folie par la bataille.

– Signal général ! cria Broughton : « Formez-vous en ligne derrière et devant l'amiral ! »

Tothill fit signe qu'il avait compris et courut rejoindre ses hommes. Il n'y avait guère de chances que quelqu'un parvînt à exécuter l'ordre, mais cela montrerait aux autres que Broughton exerçait toujours son commandement.

Et puis il y avait la *Tanaïs*, son mât d'artimon tombé, le château transformé en tas de bois, mais dont la plupart des pièces tiraient toujours et qui continuait d'asperger l'ennemi derrière le *Zeus*. Des coups de mousquet lui arrachèrent son pavillon au passage.

Les tirs d'artillerie redoublèrent au milieu de la fumée, ce devait être Furneaux qui défendait sa vie au milieu de tous ces bâtiments, désemparés certes, mais qui restaient tout de même dangereux.

– Bâtiment par le travers tribord, monsieur !

Bolitho traversa le pont le plus vite qu'il put et vit un deux-ponts français, sans pavillon, les voiles pleines de trous, et qui lui fonçait dessus. Sa vitesse augmenta encore lorsqu'il envoya misaine et huniers, ce qui le fit gîter fortement.

Alors que tous les autres étaient engagés dans la bataille, son capitaine était sorti de la ligne pour essayer de reprendre l'avantage. Quand il commença à virer lentement, sa silhouette se rétrécit jusqu'à devenir minimale, en inclinaison pratiquement nulle, puis Bolitho aperçut l'*Impulsif*. Il avait démâté, et tellement enfoncé dans l'eau que la batterie basse était quasiment submergée. Quelques silhouettes minuscules remuaient encore sur le pont, qui avait pris une forte bande ; des hommes sautaient par-dessus bord, sans doute trop choqués par cette tuerie pour savoir encore ce qu'ils faisaient.

– Pensez-vous qu'il y aura beaucoup de survivants ? demanda Keverne, la voix étranglée.

– Non, pas beaucoup – Bolitho se tourna vers lui. C'était un beau bâtiment.

Keverne le regarda, puis retourna à la lisse, où il retrouva Pascoe :

– Il est durement atteint. Il essaie de donner le change, mais je le connais maintenant trop bien.

Pascoe se tourna vers l'arrière. Le bâtiment était en train de couler sous la fumée de son propre incendie.

– C'est son meilleur ami – il détourna les yeux. Le mien aussi.

– Ohé, du pont !

La vigie les appelait peut-être déjà depuis un bon bout de temps. Au milieu de tout ce vacarme, il était très possible que personne ne l'eût entendue. Keverne leva les yeux, l'homme criait :

– Bâtiment, monsieur ! Par l'avant, sous le vent !

Bolitho serra la poignée de son sabre à s'en écraser les jointures. A travers les enfléchures et les haubans, juste sous le vent du mât de misaine, il le vit enfin. Enveloppé dans un impressionnant rideau de fumée, il prenait lentement une allure gigantesque, vergues brassées serré, et arrivait sous un angle très faible sur l'*Euryale*.

Bolitho sentit la rage et une espèce de haine incontrôlée l'envahir. C'était le *Glorieux*, le bâtiment amiral, qui venait l'accueillir et lui rendre la monnaie de sa pièce après le sort qu'il venait de faire subir à ses bâtiments, après qu'eut ainsi sonné le glas de sa trop grande confiance en lui-même.

Il serrait son sabre de plus belle, aveuglé par la haine et par la perte à laquelle il venait d'assister. Il allait, avant toutes choses, servir de mémorial à Herrick.

– Paré à ouvrir le feu ! cria-t-il en pointant son sabre vers Meheux. Double charge et de la mitraille, pour faire bonne mesure !

Et voyant que Broughton l'observait sans pouvoir détacher ses yeux, il ajouta sèchement :

– Voici votre homologue qui arrive, amiral.

Il savait que ses yeux crachaient des éclairs, que Broughton s'adressait à lui, mais il ne voyait rien d'autre que le visage de Herrick, les yeux levés dans la fumée alors que son bâtiment coulait sous ses pieds.

Broughton fit volte-face et se dirigea vers le passavant tribord, ses épaulettes brillant à la lumière tamisée du soleil.

On avait l'impression que ses pieds l'entraînaient là où il ne voulait pas aller. Il se mit à marcher au-dessus des canonniers noircis par la fumée, s'arrêtant de temps en temps pour faire un signe de tête ici, souhaiter bonne chance là. Certains le regardaient passer, l'œil sombre, trop hébétés pour lui prêter attention. D'autres lui rendaient un sourire, lui faisaient signe. Un chef de pièce cracha sur la volée de son trente-deux brûlant et grommela :

– ' vous faites pas de bile, sir Lucius, ce compagnon-là nous donnera la victoire !

Broughton s'arrêta, s'accrocha au filet pour se retenir. A l'arrière, au-dessus des marins et des fusiliers qui taillaient une bavette et pointaient déjà leurs mousquets, il aperçut Bolitho. Celui qui avait su en quelque sorte communiquer à ses hommes une force telle qu'ils ne pouvaient même plus faiblir, à supposer qu'ils l'eussent voulu. Et, à leur façon, ils partageaient cette force extraordinaire avec lui.

Bolitho se tenait immobile à la lisse ; il voyait le galon blanc sur sa vareuse, le sabre qu'il tenait contre lui. Il aperçut également son maître d'hôtel qui attendait un peu plus loin derrière lui, Pascoe qui le regardait, l'air désespéré.

C'est alors qu'il comprit. C'est Bolitho qui leur avait donné tout cela, qui le lui avait donné, mais il ressentait maintenant une souffrance telle que personne ne pouvait lui venir en aide.

Il sentait la colère monter. Il se dirigea vers l'arrière en criant :

– Dieu de Dieu, mais nous allons leur donner une bonne leçon à ces forbans, pas vrai, les gars ?

Et il se mit à sourire.

– Qu'en pensez-vous, monsieur Keverne ? Un nouveau trois-ponts pour la flotte !

Keverne dut s'y reprendre à deux fois pour répondre :

– Si vous voulez, amiral.

Bolitho leva la tête et se tourna vers lui :

– Merci, sir Lucius – il poussa un profond soupir, posa son sabre sur la lisse. Merci.

Lorsqu'il se retourna vers le vaisseau français, il était devenu nettement plus visible. Son esprit ne fut dès lors occupé que par une seule et unique pensée : le détruire.

Broughton observait lui aussi le deux-ponts, mais de l'autre bord.

– Il vire de bord ! – il fit de grands gestes à Bolitho. Mais regardez !

Bolitho vit le bâtiment ennemi qui roulait lourdement en s'éloignant. Il offrait tout son flanc à la bordée tribord de l'*Euryale*. Le capitaine avait peut-être échoué dans sa tentative initiale pour passer sur leur arrière, ou bien il avait changé d'avis et avait renoncé à passer trop près.

C'est alors que le français ouvrit le feu. Comme c'était sa première bordée depuis le début de ce combat acharné, elle était bien ajustée et, tandis qu'une épaisse fumée tourbillonnait le long de sa muraille, Bolitho sentit le pont trembler follement. L'air était rempli d'éclis, sans compter ce bruit terrible qu'ils avaient déjà entendu.

Le pont bascula davantage et, l'ouïe lui revenant lentement, il entendit Giffard qui criait :

– L'artimon ! Ces salopards l'ont eu !

Avant même d'avoir pu lever les yeux, il vit une grande ombre glisser en travers de l'arrière. Les manœuvres, les haubans tombaient, des hommes s'écrasaient en hurlant des deux bords. Puis le mât au complet avec ses huniers et ses vergues s'effondra au milieu d'eux.

Des manœuvres et des bras fouettaient de partout, balayant comme de grands serpents les équipes de pièce, les fusiliers hébétés. Dans un dernier et terrible craquement, le mât bascula pardessus bord. De nouveaux éclairs, la fumée s'envolait au-dessus du pont et il sentit les boulets à chaîne qui tournoyaient en l'air avant de s'écraser sur la coque dans un fracas de métal.

Des silhouettes noircies passaient près de lui, il aperçut Tebbutt, le bosco, taillant à grands coups de hache, pressant ses hommes de passer le plus possible de débris par-dessus bord ; le mât et les espars, des cadavres mutilés et quelques hommes encore vivants tombés de la hune, prisonniers du fouillis et qui tentaient de se dégager avant d'être entraînés à l'arrière. Le tout agissait comme une ancre flottante et freinait le bâtiment, dans un cauchemar de fumée et d'explosions assourdissantes.

Là où, quelques secondes plus tôt, des fusiliers se tenaient alignés, il n'y avait plus qu'un hachis grotesque de corps écrasés, réduits en bouillie, des mousquets brisés et une grande mare de sang qui s'étalait rapidement. Giffard donnait déjà ses ordres, d'autres fusiliers piétinaient à l'aveugle au milieu de ce carnage et essayaient de riposter au milieu d'une fumée suffocante.

Au milieu de tout cela, Broughton essayait d'entraîner un aspirant pris de sanglots à l'abri du grand mât. Il avait perdu sa coiffure, mais sa voix était toujours aussi nette. Il cria :

– Rechargez et mettez en batterie, bon sang ! Tapez-leur dans le tas, les gars, tapez-leur dedans !

Aveuglé par la fumée, Bolitho grimpa sur un tas de poulies et de cordages et cria :

– Monsieur Partridge ! Mettez-moi du monde à la roue ! Il part au lof !

Mais le pilote n'entendait plus rien. Une chaîne de boulet l'avait coupé en deux et Bolitho eut du mal à s'empêcher de vomir en découvrant cette horreur.

Une partie de la grand-roue double avait été emportée, mais, jurant et pestant, des marins arrivèrent en titubant et se jetèrent sur les manettes.

Dans un grand tremblement, l'artimon finit par se débarrasser de ses dernières attaches et plongea dans la mer. Bolitho sentit le bâtiment répondre presque immédiatement, mais alors qu'il poussait vers l'arrière des hommes qui arrivaient en renfort, il aperçut le vaisseau amiral de l'escadre française et comprit qu'il était trop tard. Ses oreilles, son cerveau bourdonnant encore du fracas des trente-deux-livres, il essaya pourtant d'imaginer une solution de la dernière chance. Mais la traction exercée par l'artimon, l'absence de gouvernail pendant quelques instants avaient sorti l'*Euryale* de sa route, si bien que son boute-hors pointait maintenant droit sur le gaillard d'avant de l'ennemi. La collision était inévitable et, même si la distance avait été plus grande, les voiles étaient en trop mauvais état, trop déchirées et percées de trous pour leur donner autre chose qu'un tout petit peu d'erre.

Apercevant Keverne, il lui cria :

– On fonce à l'avant ! Repoussez l'abordage !

La coque encaissa encore quelques coups, il vit le deux-ponts français passer lentement le long de la muraille tribord. Il faisait feu de toutes ses pièces, mâts et voiles intacts.

Il se précipita près du pavois et chercha des yeux Meheux dans le désordre environnant. Des hommes criaient, il y avait de la fumée partout. A moitié nus, luisant de sueur, noircis par la poudre, ils se précipitèrent en hurlant sur les palans et remirent les gros affûts en batterie. Les chefs de pièce tirèrent sur leurs cordons et les gueules crachèrent leurs langues de feu, tandis que la fumée envahissait le bord et aveuglait ces malheureux comme pour ajouter à leurs tourments.

Mais Meheux n'avait pas besoin qu'on lui expliquât ce qu'il avait à faire. Accroupi près d'un canon, il criait des ordres à ses chefs de pièce, les yeux brillants, le visage sinistre. Une nouvelle volée de boulets passa en hurlant au-dessus du pont et un marin qui courait avec un message tomba en se débattant, la tête emportée.

Meheux abattit son sabre et les canonniers s'accroupirent derrière les sabords comme des athlètes qui attendent le signal.

– Sur la crête ! – Meheux inspecta d'un dernier regard la longueur du pont. Feu !

Tous les canons ouvrirent le feu au même instant, Bolitho vit le grand mât et la misaine du français disparaître dans la fumée. Les batteries basses reprenaient le tir, et, handicapé par les espars à la traîne, le deux-ponts français encaissa deux bordées de mieux. Lorsque la fumée se dissipa enfin au-dessus de l'*Euryale*, il avait cessé le tir.

Bolitho manqua tomber lorsque le bâton de foc puis le boutehors s'enfoncèrent dans les enfléchures du français. Après une dernière convulsion, les deux coques se trouvèrent enlacées.

Les éclairs des départs de mousquets et de pierriers perçaient çà et là la fumée, Bolitho vit le lieutenant fusilier Cox prendre la tête de ses hommes sur le gaillard pour contre-attaquer l'ennemi.

Les canons reprenaient le tir dans les batteries inférieures bâbord et, pivotant comme des mammouths, les deux vaisseaux se rapprochèrent de plus en plus pour venir bord à bord. A l'avant, les gueules des canons se touchaient presque ; Bolitho sentit les boulets ennemis s'enfoncer dans la coque. Les pièces désemparées faisaient de telle ou telle batterie basse un lieu de carnage.

Des balles de mousquet ricochaient, passaient en geignant tout autour de la dunette sans défense ; Meheux surveillait la hune du grand mât d'où les pierriers tiraient sur l'arrière de l'ennemi.

– Abattez-moi ces tireurs ! cria-t-il.

Mais le bruit était tel que les servants ne l'entendirent pas. Désespéré, il grimpa sur le passavant, mit ses mains en porte-voix pour faire une nouvelle tentative. Un fusilier, souriant de toutes ses dents comme un sauvage, l'aperçut et pointa son pierrier sur la hune de grand mât de l'autre bâtiment. Au moment où il actionnait son tire-feu, une balle atteignit Meheux en plein dans l'estomac. Le regard déjà fixe, il bascula par-dessus la lisse et son corps, sans que personne s'en aperçût, s'affala près de l'un de ses trente-deux bien-aimés.

Broughton vit les tireurs d'élite français tomber sous la volée de mitraille. Quelques-uns restaient suspendus à gigoter aux vergues, d'autres, moins chanceux, mouraient en atterrissant sur le pont.

– Nos gens ne parviennent pas à les repousser, remarqua-t-il calmement.

En regardant ce qui se passait sur le passavant bâbord, Bolitho vit leurs adversaires qui débordaient déjà le gaillard, tandis que d'autres se battaient entre les deux coques, lame contre lame, pique contre mousquet.

Çà et là, un homme tombait et se faisait écraser entre les deux énormes carènes. Parfois une silhouette se retrouvait seule sur le pont de l'ennemi et se faisait massacrer sans pitié ni même un regard.

Un officier fusilier tomba en hurlant, son baudrier blanc taché de sang ; Giffard cria :

– Cox s'est fait tuer !

Et, avec un juron, il se rua à la charge sur le passavant, puis se fondit dans la mêlée.

Les deux coques se rapprochaient toujours davantage. Dans un choc extrêmement violent, le boute-hors de l'*Euryale* éclata et partit en l'air, laissant le foc flotter au vent telle une grande bannière.

Des hommes arrivaient sans cesse de l'autre vaisseau, Bolitho en vit quelques-uns qui se démenaient pour progresser vers la dunette. Un jeune officier apparut comme par magie sur l'échelle, sabre en avant, et il se précipita sur le pont. Bolitho essaya de parer le coup, mais il eut le temps de voir une lueur de triomphe dans les yeux du Français lorsqu'il réussit à détourner la lame avant de pivoter sur ses talons pour lui porter le coup fatal.

Calvert poussa Bolitho de côté, très calme, et cria :

– Il est à moi, monsieur !

Sa lame balaya l'air si rapidement que Bolitho n'eut le temps de rien voir. Le Français, le visage fendu de l'œil au menton, s'écroula en hoquetant contre le fronteau. Calvert fit pivoter son poignet d'un geste habile et lui porta une dernière botte droit au cœur.

– Un *amateur*[1], fit-il avant de redescendre parmi les attaquants, chevelure au vent.

Il trouva un autre officier, avec qui il commença à ferrailler contre l'échelle.

Keverne titubait dans la fumée, du sang coulait de son front.

– Monsieur !... – il se baissa pour éviter un coutelas et fit feu de son pistolet dans l'aine de l'homme qui alla s'écraser parmi les autres sous la force du coup – ... il faut rompre !

A sa voix parfaitement audible, Bolitho comprit soudain que les canons avaient cessé de tirer. A travers les sabords grands ouverts des deux bâtiments, les hommes se battaient à la pique ou au pistolet dans un combat dément.

Bolitho prit Keverne par le bras ; son sabre se balançait au bout de sa dragonne.

– Que dites-vous ?

– Je... je n'en suis pas certain, mais...

Keverne tira Bolitho contre lui et repoussa de son sabre un homme qui se jetait sur lui en hurlant. Le marin trébucha et Bolitho vit Allday arriver en courant de l'arrière ; il brandissait son coutelas devant lui et la lame pénétra le corps avec une force telle qu'elle ressortit de l'autre côté.

Keverne hoqueta :

– Le français est en feu, monsieur !

Bolitho vit l'amiral tomber à genoux, essayer de récupérer son sabre. Impuissant, il aperçut un officier marinier français qui se précipitait sur lui, baïonnette au canon.

Une silhouette mince se mit en travers, et Bolitho s'entendit hurler :

– Adam ! *Recule !*

1. En français dans le texte. (*NdT*)

Mais Pascoe resta fermement campé sur place, l'air extrêmement déterminé, alors qu'il ne possédait que son poignard.

La baïonnette plongea, mais, à la dernière seconde, une nouvelle forme sauta dans la fumée. La lame de l'homme était rouge de sang. Il para la baïonnette qui allait toucher le jeune homme en pleine poitrine. Le coup de mousquet partit, Pascoe recula, horrifié, en voyant Calvert s'effondrer à ses pieds, la figure emportée. Dans un sanglot, il frappa violemment l'officier marinier avec son poignard et le blessa assez gravement pour le contraindre à reculer. Allday acheva la besogne au couteau.

Bolitho réussit à s'arracher à ce spectacle et courut en abord. Derrière le grand mât de l'ennemi, il aperçut un panache de fumée. Des silhouettes surgissaient par le panneau, il entendit des cris d'alarme, des claquements de pompes.

Peut-être une lanterne s'était-elle décrochée dans la confusion générale ou une bourre incandescente s'était-elle infiltrée par un sabord ouvert. Mais il n'y avait pas moyen de s'y tromper, l'incendie faisait rage et il était urgent de se dégager au plus vite.

– Faites passer la consigne ! cria-t-il. A recharger la batterie basse, feu à mon ordre !

Tout autour de lui, le pont était en miettes, il y avait des cadavres étendus partout, des blessés gémissaient. L'espoir était mince, mais il n'y en avait pas d'autre. S'ils ne parvenaient pas à se dégager de l'étreinte du *Glorieux*, ils sombreraient tous deux dans un enfer.

– Paré, monsieur, cria un aspirant.

C'était Ashton.

– Feu !

Quelques secondes plus tard, la batterie basse ouvrit le feu dans une explosion de tonnerre. Il eut l'impression que son bâtiment allait s'ouvrir en deux. Dans la fumée, des débris volaient en l'air très haut par-dessus les filets. Bolitho vit l'autre bâtiment partir en biais sous le coup de la bordée.

Les voiles du vaisseau amiral français tiraient toujours et vibraient dans le vent. Il s'écarta un peu avant de revenir sur l'avant de l'*Euryale*. Une fumée épaisse s'échappait du grand panneau, Bolitho fut pris d'un tremblement incontrôlable. Une flamme qui faisait comme un dard fourchu s'échappa par-dessus l'hiloire.

Toute résistance avait cessé sur le pont de l'*Euryale* et les assaillants français, abandonnés là par leur bâtiment, regardaient en silence, mains en l'air, le *Glorieux* qui continuait de s'éloigner.

– Ils sont finis ! dit Broughton d'une voix rauque.

Il n'y avait ni fierté ni satisfaction dans sa voix. Tout comme les autres, il semblait totalement anéanti par la sauvagerie de la bataille.

Tothill passa la tête par-dessus la lisse :

– Signal du *Zeus*, monsieur.

Lorsque Bolitho baissa la tête pour le voir, il aperçut un aspirant qui souriait de toutes ses dents et pleurait en même temps, les larmes traçant des sillons sur son visage.

– Oui, monsieur Tothill ? lui demanda-t-il tranquillement.

– Deux bâtiments ennemis se sont rendus, monsieur. Un autre a coulé, et les derniers ont rompu le combat.

Bolitho poussa un soupir et observa en silence, mais avec soulagement, le vaisseau amiral qui s'éloignait lentement sous le vent. La fumée commençait à se dissiper, mais comme à contrecœur. Il vit enfin les autres bâtiments éparpillés sur la mer, endommagés et noircis par le combat. Il n'y avait pas trace de l'*Impulsif*. La *Sans-Repos*, arrivée pendant la bataille sans que personne l'eût aperçue, dérivait lentement au milieu des embarcations qu'elle avait mises à l'eau pour rechercher des survivants.

Bolitho ressentit soudain une bouffée de chaleur sur son cou et, lorsqu'il se retourna, il vit les voiles et le gréement du trois-ponts français flamber comme des torches. Les sabords inférieurs rougeoyaient et, avant que quiconque eût le temps d'ouvrir la bouche, l'air s'embrasa dans une énorme explosion.

La fumée entourait le lieu du désastre. Elle se transforma en vapeur au fur et à mesure que la mer pénétrait dans la coque démembrée. L'eau l'entraîna bientôt dans un gargouillis de bulles en faisant des bruits épouvantables. Les canons s'arrachaient à leurs palans, les hommes pris au piège dans l'obscurité couraient comme des fous avant de se faire dévorer par la mer ou par le feu.

Lorsque la fumée se dissipa enfin, il ne restait plus qu'un grand tourbillon qui tournait lentement, du bois d'épave et des restes humains qui se rejoignaient dans une danse macabre. Puis il n'y eut plus rien.

Broughton s'éclaircit la gorge :

– C'est une victoire – il regardait les blessés que l'on descendait en bas, puis se tourna vers Calvert. Mais la note est lourde.

– Nous allons entreprendre les réparations, amiral, dit Bolitho d'un ton las. Le vent a légèrement molli…

Il se tut, se frotta les yeux, essayant de réfléchir.

– Le *Valeureux* semble en mauvais état, je pense que la *Tanaïs* pourrait le prendre à la remorque.

Il entendit des cris de joie au loin et vit les hommes rassemblés sur le gaillard ravagé du *Zeus* hurler, faire de grands gestes en passant. Ils pouvaient bien pousser des hourras après tout ce qu'ils venaient de vivre. Des hommes de son propre équipage, un peu partout dans les enfléchures, leur retournèrent leurs vivats.

– Avec des hommes comme ceux-ci, sir Lucius, vous n'avez pas de crainte à avoir.

Mais Broughton ne l'avait pas entendu. Il était en train de se débarrasser de son superbe sabre et, après une brève hésitation, il le tendit à Pascoe.

– Prenez-le. Au moment où j'en ai eu besoin, je l'ai laissé m'échapper – et il ajouta d'un ton bourru : Un simple petit aspirant qui vient à bout de l'ennemi avec un poignard mérite de le posséder ! Et, en outre, continua-t-il en voyant son air étonné, un enseigne doit faire bonne figure, non ?

Pascoe prit le sabre, le retourna entre ses mains. Puis il fit face à Bolitho. Mais son oncle se tenait raide à la lisse, les doigts si serrés qu'ils en étaient livides.

– Monsieur ?

Il se précipita vers lui, soudain inquiet : et s'il avait reçu une nouvelle blessure ?

– Monsieur, regardez !

Bolitho lâcha la lisse et passa son bras autour des épaules du jeune homme. Il était fatigué à en mourir, sa blessure le faisait souffrir comme une brûlure au fer rouge, mais qui aurait duré un peu plus longtemps.

– Adam, lui dit-il très lentement, raconte-moi.

Il essayait d'avaler, il osait à peine parler.

– Ce canot, là-bas.

Pascoe le regarda, puis tourna la tête, en bas, tout près. Une chaloupe se dirigeait vers la muraille blessée de l'*Euryale*, remplie jusqu'au plat-bord d'hommes trempés, épuisés.

– Oui mon oncle, répondit-il enfin d'une voix hésitante, je le vois, moi aussi.

Bolitho lui serra plus violemment l'épaule, les yeux rivés sur la silhouette incertaine de l'embarcation qui tossait le long du bord. Il vit Herrick qui le regardait, près du patron. Son visage était défait, mais il souriait en tenant un fusilier blessé contre lui.

Keverne arrivait à grands pas. Il avait une question au bord des lèvres, mais s'arrêta en entendant Broughton qui criait :

– Si vous devez vous charger de l'*Aurige*, monsieur Keverne, je vous serais obligé de vouloir bien prendre le commandement ici en attendant que votre transfert soit possible.

Il se tourna vers Bolitho qui avait toujours le bras autour des épaules du jeune homme.

– Je crois que mon capitaine de pavillon en a fait assez – il vit Allday qui se ruait à la coupée. Assez pour nous tous.

ÉPILOGUE

L'huissier de l'Amirauté fit entrer Bolitho et Herrick dans une salle d'attente et referma la porte en leur accordant à peine un regard. Bolitho s'approcha d'une fenêtre pour jeter un œil sur cette rue pleine de monde. Le contraste était frappant. Il se tenait là, au calme, dans cette pièce, et il sentait à travers la fenêtre la chaleur de cette fin de septembre lui réchauffer le visage. Mais en bas, tous ces gens qui se hâtaient pour vaquer à leurs affaires étaient soigneusement emmitouflés. Et les nombreux chevaux équipés de couvertures qui trottaient devant les charrettes ou les voitures dans toutes les directions en soufflant de petits jets de vapeur vous donnaient un avant-goût de l'hiver.

Il entendit derrière lui Herrick qui n'arrivait pas à rester tranquille et se demanda si, tout comme lui, il se préparait à cet entretien avec résignation, ou au contraire avec anxiété.

Londres était décidément un endroit irritant. Passe encore que l'huissier les eût traités avec autant d'indifférence : les halls et les couloirs étaient pleins d'officiers de marine au grade rarement inférieur à celui de capitaine de vaisseau. Chacun n'avait en tête que son rendez-vous, son bâtiment ou, tout au moins, la nécessité absolue où il se trouvait de se montrer très occupé dans ce centre nerveux de la puissance navale britannique.

Près de trois mois avaient passé depuis que le vaisseau amiral français avait explosé. Pendant tout ce temps, Bolitho avait été plus que pris par la tâche de rapatrier l'escadre endommagée à Gibraltar sans autre perte. Il y avait attendu ses ordres.

Tandis que leurs nombreux blessés mouraient ou retrouvaient une espèce de santé, les équipages avaient travaillé sans relâche à réparer les avaries dans la mesure du possible, compte tenu des maigres ressources du Rocher. Bolitho avait attendu sans résultat que quelqu'un voulût bien leur être reconnaissant des efforts accomplis.

En fin de compte, un brick était arrivé, porteur de dépêches pour Broughton. Les bâtiments parés à reprendre la mer devaient le faire immédiatement, non pas pour rejoindre Lord Saint-Vincent devant Cadix, mais pour rallier l'Angleterre. Après tout ce qu'ils avaient fait et souffert ensemble, il était dur de voir leur petite escadre ainsi dispersée.

Le *Valeureux* était dans un état tel que, tout comme la *Tanaïs* qui ne valait guère mieux, il resterait à Gibraltar. Les autres avaient appareillé avec les deux soixante-quatorze pris aux Français, et ils avaient rallié Portsmouth directement pour y jeter l'ancre. De nouveau, on avait dû reprendre les travaux de carénage, et ils s'étaient dispersés. Cette fois-ci, pourtant, cela signifiait qu'il fallait dire adieu à des visages plus familiers. Keverne, qui venait de recevoir un avancement mérité au grade de capitaine de frégate, avait reçu l'*Aurige*. Le capitaine de vaisseau Rattray avait été débarqué et conduit à l'hôpital de Haslar où, avec une jambe en moins et à moitié aveugle, il finirait probablement ses jours.

Furneaux était mort pendant la bataille et Gillmore avait reçu d'autres instructions. Il devait mettre sa *Coquette* aux ordres de l'escadre de la Manche, qui manquait toujours désespérément de frégates.

Les jours s'écoulaient ainsi à Portsmouth, et Bolitho avait eu tout loisir de se demander comment le rapport de Broughton avait été accueilli à l'Amirauté.

Avec le recul du temps, ce qu'ils avaient découvert à Djafou, ce qu'ils y avaient enduré, cette bataille désespérée contre des forces deux fois supérieures aux leurs, tout cela semblait s'évanouir dans le passé. Broughton en pensait sans doute la même chose que lui, car il était resté la plupart du temps calfeutré dans ses appartements. Il montait parfois faire quelques pas sur la dunette, mais limitait strictement ses contacts aux nécessités du service.

Et puis, deux jours plus tôt, ils avaient reçu leurs convocations. Broughton et son capitaine de pavillon devaient aller rendre compte à l'Amirauté. Plus inattendu, Herrick devait les y accompagner. Il lui avait déjà expliqué qu'on lui demanderait probablement des comptes pour la perte de l'*Impulsif*, mais Bolitho n'était pas de cet avis. Plus sûrement, comme Herrick était le seul capitaine à ne pas avoir été impliqué directement dans les opérations antérieures de l'escadre, on l'appelait en tant que témoin impartial afin qu'il pût fournir sa propre version des faits. Il restait à espérer qu'une loyauté aveugle envers ses supérieurs ne le pousserait pas à mettre en péril son propre avenir.

Mais, quoi qu'il dût désormais advenir, Adam avait posé fermement le pied sur le premier barreau de l'échelle. Il avait obtenu son brevet avec une aisance qui l'avait apparemment surpris lui-même. Pour l'heure, il était à bord de l'*Euryale*, où il devait se faire du mauvais sang pour l'avenir de son oncle, ou son manque d'avenir.

Une porte s'ouvrit, Broughton traversa la pièce pour gagner le couloir. Bolitho, qui ne l'avait pas revu depuis qu'il avait quitté son bâtiment, lui dit vivement :

– J'espère que tout s'est bien passé, sir Lucius ?

Broughton sembla se rendre compte seulement alors de sa présence. Il l'observa froidement :

– J'ai été désigné pour la Nouvelle-Galles du Sud. Je vais m'occuper des bâtiments et de tout ce qui relève de la station navale que nous avons là-bas.

Bolitho essayait de dissimuler sa consternation.

– Voilà qui représente une lourde tâche, amiral.

L'amiral jeta un coup d'œil à Herrick.

– L'oubli – et, se détournant : J'espère que votre sort sera meilleur.

Il leur fit un bref signe de tête et s'en fut.

Herrick explosa :

– Eh bien, nom de Dieu, je ne connais peut-être guère Broughton, en tout cas je trouve que c'est sacrément injuste ! Il va aller pourrir là-bas pendant que ces empoudrés de Londres se font du lard sur le dos d'hommes comme lui !

– Calmez-vous, Thomas, fit Bolitho en souriant tristement, je pense que Sir Lucius s'y attendait.

Il retourna près de la fenêtre. L'oubli... Comme cela décrivait bien cette affectation. Et pourtant, Broughton portait un nom, il avait un certain pouvoir. C'était un homme d'influence.

Il repensa soudain avec amertume au chef des mutins de l'*Aurige*, Tom Gates. Il le voyait encore, assis à une table, dans la petite auberge de la baie de Veryan, puis face à face avec le capitaine Brice, dans sa chambre.

La première chose ou presque qu'il avait remarquée en passant la pointe de Portsmouth. Les restes abîmés par les intempéries de Gates, pendu à un gibet pour constituer un témoignage effroyable du prix de la révolte. Quel destin étrange que le sien !... Le second lieutenant de l'*Aurige* avait été relâché par les Français en échange de l'un de leurs officiers. Il s'était retrouvé à bord d'une autre frégate, où il avait découvert Gates, dissimulé sous une fausse identité. Tous ses espoirs morts, toute ambition éteinte, il ne lui restait plus qu'à essayer de se cacher parmi ses congénères. Et Gates avait fini au bout d'une corde, comme tant d'autres après la mutinerie.

La porte s'ouvrit une seconde fois et un enseigne annonça :

– Sir George va vous recevoir – et, voyant Herrick s'effacer : Vous recevoir tous les deux, je vous prie.

La pièce était superbe, ornée de nombreux tableaux. Un grand buste de Raleigh trônait sur la cheminée, où brûlait un feu de bois.

L'amiral Sir George Beauchamp ne daigna pas lever le nez de ses papiers, mais se contenta de leur indiquer deux chaises.

Bolitho le regarda feuilleter quelques documents. Beauchamp, l'homme qui s'était distingué en réorganisant l'Amirauté dès le début de la guerre. Un homme célèbre pour sa sagesse et son humour. Et pour sa sévérité.

L'homme était fin, plutôt voûté, comme courbé sous le poids de sa vareuse décorée de magnifiques galons dorés.

– Ah, Bolitho – il leva la tête et le regarda d'un œil froid. J'ai lu les rapports ainsi que le récit de vos découvertes. Intéressant.

Bolitho entendait Herrick qui avait du mal à respirer à côté de lui ; il se demanda comment l'amiral allait poursuivre.

– Je connaissais Sir Charles Thelwall, qui fut votre amiral – Beauchamp le regardait toujours droit dans les yeux. Un homme de valeur.

Et il se replongea dans sa paperasse.

Toujours aucune mention de Broughton, cela finissait par être agaçant.

– Croyez-vous, reprit l'amiral, que ce que vous avez fait et découvert en valait la peine ?

– Oui, amiral, répondit calmement Bolitho.

Il avait posé sa question comme si de rien n'était, mais cela résumait sans doute tout ce qui s'était passé. Bolitho ajouta :

– Les Français feront d'autres tentatives. Il faut les contenir. Puis les arrêter.

– Votre conduite à Djafou, votre comportement face à une situation qui devait paraître désespérée, ont été satisfaisants. Sir Lucius en parle dans son rapport – il fronça le sourcil. Autant qu'il peut le faire.

– Merci, amiral.

Mais l'amiral fit comme s'il n'avait pas entendu.

– De nouvelles méthodes tactiques, des idées neuves, des objectifs renouvelés, tout cela est nécessaire si nous voulons survivre, sans parler de remporter cette guerre. Mais une bonne connaissance, une profonde compréhension des hommes qui combattent et meurent pour notre cause, voilà qui est *vital* !

Il haussa les épaules.

– Vous possédez ces qualités. Tandis que…

Il laissa sa phrase en suspens, mais un mot revint à la mémoire de Bolitho. L'*oubli*.

Beauchamp consulta la pendule dorée.

– Vous allez demeurer à Londres un jour ou deux, le temps que je rédige vos ordres, compris ?

– Oui, amiral, fit Bolitho en hochant la tête.

L'amiral s'approcha d'une fenêtre et se mit en posture d'examiner les charrettes qui passaient ainsi que les citadins avec quelque chose qui ressemblait à du dédain.

– Le capitaine de vaisseau Herrick rentre immédiatement à Portsmouth.

– Puis-je vous demander pour quelle raison, amiral ? lui demanda Herrick d'un ton acerbe.

Beauchamp se retourna et esquissa un fin sourire.

– Le *commodore* Bolitho hissera sa marque à bord de l'*Euryale* à son retour à Portsmouth.

Il se tourna vers Herricks qui le fixait, ébahi.

– Je savais qu'il vous réclamerait comme capitaine de pavillon, j'ai donc jugé inutile de perdre un temps précieux, comme il est de tradition dans cette maison !

Et il s'avança, main tendue. En voyant que Bolitho portait un bras en écharpe dans sa vareuse, il lui tendit l'autre main.

– Nos carcasses deviennent trop souvent le registre de nos infortunes, Bolitho, hein ? – il lui sourit. Je vous confie une escadre, Bolitho, juste une petite escadre, mais assez importante pour vous permettre de tirer le plus possible de vos idées. Je vous souhaite bonne chance, j'espère que je ne me suis pas trompé.

Bolitho détourna les yeux.

– Merci, amiral.

Il voyait tout tourner autour de lui.

– Et merci de m'avoir accordé le capitaine de vaisseau Herrick.

L'amiral avait regagné son bureau.

– Oh, ce n'est rien.

Mais, lorsqu'ils eurent quitté la pièce, il souriait tout seul avec un plaisir manifeste.

Lorsqu'ils eurent retrouvé la rue avec ses passants pressés et les feuilles qui volaient au vent, Bolitho dit à son compagnon :

– J'ai l'impression de vivre un rêve, Thomas.

Herrick arborait un large sourire :

– J'attends avec impatience de voir la tête de votre neveu lorsque je lui aurai raconté tout cela ! – il hocha la tête. Une marque de commodore, que le diable les emporte, je croyais qu'ils ne vous accorderaient jamais la récompense qui vous revenait !

Bolitho l'écoutait en souriant, tiraillé entre deux sentiments. Broughton l'avait prévenu de la vie qui l'attendait s'il atteignait un jour le rang d'amiral. Vous deveniez alors un être supérieur, inaccessible, insensible. Et pourtant, il s'agissait d'un défi qu'il avait toujours souhaité relever. De l'autre côté, imaginer quelqu'un d'autre réduire la toile ou lever l'ancre à sa place, commander son bâtiment en n'étant plus que simple spectateur, quel effet cela lui ferait-il ?

– Vous feriez mieux de rentrer à l'auberge, Thomas. Si vous arrivez à attraper la Flèche de Portsmouth, vous pourriez être à bord de l'*Euryale* demain soir.

Herrick était redevenu grave.

– Je vais dire à Allday de préparer vos affaires, monsieur.

– C'est cela – il lui prit le bras. Nous avons fait un long chemin ensemble, Thomas, et je n'aurais pu rêver meilleur compagnon, meilleur ami.

Il resta à regarder la silhouette carrée de Herrick qui disparut bientôt au coin de la rue, puis examina avec intérêt l'animation qui régnait autour de lui.

Il s'apprêtait à traverser, mais attendit pour laisser passer une voiture vert émeraude attelée d'une magnifique paire de grisons. Mais le cocher tira sur les rênes et pressa de sa botte parfaitement cirée la pédale du frein.

Bolitho attendit, encore étonné. Tout allait si vite dans la grande ville !

La fenêtre de la voiture s'ouvrit et il entendit une voix qui lui disait :

– J'ai appris que vous étiez à l'Amirauté, capitaine.

Il se tourna vers la jeune femme élégante qui lui souriait avec un air de conspirateur. C'était Catherine Pareja.

– Kate ! s'écria-t-il – il ne trouvait rien d'autre à dire.

Elle tapota le toit :

– Robert ! Aidez donc le capitaine à monter !

Et, lorsque Bolitho se fut englouti dans le siège à côté d'elle, elle ajouta :

– Nous soupons ensemble – ses lèvres se retroussèrent, ce sourire si familier… – Et ensuite…

L'éclat de rire se perdit dans le bruit des roues et la voiture reprit rapidement sa course dans la circulation.

L'amiral Beauchamp était à sa fenêtre et avait tout vu. Il hocha pensivement la tête : il avait fait le bon choix. Bolitho était un homme avec qui il faudrait compter.

TABLE

DU MÊME AUTEUR

romans

Traduit de l'anglais par Florence Herbulot

Cap sur la gloire

Traduits de l'anglais par Alain Bories

Capitaine de Sa Majesté

Mutinerie à bord

Toutes voiles dehors

En ligne de bataille

Traduit de l'anglais par Fabien Michel

Ennemi en vue

Traduits de l'anglais par Luc de Rancourt

A rude école

Le Feu de l'action

En vaillant équipage

Armé pour la guerre

AVENTURES MARITIMES

AUX ÉDITIONS PHÉBUS

« *CAPTAIN HORNBLOWER* »

ROMANS DE C. S. FORESTER

Traduits de l'anglais par Louis Guilloux et René Robert

Retour à bon port

Un vaisseau de ligne

Pavillon haut

Traduits de l'anglais par Maurice Beerblock

Le Seigneur de la mer

Lord Hornblower

Aspirant de marine

Lieutenant de marine

Mission aux Antilles

Trésor de guerre

Traduit de l'anglais par Alain Bories

Seul maître à bord

Traduit de l'anglais par Éric Chédaille

Au cœur de la mêlée

Cet ouvrage
réalisé pour le compte des Éditions Phébus
a été mis en pages par In Folio,
reproduit et achevé d'imprimer
en mai 1999
dans les ateliers de Normandie Roto Impressions S.A.
61250 Lonrai
N° d'imprimeur : 99-1143